Peter James

STIRB SCHÖN

Thriller

Aus dem Englischen
von Susanne Goga-Klinkenberg

Lizenzausgabe der Axel Springer AG,
1. Auflage Januar 2011

Lizenzausgabe mit freundlicher Genehmigung der S. Fischer Verlag GmbH,
Frankfurt am Main

© Really Scary Books/Peter James 2006
Für die deutsche Ausgabe:
© S. Fischer Verlag GmbH, Frankfurt am Main 2006
Konzeption und Gestaltung: Klaus Fuereder, Berlin
Projektkoordination: Stephan Pallmann, Alexandra Wesner,
Markus Hövelmans
Satz: CPI – Ebner & Spiegel, Ulm
Druck und Verarbeitung: CPI – Ebner & Spiegel, Ulm
Gedruckt in Deutschland

ISBN 978-3-942656-04-7

Für Helen

1

DIE TÜR EINES EHEMALS ELEGANTEN REIHENHAUSES öffnete sich, und eine langbeinige junge Frau in kurzem Seidenkleid, das sich wie eine zweite Haut um ihren Körper schmiegte, trat in die warme Junisonne. Es sollte der letzte Tag ihres Lebens sein.

Vor hundert Jahren hatten die hohen weißen Villen, die nur einen Steinwurf von Brightons Seepromenade entfernt lagen, Londons Schickeria als Wochenenddomizil gedient. Heutzutage verbargen sich hinter den salzzerfressenen Fassaden Appartements und billige Wohnungen. Die Türklopfer aus Messing waren durch Sprechanlagen ersetzt worden, in den Vorgärten hingen die bunten Schilder der Immobilienmakler, und aus den Mülleimern auf dem Gehweg quoll Abfall. Viele der Autos, die sich in den wenigen Parklücken drängten, waren verbeult, rostig und mit Tauben- und Möwendreck bekleckert.

Doch die junge Frau, die lässig die blonden Haare über die Schulter warf, verströmte Klasse. Schicke Sonnenbrille, Glitzerarmband von Cartier, Schultertasche von Anya Hindmarsh, fitnessgestählter Körper, mediterrane Bräune, ein Hauch von Issey Miyake – sie hätte besser zwischen die Verkaufstische von Bergdorf Goodman, in die Bar des Schrager Hotels oder an Bord einer Luxusjacht in St. Tropez gepasst.

Nicht übel für eine Jurastudentin, die eigentlich von einem eher bescheidenen Einkommen hätte leben müssen.

Doch Janie Strettons Vater hatte seine schöne Tochter über die Maßen verwöhnt, nachdem ihre Mutter gestorben war, sodass Bescheidenheit nicht zu ihrem Wortschatz gehörte. Geld verdienen fiel ihr leicht. Ob sie es jedoch in ihrem künftigen Beruf verdienen würde, war eine andere Sache. Der Anwaltsberuf war hart. Sie hatte vier Jahre Studium hinter sich und würde in den kommenden zwei Jahren als Referendarin für einen Scheidungsanwalt in Brighton arbeiten, was ganz okay war, selbst wenn manche Fälle ganz schön bizarr waren.

So wie gestern. Der Klient hieß Bernie Milsin und war ein sanfter Herr in den Siebzigern mit adrettem grauen Anzug und sorgfältig geknoteter Krawatte. Janie hatte still in einer Ecke gesessen, während sich Martin Broom, der fünfunddreißigjährige Sozius, Notizen machte. Mr. Milsin beklagte sich, seine drei Jahre ältere Frau gebe ihm erst dann etwas zu essen, wenn er sie zuvor oral befriedigt habe.

»Und das dreimal täglich«, erklärte er Martin Broom. »Das schaffe ich in meinem Alter nicht mehr, die Arthritis in den Knien bringt mich um.«

Janie musste sich das Lachen verkneifen, auch Broom rang sichtlich um Fassung. Also hatten nicht nur Männer abartige Wünsche. Man lernte nie aus, und sie fragte sich manchmal, wo sie mehr gelernt hatte – an der juristischen Fakultät der Sussex University oder an der Hochschule des Lebens.

Kurz vor ihrem rot-weißen Mini Cooper meldete ihr Handy piepsend eine SMS. Sie schaute aufs Display.

Heute Abend. 20.30?

Janie lächelte und bestätigte mit einem kurzen XX. Dann öffnete sie die Wagentür, stieg ein und überlegte kurz, was an diesem Tag auf dem Programm stand.

Ihr Kater Bins hatte einen Knoten auf dem Rücken, der immer größer wurde und den sie unbedingt dem Tierarzt zeigen wollte. Bins war ihr vor zwei Jahren als völlig abgemagerter Streuner zugelaufen. Janie hatte ihn bei sich aufgenommen, und er machte keine Anstalten, sie wieder zu verlassen. Von wegen Unabhängigkeit der Katzen, andererseits hatte sie ihn auch sehr verwöhnt. Bins war anhänglich, und Janie hatte sonst niemanden zum Verwöhnen. Sie würde versuchen, einen Abendtermin zu bekommen. Wenn sie gegen halb sieben beim Tierarzt wäre, bliebe immer noch genügend Zeit.

In der Mittagspause würde sie eine Geburtstagskarte und ein Geschenk für ihren Vater besorgen müssen – er wurde am Freitag fünfundfünfzig. Sie hatte ihn seit einem Monat nicht mehr gesehen, da er geschäftlich in den USA gewesen war. In letzter Zeit schien er nur noch herumzureisen, immer auf der Suche nach der Frau, die seine verstorbene Ehefrau ersetzen könnte. Er erwähnte es nie, doch Janie wusste, dass er einsam war – und sich Sorgen um seine Firma machte, die offenbar schweren Zeiten entgegenging. Und es war nicht wirklich hilfreich, dass sie achtzig Kilometer von ihm entfernt wohnte.

Als sie sich anschnallte, ahnte sie nichts von dem surrenden Motor der Pentax Digitalkamera und dem langen Objektiv, das in zweihundert Metern Entfernung auf sie gerichtet war.

Er beobachtete sie durch das Fadenkreuz und sagte ins Handy: »Sie kommt jetzt.«

»Bist du sicher, dass sie es ist?« Die Stimme klang scharf wie eine stählerne Klinge.

Die Antwort war eigentlich überflüssig. Eine echte Augenweide, dachte er.

»Ja, ganz sicher«, sagte er.

2

»ICH SITZE IM ZUG!«, brüllte der übergewichtige Vollidiot mit dem Babygesicht ihm gegenüber ins Handy. »Im Zug. Z-U-G«, wiederholte er. »Ja, miese Verbindung.«

Sie fuhren in einen Tunnel.

»Scheiße«, sagte der Vollidiot.

Tom Bryce, der gegenüber dem Vollidioten und neben einem Mädchen mit widerlich süßem Parfum saß, das wie wild eine SMS nach der anderen tippte, musste ein Grinsen unterdrücken. Er war ein liebenswürdiger, gut aussehender Mann von sechsunddreißig im eleganten Anzug, mit ernstem und doch jungenhaftem Gesicht und dichtem dunkelbraunen Haar, das ihm ständig in die Stirn fiel. Die Hitze machte ihm zu schaffen, über ihm in der Gepäckablage welkte der Blumenstrauß dahin, den er für seine Frau gekauft hatte. Die Temperatur im Abteil lag bei etwa dreißig Grad, es fühlte sich aber noch heißer an. Im letzten Jahr war er in der 1. Klasse gefahren, die etwas besser klimatisiert oder einfach weniger voll war, doch inzwischen musste er sparen. Dennoch überraschte er Kellie gerne ab und zu mit Blumen.

Als sie kurz darauf aus dem Tunnel herausfuhren, ging der Albtraum weiter. »Das war ein Tunnel!«, bellte der Vollidiot, als wären sie immer noch drin. »Scheiße, das ist nicht zu fassen! Wieso haben die keinen Draht oder so was, um die Verbindung zu halten? Im Tunnel, meine ich. In manchen Autobahntunneln gibt's das doch schon, oder?«

Tom versuchte, sich auf die E-Mails zu konzentrieren, während er seinen Mac-Laptop auf den Knien balancierte. Wieder eine beschissene Heimfahrt nach einem beschissenen Tag im Büro. Noch über hundert Mails zu beantworten, und es kamen ständig neue rein. Er erledigte sie konsequent jeden Abend, um irgendwie Schritt zu halten. Manchmal schickten Freunde irgendwelche Witze, die er später lesen konnte, oder anzügliche Attachments, die er unmöglich in einem voll besetzten Zug öffnen konnte. Einmal hatte er neben einer prüde wirkenden Frau gesessen und auf eine PowerPoint-Datei geklickt, worauf ein Esel auf dem Monitor erschien, der von einer nackten Blondine oral befriedigt wurde.

Der Zug ratterte, rüttelte und ruckte in kurzen Stößen, als sie durch den nächsten Tunnel fuhren. Es war nicht mehr weit. Der Wind dröhnte über dem halb geöffneten Fenster, das Echo hallte von den schwarzen Wänden wider. Im Abteil roch es nach alten Socken und Ruß. Ein Aktenkoffer vibrierte auf der Gepäckablage über ihm, und er schaute nervös nach oben, ob er nicht die Blumen zerdrückte.

Schweißperlen kullerten ihm den Nacken und an den Rippen hinunter, sammelten sich überall dort, wo sein maßgeschneidertes weißes Hemd noch nicht an der Haut klebte. Er hatte die Anzugjacke ausgezogen und die Krawatte gelockert, am liebsten hätte er auch noch die unbequemen Prada-Slipper abgestreift. Tom hob das feuchte Gesicht, als sie aus dem Tunnel rollten, und roch sofort die süßere, nach Gras duftende Luft der Downlands; in wenigen Minuten würde man auch den Salzhauch des Ärmelkanals spüren. Nach vierzehn Jahren Pendeln konnte Tom sein Zuhause mit geschlossenen Augen wittern.

Er schaute hinaus auf Felder, Bauernhäuser, Hochspannungsmasten, einen Wasserturm, die fernen Hügel, dann wieder auf seine E-Mails. Er las und löschte eine Nachricht seines Verkaufsleiters, beantwortete eine Kundenbeschwerde – noch ein wichtiger Kunde, der wütend war, weil eine Lieferung nicht rechtzeitig zum großen Sommerfest eingetroffen war. Diesmal ging es um Werbekulis, letztes Mal um bedruckte Golfschirme. Die ganze Bestell- und Versandabteilung war ein einziges Chaos – teils wegen des neuen Computersystems, teils weil sie von einem Versager geleitet wurde. Auf diesem schwer umkämpften Markt tat es besonders weh, dass er in nur einer Woche zwei große Kunden – Avis und Apple – an die Konkurrenz verloren hatte.

Ein Wahnsinn.

Seine Firma brach unter der Schuldenlast fast zusammen. Er expandierte zu schnell, arbeitete auf der Überholspur. So wie auch sein Haus unter den Hypotheken ächzte. Er hätte sich von Kellie nie zum Umzug überreden lassen dürfen, denn es ging abwärts mit dem Markt, die Branche litt unter einer Rezession. Nun musste er schwer um seine Liquidität kämpfen. Das Geschäft deckte nicht länger die laufenden Ausgaben. Und trotz aller Mahnungen gab Kellie weiter wie besessen Geld aus. Fast jeden Tag kaufte sie etwas Neues, meist bei Ebay, und da es ihrer Ansicht nach lauter Schnäppchen waren, zählten sie nicht für sie.

Außerdem, erklärte sie, kaufe er sich doch auch immer teure Designerkleidung. Es schien ihr völlig zu entgehen, dass er die Sachen für sein berufliches Auftreten brauchte und sie grundsätzlich im Schlussverkauf erstand.

Tom war dermaßen besorgt, dass er vor kurzem sogar mit einem Freund, der nach seiner Scheidung unter Depressionen gelitten und deswegen eine Therapie gemacht hatte, über das Kaufproblem gesprochen hatte. Bei einigen Wodka Martini, in denen Tom neuerdings öfter Trost suchte, hatte Bruce Watts ihm erzählt, es gebe Leute, die zwanghaft kaufsüchtig, aber therapierbar seien. Tom fragte sich nun, ob Kellie einer solchen Behandlung bedurfte – und wenn ja, wie er das Thema anschneiden sollte.

Der Vollidiot legte wieder los. »Hallo Bill, hier ist Ron. Ron vom Ersatzteillager. Genau der! Wollte dich eben mal kurz auf den neuesten Stand bringen – Scheiße Bill? Hallo –?«

Tom schaute unauffällig hoch. Kein Signal. Göttliche Vorsehung! Manchmal war er wirklich nahe dran, an Gott zu glauben. Dann klingelte das nächste Handy.

Sein eigenes, er spürte das Vibrieren in der Hemdtasche. Er las den Namen des Anrufers und meldete sich, so laut er konnte. »Hallo Schatz, ich bin im Zug! Im Zug! Z-u-g! Er hat Verspätung!« Er lächelte den Vollidioten an – die Rache war süß.

Während er, nun in zivilisierterem Ton, mit Kellie sprach, fuhr der Zug in Preston Park ein, dem letzten Halt vor Brighton. Der Vollidiot griff nach einer winzigen, billig aussehenden Reisetasche und stieg mit einigen anderen Passagieren aus. Erst nachdem Tom sein Gespräch beendet hatte, fiel ihm die CD-ROM auf, die gegenüber auf dem leeren Sitz lag.

Er hob sie auf und suchte nach Hinweisen auf den Besitzer. Die Hülle war aus undurchsichtigem Kunststoff, ohne Etikett oder Beschriftung. Er klappte sie auf und nahm die silberne CD-ROM heraus. Auch nichts. Er würde sie in seinen Laptop einlegen und öffnen, vielleicht fand er so einen Hinweis auf ihren Besitzer. Wenn nicht, würde er sie im Fundbüro abgeben, obwohl der Vollidiot so viel Hilfe eigentlich nicht verdient hatte.

Zu beiden Seiten des Zuges ragte nun eine Kreideböschung empor. Dann tauchten links Häuser und ein Park auf. In wenigen Sekunden würden sie in den Bahnhof von Brighton einfahren. Für die CD-ROM blieb keine Zeit mehr, das würde er später zu Hause erledigen.

Hätte Tom nur die leiseste Ahnung gehabt, welche katastrophalen Folgen dies haben würde, hätte er das verdammte Ding nie angerührt.

3

JANIE BLINZELTE IN DER UNTERGEHENDEN SONNE, um die Uhrzeit vom Armaturenbrett abzulesen, und schaute zur Sicherheit noch einmal auf ihre Armbanduhr. 19.55 Uhr. Herrgott. »Wir sind fast da, Bins«, sagte sie nervös und verfluchte den Verkehr an der Promenade. Wäre sie nur anders gefahren. Sie steckte sich ein Pfefferminzkaugummi in den Mund.

Anders als seine Besitzerin hatte der Kater kein heißes Date und hockte daher seelenruhig in seinem Tragekörbchen auf dem Beifahrersitz. Allerdings schien er ihr den Besuch beim Tierarzt doch ein wenig zu verübeln. Janie legte die Hand auf den Korb, als sie zu schnell um eine Ecke bog, wurde langsamer und schaute sich nach einem Parkplatz um. Hoffentlich hatte sie diesmal Glück.

Sie war viel später dran als erwartet. Ausgerechnet heute hatte ihr Chef sie länger dabehalten, um eine Besprechung für den nächsten Morgen vorzubereiten, bei der es um einen besonders erbitterten Scheidungsfall ging.

Der Klient war ein arroganter, gut aussehender Nichtsnutz, der eine reiche Erbin geheiratet hatte und nun das Beste für sich herausschlagen wollte. Janie hatte ihn von der ersten Begegnung an verabscheut, und obwohl er ein Klient war, betrachtete sie ihn als Parasiten und hoffte insgeheim, dass er keinen Penny bekommen möge. Sie hatte es ihrem Chef gegenüber nicht erwähnt, glaubte aber, dass er ähnlich dachte.

Danach hatte sie über eine halbe Stunde im Wartezimmer gesessen, bevor sie endlich zu Mr. Conti hineingerufen wurde. Und die Konsultation hatte wenig erbracht. Cristian Conti, für einen Tierarzt ziemlich jung und cool, hatte den Knoten auf Bins' Rücken ausgiebig untersucht und dann Janie gebeten, den Kater am nächsten Tag noch einmal in die Praxis zu bringen, weil er eine Biopsie vornehmen wolle. Sie geriet sofort in Panik, doch Mr. Conti hatte sich bemüht, ihr die Angst zu nehmen. Dennoch hatte sie Bins mit einem mulmigen Gefühl aus der Praxis getragen.

Sie entdeckte eine kleine Parklücke in der Nähe ihrer Wohnung, bremste und legte den Rückwärtsgang ein.

»Alles okay, Bins? Hast du Hunger?«

In den beiden Jahren ihrer Bekanntschaft hatte sie den rot-weißen Kater mit den grünen Augen und langen Schnurrhaaren sehr lieb gewonnen. Seinen Blick, sein ganzes Verhalten, wenn er sich an sie kuschelte, schnurrte, beim Fernsehen auf ihrem Schoß schlief. Dann und wann bedachte er sie mit einem allwissenden

Blick, der beinahe menschlich wirkte. Jemand hatte mal gesagt: *Wenn ich mit meiner Katze spiele, frage ich mich manchmal, ob meine Katze nicht mit mir spielt.* Recht hatte er.

Der erste Parkversuch schlug fehl, sie startete noch einmal. Auch nicht perfekt, aber es musste reichen. Sie schloss das Faltdach, nahm den Tragekorb und stieg aus, wobei sie noch einmal auf die Uhr sah, als könnte die Zeit wie durch ein Wunder stehen geblieben sein. Was leider nicht der Fall war. Die Uhr zeigte mittlerweile eine Minute vor acht.

Nur noch eine halbe Stunde Zeit, um Bins zu füttern und sich fertig zu machen. Der Mann, den sie später treffen würde, war ein Kontrollfreak, der ihr genau diktierte, wie sie bei jedem Treffen auszusehen hatte. Arme und Beine mussten frisch rasiert sein, sie musste exakt die richtige Menge Issey Miyake an den vorgeschriebenen Stellen auftragen, die Haare immer mit dem gleichen Shampoo und Conditioner waschen und das gleiche Make-up auflegen. Außerdem musste ihre Bikinizone auf den Millimeter exakt getrimmt sein.

Er teilte ihr im Voraus mit, welche Kleidung und welchen Schmuck sie zu tragen hatte und wo genau in der Wohnung sie sich aufhalten musste, wenn er kam. Im Grunde ging es ihr gewaltig gegen den Strich. Sie war immer sehr unabhängig gewesen und hatte sich nie von Männern bevormunden lassen. Und doch, der Typ hatte was. Ein Osteuropäer, derb, kraftvoll gebaut und auffällig gekleidet, so ganz anders als die kultivierten Weichlinge aus der Großstadt, mit denen sie vorher ausgegangen war. Nach nur drei Verabredungen war sie hin und weg. Allein der Gedanke an ihn erregte sie bereits.

Als Janie den Wagen abschloss und zu ihrer Wohnung ging, achtete sie nicht auf den glänzend schwarzen Golf GTI mit getönten Scheiben, der zehn Meter weiter weg parkte und das einzige Auto war, das nicht mit Vogeldung beschmiert war. Drinnen saß ein Mann, der sie durch ein winziges Fernglas beobachtete und dann eine Nummer auf seinem Handy wählte.

4

UM KURZ NACH HALB ACHT fuhr Tom Bryce in seinem silbernen Audi Kombi an den Tennisplätzen und dem offenen, von Bäumen gesäumten Freizeitgelände von Hove Park vorbei. Es wimmelte von Menschen, die ihre Hunde ausführten, Sport trieben, im Gras faulenzten und den Rest des langen Frühsommertages auskosteten. Tom hatte die Fenster geöffnet, und warme Luft, die nach frisch gemähtem Gras duftete, wogte herein. Dazu erklang die sanfte Stimme von Harry Connick jr., den er liebte, obwohl Kellie ihn blöd fand. Auf Sinatra stand sie auch nicht, weil sie nichts von guten Stimmen hielt; sie stand eher auf so Zeug wie House, Garage oder all die komischen Beats, mit denen er nichts anfangen konnte.

Je länger sie verheiratet waren, desto weniger Gemeinsamkeiten schienen sie zu haben. Er konnte sich nicht daran erinnern, wann sie sich zuletzt für denselben Film begeistert hatten – und *Jonathan Ross* am Freitagabend war so ziemlich die einzige Fernsehsendung, die sie sich gemeinsam anschauten. Aber sie liebten einander, da war er sich ganz sicher, und die Kinder zählten mehr als alles andere. Sie waren *alles*.

Diese Tageszeit genoss er am meisten, die Vorfreude auf seine Familie, die er vergötterte. Und nach der stickigen stinkenden Luft in London empfand er es umso stärker.

Seine Stimmung besserte sich zusehends. Er fuhr über die Kreuzung in den Woodland Drive, auch *Straße der Millionäre* genannt, der von schönen frei stehenden Häusern gesäumt wurde, von denen viele an einen Wald grenzten. Hier wollte Kellie irgendwann einmal wohnen, doch im Augenblick war das finanziell ausgeschlossen – eigentlich sogar auf lange Sicht, wenn er sich seine wirtschaftliche Lage betrachtete. Tom fuhr weiter nach Westen durch den bescheideneren Goldstone Crescent mit seinen ordentlichen Doppelhäusern und bog nach rechts in die Upper Victoria Avenue.

Woher das »Upper« kam, wusste niemand so genau, da es keine Lower Victoria Avenue gab. Len Wainwright, Toms älterer Nachbar, den er und Kellie insgeheim »die Giraffe« nannten, weil er an die zwei Meter groß war, hatte gemeint, es müsse daran liegen, dass die Straße relativ steil sei. Keine wirklich tolle Erklärung, aber bisher hatten sie auch keine bessere gefunden.

Die Upper Victoria Avenue gehörte zu einem Wohngebiet, das vor etwa dreißig Jahren erschlossen worden war, aber nach wie vor in den Kinderschuhen zu stecken schien. Aus den Platanenschösslingen an der Straße waren noch immer keine richtigen Bäume geworden; der rote Klinker der zweistöckigen Doppelhaushälften wirkte nach wie vor neu; an den Holzbalken der Dachverkleidungen, die an den Tudor-Stil erinnern sollten, hatten sich weder Holzwürmer noch Wind und Wetter zu schaffen gemacht. Es war eine ruhige Straße, mit einigen Läden am oberen Ende, in der fast nur jüngere Paare mit Kindern lebten. Len und Hilda Wainwright bildeten da die einzige Ausnahme. Sie waren auf Anraten eines Arztes aus Birmingham hergezogen, weil die Seeluft angeblich gut gegen Hildas Asthma sei. Tom war allerdings der Meinung, auf die vierzig Zigaretten täglich zu verzichten sei noch weitaus gesünder.

Er parkte den Audi im schmalen Carport hinter Kellies rostigem Espace, nahm Handy, Aktentasche und Blumen und stieg aus. Der Zeitungshändler gegenüber hatte noch geöffnet, ebenso das kleine Fitnessstudio, während Friseur, Haushaltswarengeschäft und Immobilienmakler bereits geschlossen hatten. Zwei aufgetakelte Teenies standen an der Bushaltestelle und teilten sich eine Zigarette. Ihre Miniröcke waren so kurz, dass man fast den Ansatz des Hinterns sehen konnte. Toms Augen blieben einen Moment hängen und tasteten sich über die nackten Beine bis zum Rocksaum, wobei er ein leises Prickeln verspürte.

Dann hörte er, wie die Haustür aufging und Kellie aufgeregt rief: »Daddy ist da!«

Als Marketingfachmann verstand sich Tom aufs Formulieren, doch hätte er den Augenblick beschreiben müssen, wenn er abends nach Hause kam und von den Menschen begrüßt wurde, die ihm mehr als alles auf der Welt bedeuteten, hätten ihm die Worte gefehlt. Er fühlte, wie ihn Freude, Stolz und übergroße Liebe durchströmten. Wenn er einen Augenblick seines Lebens unvergänglich machen könnte, dann diesen, in dem er in der offenen Tür stand und von seinen Kindern umarmt wurde, die Schäferhündin Lady hoffnungsvoll die Leine in der Schnauze hielt, mit der Pfote scharrte und eifrig mit dem Schwanz wedelte. Und dann blickte er in Kellies lächelndes Gesicht.

Sie stand in Jeanslatzhose und weißem T-Shirt da, das Gesicht von blonden Löckchen umrahmt, und schenkte ihm ihr wunderbares Lächeln. Tom gab ihr die Blumen.

Kellie tat, was sie immer tat, wenn sie den rosa, gelben und weißen Strauß entgegennahm. Ihre blauen Augen blitzten vor Freude, sie drehte die Blumen hin und her und sagte »Oh, wow«, als wäre es der schönste Strauß, den sie je bekommen hatte. Sie hielt ihn an die Nase – ihre kleine freche Nase, die er so liebte – und roch daran. »Wow! Seht mal, Rosen! Meine Lieblingsblumen in meinen Lieblingsfarben. Dass du daran gedacht hast, Schatz!« Und dann küsste sie ihn.

An diesem besonderen Abend verweilten ihre Lippen länger als sonst auf seinen.

Ob er heute Glück hatte? Doch dann schob sich eine dunkle Wolke vor sein sonniges Gemüt. Womöglich wollte sie ihn, was Gott verhüten mochte, nur auf einen neuen bescheuerten Kauf vorbereiten, den sie bei Ebay getätigt hatte.

Doch Kellie sagte nichts, als er hereinkam, und es war auch keine Kiste, kein Karton, keine neue technische Spielerei zu entdecken. Als Tom zehn Minuten später seine klebrigen Sachen gegen Shorts und T-Shirt getauscht hatte, war seine Hochstimmung zurückgekehrt.

Max, sieben Jahre, vierzehn Wochen und drei Tage alt, stand auf Harry Potter und Gummiarmbänder mit politischer Botschaft. Stolz trug er das weiße gegen Armut und das schwarz-weiße gegen Rassismus zur Schau.

Tom freute sich, dass sein Sohn Interesse an seiner Umwelt zeigte, selbst wenn er die Bedeutung der Slogans noch nicht ganz verstand. Er saß neben dem Bett in Max' leuchtend gelb tapeziertem Zimmer und las vor. Es war bereits die zweite Runde durch sämtliche Harry-Potter-Bände, und Max steckte den zerzausten blonden Kopf unter der Harry-Potter-Bettdecke hervor und hörte mit großen Augen zu.

Die vierjährige Jessica interessierte sich im Augenblick nicht fürs Vorlesen, weil sie Zahnschmerzen hatte. Ihr Geheul drang durch die Zimmerwand, da Kellies Versuche, sie zu beruhigen, bislang erfolglos geblieben waren.

Tom las das Kapitel zu Ende, gab seinem Sohn einen Gutenachtkuss, hob noch einen Waggon des Hogwarts Express vom Boden auf und stellte ihn neben die PlayStation ins Regal. Er warf Max noch eine Kusshand zu und schaltete das Licht aus. Dann ging er in Jessicas rosa Zimmer, ein Schrein für die Welt der Barbies. Ihr Gesicht war verzerrt, rot und tränennass. Kellie, die gerade versuchte, ihr vom *Grüffelo* vorzulesen, zuckte hilflos mit den Achseln. Sie habe gleich am nächsten Morgen einen Termin beim Zahnarzt, meinte sie.

Er umrundete vorsichtig zwei Barbiepuppen und einen Legokran und ging in die Küche, wo es köstlich duftete. Lady lag in ihrem Korb und kaute an einem Knochen, der von einem Dinosaurierbein zu stammen schien. Sie schaute hoffnungsvoll hoch und wedelte erneut mit dem Schwanz. Dann sprang sie aus dem Korb, legte sich auf den Rücken und reckte den Bauch mit den Zitzen in die Luft.

Tom rieb sie mit dem Fuß, während sie genießerisch die Zunge heraushängen ließ. »Später, du altes Luder, versprochen. Wir gehen später raus. Okay?«

Nachdem Kellie damals die Küche gesehen hatte, war das Haus so gut wie gekauft. Die Vorbesitzer hatten ein Vermögen investiert, alles war aus Marmor und gebürstetem Stahl, und Kellie hatte sämtliche technischen Spielereien hinzugefügt, die man kaufen konnte, wenn man das Kreditkartenlimit bis zum Anschlag ausreizte.

Durchs Fenster sah er den Rasensprenger im kleinen, rechteckigen Garten. Auf der Wäscheleine hingen kleine bunte Kleidungsstücke. Darunter lag ein Plastikroller im Gras. In dem kleinen Gewächshaus, um das er sich persönlich kümmerte, gediehen Tomaten, Himbeeren, Erdbeeren und Zucchini.

Am Zaun entdeckte er das lange, trübselige Gesicht der Giraffe. Sein Nachbar war immer draußen, schnitt, trimmte, jätete und goss, seine gebeugte Gestalt erinnerte dabei an einen müden, alten Kranich.

Tom warf einen Blick auf die Bilderwand, die Kunstwerke aus

Wasserfarbe und Buntstift zierten, um zu sehen, ob es etwas Neues von Max und Jessica gab. Von Harry Potter einmal abgesehen war sein Sohn völlig autoverrückt und malte meist Dinge mit Rädern. Jessica bevorzugte eigenartige Menschen und noch eigenartigere Tiere, außerdem war auf ihren Bildern immer eine Sonne zu finden. Sie war ein fröhliches Kind, und es tat ihm weh, sie heute so traurig zu sehen.

Er mischte sich einen steifen Polstar-Wodka mit Preiselbeersaft und fügte zerstoßenes Eis aus dem coolen amerikanischen Kühlschrank hinzu. Das »Schnäppchen«« besaß sogar einen in die Tür eingebauten Fernseher. Tom ging mit dem Glas ins Wohnzimmer und überlegte, ob er sich in den Wintergarten setzen sollte, auf den jetzt die Sonne schien, schaltete aber erst einmal den Fernseher ein.

Dann ließ er sich samt Fernbedienung in seinem üppigen Fernsehsessel nieder – dieses Schnäppchen aus dem Internet hatte er tatsächlich einmal für sich selbst gekauft – und blickte auf Kellies jüngste extravagante Neuerwerbung, einen riesigen Flachbildfernseher von Toshiba. Er beanspruchte die halbe Wand und demnächst auch fast die Hälfte von seinem Gehalt, wenn nach einer Holiday-Frist die Ratenzahlungen begannen. Allerdings musste er zugeben, dass der Fernseher bei Sportsendungen einfach klasse war. Wie üblich war er auf den Shoppingkanal QVC eingestellt, Kellies Tastatur lag noch auf dem Sofa.

Er zappte durch die Kanäle und blieb bei den Simpsons hängen. Die Serie hatte ihm schon immer gefallen, und seine Lieblingsfigur war Homer, mit dem er richtig mitfühlen konnte. Er war ein Mann, der stets sein Bestes gab und dabei unweigerlich auf die Nase fiel.

Der Drink tat gut. Tom liebte den Sessel, das ganze Zimmer mit dem Essbereich und dem luftig wirkenden Wintergarten. Er liebte die Fotos von Kellie und den Kindern, die Glasvitrine mit seiner kleinen Sammlung von Golf- und Krickettrophäen.

Tom hörte, wie sich Jessica allmählich beruhigte. Er kippte seinen Wodka hinunter und mischte sich gerade einen neuen, als Kellie in die Küche kam. Trotz ihres müden, ungeschminkten Gesichts war sie noch immer schön und schlank. Daran hatten auch die beiden Schwangerschaften nichts geändert. »Was für ein Tag!«

Sie warf die Arme theatralisch in die Luft. »So einen könnte ich auch vertragen.«

Das war ein gutes Zeichen, Alkohol brachte sie in Stimmung. Tom war schon den ganzen Tag über geil gewesen. Er war gegen sechs Uhr aufgewacht und hatte Lust verspürt, wie beinahe jeden Morgen. Und wie üblich hatte er sich in der Hoffnung auf einen Quickie zu Kellie hinübergerollt und sie in die Beinzange genommen. Und wie so oft war alles daran gescheitert, dass eine Tür aufging und kleine Füße auf den Boden patschten.

In seinem Leben begann sich ein Muster abzuzeichnen, dachte Tom. Scheiße im Büro, wachsende Schulden zu Hause und ein Dauerständer.

Er mischte Kellie einen ordentlichen Drink und sah bewundernd zu, wie sie gleichzeitig das Hühnerfrikassee umrührte, den Deckel von einem Topf voller Kartoffeln hob und etwas im Backofen überprüfte. Ihr Geschick in Küchendingen ging über sein Fassungsvermögen. »Geht es Jess besser?«

»Sie musste heute die Diva spielen, aber jetzt ist es besser. Ich habe ihr etwas gegen die Schmerzen gegeben. Wie war es bei dir?«

»Frag lieber nicht.«

Sie küsste ihn. »Das ist ja nichts Neues.«

»Tut mir Leid, ich wollte nicht jammern.«

»Rede gefälligst mit mir darüber, ich bin deine Frau!«

Nun küsste er sie auf die Stirn. »Beim Abendessen. Du bist wunderschön. Du wirst immer schöner.«

Kellie schüttelte grinsend den Kopf. »Nein, das sind bloß deine Augen, hat was mit dem Alter zu tun.« Sie trat einen Schritt zurück und deutete auf sich. »Wie gefällt dir die?«

»Was?«

»Die Latzhose.«

Sein Gesicht verdüsterte sich. »Neu?«

»Ja, ist heute gekommen.«

»Sieht aber gar nicht neu aus.«

»Soll sie ja auch nicht! Die ist von Stella McCartney. Echt cool, was?«

»Pauls Tochter?«

»Ja.«

»Ich dachte, die Sachen sind so teuer«

»Sind sie auch, es war ein Schnäppchen.«

»Natürlich.« Er nahm einen Schluck, ihm war heute nicht nach Streiten zumute.

»Ich habe im Netz nach Urlaubsangeboten gesucht. In der ersten Juliwoche könnten meine Eltern die Kinder nehmen. Passt dir das?«

Tom holte seinen Palm Pilot aus der Tasche und schaute in den Kalender. »In der dritten Juliwoche haben wir eine Messe im Olympia, aber Anfang Juli wäre drin. Allerdings muss es wirklich billig sein. Vielleicht sollten wir uns was in England suchen.«

»Die Preise im Internet sind einfach Wahnsinn! Eine Woche Spanien kommt billiger als zu Hause zu bleiben! Sieh dir die Seiten mal an, ich hab sie notiert. Das kannst du ja nach dem Essen machen. Holly hat einen Freund, der im Internet für zweihundertfünfzig Pfund eine Woche St. Lucia gebucht hat. Wäre die Karibik nicht toll?«

Er legte den Palm Pilot hin, nahm sie in die Arme und küsste sie. »Heute Abend wollte ich dem Computer mal eine Auszeit gönnen – und mich ganz auf dich konzentrieren.«

Sie küsste ihn zurück. »Ich denke ungern an die Entzugserscheinungen, die das hervorrufen würde.« Dann lächelte sie verschmitzt. »Außerdem wollte ich Jamie Oliver sehen, den kannst du doch nicht leiden. Ich glaube, du wärst viel glücklicher, wenn du ein halbes Stündchen oben an deiner kleinen Maschine verbringen würdest.«

»Wohin möchtest du am liebsten reisen, wenn du es dir aussuchen könntest?«

»Dahin, wo es keine schreienden Kinder gibt.«

»Es wäre dir wirklich egal, sie hier zu lassen? Bleibst du dabei? Ganz bestimmt?« Bisher hatte Kellie sich nie von den Kindern trennen wollen.

»Im Moment würde ich sie nur zu gern verkaufen«, sagte sie und kippte ihren »Seabreeze« in einem Zug hinunter.

Um kurz nach neun ging Tom nach oben in sein kleines Arbeitszimmer mit Blick zur Straße. Es war taghell. Er liebte die langen Sommerabende, die ihren Höhepunkt noch nicht erreicht hatten.

In der Ferne sah er zwischen zwei Dächern das kleine blaue Dreieck des Kanals hervorlugen. Darüber segelte ein Schwarm Stare dahin. Durchs Fenster wogte Grillduft herein, und Tom wurde schon wieder hungrig, obwohl er eben erst gegessen hatte.

Im Fitnessstudio quälte sich ein armes Schwein auf der Hantelbank, der Trainer stand daneben. Dabei fiel ihm ein, dass er, von den Spaziergängen mit Lady einmal abgesehen, seit Monaten kaum Sport getrieben hatte. Zu viele Geschäftsessen, zu viel Alkohol – allmählich wurden einige seiner Lieblingsteile zu eng. Kellie sagte immer, es sei blöd, gegenüber vom Fitnessstudio zu wohnen und nie dorthin zu gehen. Aber das bedeutete auch wieder neue Kosten.

Vielleicht sollte er an diesen schönen Sommerabenden einfach länger mit Lady spazieren gehen. Oder wieder mit Schwimmen anfangen. Einmal die Woche Golf reichte nicht aus, um die Figur zu halten. Er hasste die Männer mit den schwabbeligen Bierbäuchen, die sich in der Umkleidekabine des Golfklubs drängten, weil er nur zu gut wusste, dass er sich selbst in diese Richtung bewegte. Tom hieb sich mit den Fäusten gegen den Bauch. *Bis zum Urlaub ist das hier ein Waschbrett!*

Er nippte an seinem dritten Glas Sauvignon, und die Sorgen des Tages verschwammen in einem angenehmen Nebel. Er stellte das Glas ab und schaute zu der Webkamera auf seinem Schreibtisch, die er gelegentlich benutzte, um mit seinem Bruder in Australien zu kommunizieren. Er klappte seinen Laptop auf und überflog die eingegangen Mails.

Dann holte Tom die CD-ROM hervor, die der Vollidiot im Zug liegen gelassen hatte, und schob sie in seinen Laptop. Sein Virenschutz prüfte sie, lieferte aber keine Warnung. Er klickte zweimal auf das Icon. Kurz darauf wurde der Bildschirm schwarz. Dann erschien ein kleines Fenster mit der Frage:

Ist diese Mac-Adresse korrekt?
JA für Weiter. NEIN für Beenden.

Tom klickte auf ja, da er davon ausging, dass es sich um ein normales Verständigungsproblem zwischen Windows und Mac handelte. Die nächste Nachricht tauchte auf:

Sehr geehrter Abonnent, herzlich willkommen. Die Verbindung wird hergestellt.

Dann die Worte:

Scarab-Productions

Dann wurde der Monitor wieder hell und zeigte das körnige Bild eines Schlafzimmers. Es sah aus, als schaute man durch eine Überwachungskamera.

Das Zimmer war geräumig, feminin, mit einem schmalen Doppelbett mit Tagesdecke und hübsch angeordneten Kissen, einer schlichten Kommode, einem hohen antiken Spiegel, einer Holztruhe vor dem Bett, einem flauschigen Teppichboden und geschlossenen Jalousien. Zwei Nachttischlampen brannten, und durch einen Spalt einer angelehnten Badezimmertür fiel Licht. An den Wänden hingen einige erotische Schwarz-Weiß-Fotos von Helmut Newton. Gegenüber vom Bett befand sich ein großer Kleiderschrank mit Spiegeltüren, in denen die Schlafzimmertür zu sehen war.

Aus dem Bad tauchte jetzt eine schlanke junge Frau auf, richtete ihre Kleidung, sah nervös auf die Uhr. Sie war elegant und attraktiv, trug ein eng anliegendes schwarzes Kleid, eine schlichte Perlenkette und hatte ein Täschchen in der Hand, als wäre sie unterwegs zu einer Party. Sie erinnerte Tom ein wenig an Gwyneth Paltrow, und er fragte sich flüchtig, ob sie es wohl war; doch als sie sich umdrehte, erkannte er, dass sie ihr nur ähnlich sah.

Sie setzte sich auf die Bettkante und streifte die Pumps ab, wobei sie sich der Kamera überhaupt nicht bewusst zu sein schien. Dann stand sie auf und knöpfte ihr Kleid auf.

Kurz darauf öffnete sich die Schlafzimmertür hinter ihr und ein kleiner, kräftig gebauter Mann mit dunkler Wollmütze, dessen Gesicht nicht zu erkennen war, trat ein. Er war ganz in Schwarz gekleidet und trug Handschuhe. Entweder hatte die Frau ihn nicht gehört oder beachtete ihn nicht. Während er langsam durchs Zimmer auf sie zuging, griff sie nach dem Verschluss der Perlenkette.

21

Der Mann holte etwas aus seiner Lederjacke, das im Licht auf-
blitzte, und Tom beugte sich überrascht vor: ein langes Stilett.

Mit zwei Schritten war er bei ihr, schlang einen Arm um ihren
Hals und stieß ihr das Stilett in die Brust. Tom erstarrte, so surreal
wirkte die Szene. Die Frau keuchte entsetzt. Der Mann zog die
Klinge heraus, sie schien mit Blut verschmiert. Dann stieß er wieder und wieder zu, Blut spritzte aus den Wunden.

Die Frau fiel zu Boden. Der Mann kniete sich hin, riss ihr Kleid
entzwei, schlitzte den BH mit der Klinge auf und drehte sie brutal
auf den Rücken. Ihre Augen waren verdreht, ihre schweren Brüste
fielen zur Seite. Er zerfetzte ihre schwarzen Strümpfe und riss sie
herunter, starrte einen Moment lang auf ihren hinreißenden nackten Körper und rammte ihr das Stilett knapp über dem Schamhaar
in den Bauch.

Tom wurde schlecht, er wollte weg, doch die Neugier zwang ihn
hinzusehen. War das alles nur gespielt, das Messer eine Attrappe,
das Blut rote Farbe? Wieder und wieder stach der Mann zu.

Tom schoss in die Höhe, als hinter ihm die Tür aufging.

Kellie stand sichtlich beschwipst mit einem Weinglas auf der
Schwelle.

»Hast du was Nettes für uns gefunden, Schatz?«

Er knallte den Deckel des Laptops zu.

»Nein«, sagte er mit zitternder Stimme, »nichts – ich –«

Sie legte ihm die Arme um den Hals, Wein schwappte auf den
Laptop. »Ssschuldigung!«

Er tupfte es mit einem Taschentuch ab. Dabei schob Kellie die
freie Hand unter sein T-Shirt und spielte an einer Brustwarze. »Ich
habe beschlossen, dass du für heute genug getan hast. Komm ins
Bett.«

»Nur noch fünf Minuten.«

»In fünf Minuten schlaf ich vielleicht schon.«

Er küsste sie. »Zwei Minuten. Okay?«

»Eine!« Sie verließ das Zimmer.

Tom grinste. »Eine Minute, okay.«

Als sich die Tür schloss, klappte er rasch den Deckel des Laptops wieder hoch und drückte eine Taste.

Auf dem Bildschirm erschienen die Worte:

Unbefugter Zugriff. Die Verbindung wurde getrennt.

Er dachte nach. Was zum Teufel hatte er da eben gesehen? Sicher einen Werbetrailer, es *konnte nur* ein Trailer gewesen sein.

5

DAS WAR DAS SCHÖNSTE GEBURTSTAGSGESCHENK in zweiundfünfzig Jahren! Nichts auf der ganzen Welt konnte damit konkurrieren. Weder der MG Sportwagen mit der rosa Schleife, den Don ihr zum Vierzigsten geschenkt hatte (und den er sich eigentlich nicht leisten konnte), noch die silberne Cartier-Uhr, die sie zum Fünfzigsten von ihm bekommen hatte (und die er sich ebenfalls nicht leisten konnte) oder das wunderschöne Tennisarmband, das er ihr gestern zum Zweiundfünfzigsten geschenkt hatte.

Auch nicht die Woche auf der Grayshott Hall Schönheitsfarm, für die ihre Söhne Julius und Oliver zusammengelegt hatten. Sicher, ein Genuss, aber hielten sie sie vielleicht für übergewichtig? Egal. Trotz ihrer sechsundsiebzig Kilo Lebendgewicht schwebte Hilary Dupont auf Wolke sieben. Sie trat aus der Tür, wedelte mit Neros Leine und verkündete: »Einen Elternteil zu verlieren, Mr. Worthing, mag noch als Unglück durchgehen; aber beide zu verlieren, ist Leichtsinn.« Hilary lebte in Peacehaven, einem Vorort im Osten von Brighton, der von der Küstenstraße bis zu den ländlichen Ausläufern der South Downs reichte und dicht an dicht mit Bungalows und freistehenden Häusern bebaut war, die alle nach dem Krieg errichtet worden waren.

Gleich hinter der Straße begannen die Felder. Hilary, eine etwas übergewichtige, aber auffallend attraktive Blondine, die eine lose Tunika, einen gepunkteten Gymnastikanzug und dazu grüne Gummistiefel trug, redete gestikulierend mit sich selbst, während sie ihren dicklichen schwarzen Labrador von Laternenpfahl zu Laternenpfahl führte. An jedem musste er das Bein heben.

Am Ende bog sie links ab, ließ vorsichtshalber den Lieferwagen einer Glaserei vorbei und überquerte die Straße. An dem Tor, das auf ein leuchtend gelbes Rapsfeld führte, rief sie Nero, der sich gerade anschickte, in einer fremden Garageneinfahrt sein Geschäft zu hinterlassen. Mit ihrer Stimme hätte sie sich auch ohne Mikrofon im Wembley-Stadion bemerkbar gemacht.

»Nero! Wag es nicht! Bei Fuß!«

Der Hund hob den Kopf, sah das offene Tor, lief freudig hindurch und schoss den Hügel hinauf, wo er im dichten Raps verschwand.

Hilary schloss das Tor hinter sich und wiederholte: »Eine Tasche, Mr. Worthing, Sie wurden in einer Tasche gefunden.«

Sie glühte förmlich, hatte schon David, Sidonie, Julius, Oliver und ihre Mutter angerufen, um die Neuigkeit zu verkünden, die *unglaubliche* Neuigkeit, die größte Sensation aller Zeiten. Vor nur einer Stunde war der Anruf von der Southern Arts Dramatic Society gekommen, und man hatte ihr eröffnet, dass sie die Rolle der Lady Bracknell spielen würde!

In fünfundzwanzig Jahren Laientheater bei der Brighton Little Theatre Group hatte sie immer auf den großen Durchbruch gehofft, und nun war er da! Die Southern Arts Dramatic Society war semiprofessionell. Sie führte jeden Sommer ein Open-Air-Stück auf den Wällen von Lewes Castle auf und ging danach auf Tournee, sogar bis nach Cornwall. Das Ensemble war berühmt, es wurde in der Presse besprochen, man würde sie entdecken! Hundertprozentig!

Oh Gott, wenn ihre Nerven sie bloß nicht im Stich ließen. Hilary hatte vor Jahren schon einmal eine kleine Nebenrolle in dem Stück gespielt und konnte noch ganze Passagen auswendig.

Während sie hügelaufwärts stapfte, deklamierte sie immer wieder aus vollem Hals die Passage, die sie für eine der dramatischsten und witzigsten des ganzen Stückes hielt: »Einen Elternteil zu verlieren, Mr. Worthing, mag noch als Unglück durchgehen; aber beide zu verlieren, ist Leichtsinn.«

Über ihr brauste eine Maschine im Landeanflug auf Gatwick dahin, und sie musste die Stimme heben, um sich selbst zu hören. »Eine Tasche, Mr. Worthing, Sie wurden in einer Tasche gefunden.«

24

Hilary marschierte weiter, probierte die unterschiedlichsten Betonungen aus und überlegte, wen sie sonst noch anrufen könnte. Nur sechs Wochen bis zur Premiere und noch so viel Text zu lernen!

Dann tauchten erste Zweifel auf. Wenn sie es nun nicht schaffte? Wenn sie einen Blackout hatte oder vor einem so großen Publikum patzte? Das wäre das Ende aller Hoffnungen!

Aber nein, so etwas würde ihr nicht passieren, immerhin hatte sie Theaterblut in den Adern.

Als sie den Hügelkamm erreichte, war keine Spur von Nero zu entdecken. Überall offenes Ackerland mit vereinzelten Bäumen, ein Stück weiter die nächste Anhöhe, es wehte ein kräftiger Wind, der den Raps und die langen grünen Weizenhalme umbog. Sie formte einen Trichter mit den Händen und rief: »Nero, komm her! Bei Fuß, Nero!«

Kurz darauf stürmte er auf sie zu, wobei ihm etwas Weißes aus der Schnauze baumelte.

Ein Kaninchen, dachte sie, hoffentlich war das arme Ding wenigstens tot. Hilary konnte es nicht ertragen, wenn er verletzte Tiere mitbrachte, die sich angstvoll vor ihr am Boden krümmten.

»Na komm schon, was hast du denn da? Aus! Aus!«

Ein Schauder durchlief sie, als sie vorsichtig näher trat und das leblose weiße Ding anstarrte. Ihr Kiefer klappte herunter.

Dann begann Hilary zu schreien.

6

ROY GRACE MOCHTE KEINE PRESSEKONFERENZEN. Da Polizisten jedoch Staatsdiener waren, hatte die Öffentlichkeit das Recht, über deren Arbeit informiert zu werden. Was er hasste, war die tendenziöse Berichterstattung. Viele Journalisten waren nicht daran interessiert, die Öffentlichkeit zu informieren, sie wollten ihre Zeitungen verkaufen oder Hörer und Zuschauer anlocken. Daher wandelten sie nüchterne Nachrichten in möglichst sensationelle Storys um.

Und wenn die Story immer noch nicht sensationell genug war,

konnte man es auch mit einem Seitenhieb auf die Polizei als solche versuchen. Nichts verkaufte sich besser als Fahrlässigkeit, Rassismus oder Unfähigkeit der Ordnungshüter. Besonders beliebt bei den Medien in den letzten Jahren war das Thema missglückte Verfolgungsjagden, bei denen Unbeteiligte von Polizeiautos verletzt oder getötet worden waren.

So wie gestern, als zwei Verdächtige, die einen gestohlenen Wagen fuhren, von einer Brücke gestürzt und im Fluss ertrunken waren.

Darum stand Grace jetzt hier im Besprechungsraum voller Presseleute, für die es nicht genügend Stühle gab. Meist bekannte Gesichter, aber es waren auch ein paar Neulinge von der Lokalpresse dabei, die auf den Sprung zu einer großen Tageszeitung hofften. Einige der Veteranen hingegen schienen nur darauf zu warten, dass sie ins nächste Pub ziehen konnten.

Um zu zeigen, wie ernst die Polizei die Angelegenheit nahm, war auch Assistant Chief Constable Alison Vosper anwesend. Sie war eine attraktive, aber hart wirkende Frau Anfang vierzig mit kurzem blonden Haar, die Chief Constable Jim Bowen, der sich auf einer Tagung befand, vertrat. Außerdem war auch Grace' direkter Vorgesetzter, Chief Superintendent Gary Weston, gekommen.

Weston war ein entspannt aussehender, charismatischer Typ von neununddreißig, mit dem Grace seit seiner Anfangszeit bei der Polizei befreundet war. Anders als er war Weston schnell aufgestiegen, indem er geschickt agierte und Freundschaften mit einflussreichen Leuten pflegte, stets den Posten des Chief Constable im Blick. Mit seinen Fähigkeiten würde er es in London sogar noch weiter bringen, dachte Grace bewundernd und gänzlich ohne Neid.

Doch Weston hielt sich an diesem Tag geschickt im Hintergrund und überließ Roy Grace das Reden.

Eine bissige junge Reporterin, die keiner der anwesenden Beamten kannte, fragte: »DS Grace, wie ich höre, wurde eine Frau bei einem Autounfall in Newhaven verletzt, ein älterer Herr bei einem Unfall auf der Umgehungsstraße, und wenige Minuten später wurde ein Polizeibeamter von seinem Motorrad geschleudert. Können Sie mir bitte erklären, weshalb Sie die Verfolgung dennoch fortsetzen ließen?«

»Der Unfall in Newhaven ereignete sich, bevor die Polizei die Verfolgung aufnahm«, sagte Grace bedachtsam. »Unmittelbar danach brachten die Beschuldigten einen Land Rover in ihre Gewalt, rammten eine Toyota-Limousine, in der ein älterer Herr saß, und entführten dessen Wagen. Wir wissen, dass mindestens einer der Beschuldigten bewaffnet und gewalttätig war. Somit hing das Leben eines Unschuldigen von unserem Zugriff ab, und ich vertrat die Ansicht, dass es für die Öffentlichkeit gefährlicher sei, sie entkommen zu lassen. Daher beschloss ich, in Sichtweite hinter ihnen zu bleiben.«

»Obwohl das mit dem Tod der beiden endete?«

Ihr Ton brachte Grace auf die Palme, und er musste sich ungeheuer beherrschen, um sie nicht anzuschreien. Er hätte ihr gerne gesagt, dass diese beiden ihre gerechte Strafe erhalten hatten, als sie in einem schlammigen Fluss ertrunken waren. Dass sie vielen Menschen Schaden zugefügt und sogar getötet hatten, und wahrscheinlich hätte ihnen irgendein scheißliberaler Richter auch noch eine milde Gefängnisstrafe gewährt. Doch er musste äußerst vorsichtig sein, um der Meute keine Zitate zu liefern, die dann zu sensationellen Schlagzeilen aufgeblasen wurden.

»Die Todesursache wird im Rahmen einer entsprechenden Untersuchung ermittelt«, erklärte er daher äußerlich völlig ruhig.

Seine Antwort rief ein verärgertes Murmeln hervor, Hände schossen in die Höhe, alle riefen gleichzeitig Fragen in den Raum. Grace sah auf die Uhr und sagte dann entschieden: »Bedauere, mehr kann ich Ihnen heute nicht sagen.«

Sein kleines Büro befand sich in einem kürzlich renovierten Art-Déco-Gebäude, das in den Fünfzigern als Krankenhaus für ansteckende Krankheiten gedient hatte und nun die Zentrale der Kriminalpolizei von Sussex beherbergte. Grace setzte sich in den Drehsessel, der wie fast alle Möbel fabrikneu war und sich weder vertraut noch gemütlich anfühlte.

Er rutschte hin und her, spielte mit den Verstellhebeln, war aber immer noch nicht zufrieden. Sein altes Büro in der Polizeiwache von Brighton hatte ihm besser gefallen. Zwar war die Einrichtung dort nicht die neueste gewesen, aber das Büro selbst war geräumiger, und das Gebäude lag im Herzen der Stadt. Hier hockte er in einem seelenlosen Gewerbegebiet am Stadtrand. Lange stille Flure mit nagelneuem Teppichboden, zahllose Büros mit nagelneuen Möbeln, aber keine Kantine! Für jeden Kaffee musste man auf den beschissenen Getränkeautomaten oder die eigene Maschine zurückgreifen. Ein Sandwich bekam man hier ohnehin nirgendwo, da blieb nur der Weg zum Supermarkt gegenüber. So viel zum Thema Planung.

Er warf einen liebevollen Blick auf seine Sammlung alter Feuerzeuge, von denen er mindestens drei Dutzend besaß. Seit Wochen war er so überlastet, dass er gar nicht mehr dazu kam, Antiquitäten- und Trödelmärkte zu besuchen, was eine Lieblingsbeschäftigung von ihm und seiner Frau Sandy gewesen war. Seitdem Sandy verschwunden war, fand er Trost darin, auf den Märkten nach neuen Schätzen zu stöbern.

Roy Grace hatte zurzeit die Aufgabe, alte ungelöste Mordfälle aufzuarbeiten, mit der örtlichen Kripo Kontakt aufzunehmen und nach veränderten Gegebenheiten zu suchen, die eine Wiederaufnahme der Ermittlungen rechtfertigten.

Die meisten Akten kannte er auswendig. Sein ausgezeichnetes Gedächtnis hatte ihm bei Prüfungen schon gute Dienste geleistet. Für ihn symbolisierte jeder Stapel mehr als nur ein Menschenleben und einen Mörder, der nach wie vor auf freiem Fuß war, er stand auch für eine Familie, die keine Ruhe fand, weil es noch immer ein Geheimnis gab und weil der Gerechtigkeit noch immer nicht Genüge getan worden war. Und er wusste auch, dass er für viele die letzte Hoffnung war, da einige Fälle mehr als dreißig Jahre zurücklagen. Nur in einem Fall gab es zurzeit kleine Fortschritte. Bei Tommy Lytle.

Tommy Lytle war Grace' ältester ungelöster Fall. Der elfjährige Junge war an einem Februarmorgen vor siebenundzwanzig Jahren auf dem Heimweg von der Schule spurlos verschwunden. Damals war die einzige Spur ein Morris-Lieferwagen, dessen Kennzeichen sich ein geistesgegenwärtiger Zeuge notiert hatte. Doch man konnte nie eine Verbindung zum Halter des Wagens herstellen, einem exzentrischen Einzelgänger mit einer Vorstrafe wegen sexuellen Missbrauchs. Vor zwei Monaten nun war Grace unverhofft wieder auf den Lieferwagen gestoßen, als der neue Besitzer, ein begeisterter Oldtimerfan, wegen Trunkenheit am Steuer auffiel.

Die Spurensicherung hatte in den letzten siebenundzwanzig Jahren wahre Quantensprünge zurückgelegt. Die Wissenschaftler prahlten – nicht ganz zu Unrecht –, dass sie mit den modernen DNA-Methoden feststellen könnten, ob ein Mensch jemals einen bestimmten Raum betreten habe, egal wie lange dies zurücklag. Voraussetzung war, dass sie irgendein Beweisstück fanden – eine Hautzelle, die dem Staubsauger entgangen war, ein Haar, eine Stofffaser. Vielleicht auch etwas, das hundertmal kleiner als ein Stecknadelkopf war.

Jetzt hatten sie den Lieferwagen.

Und der ursprüngliche Verdächtige war noch am Leben. Die Spurensicherung hatte den Lieferwagen mit Mikroskopen durchkämmt, bisher aber, wie Grace am Vorabend dem enttäuschenden Laborbericht entnommen hatte, nichts Brauchbares entdeckt. Der einzige Fund war ein menschliches Haar gewesen, doch die DNA stimmte nicht überein.

Aber sie würden in dem verdammten Wagen etwas finden. Grace war entschlossen, ihn notfalls persönlich auseinander zu nehmen und die Teile mit der Pinzette zu untersuchen.

Er nahm einen Schluck aus seiner Wasserflasche und verzog angewidert das Gesicht, weil das Zeug einfach nach gar nichts schmeckte. Grace war dabei, sich das ständige Kaffeetrinken abzugewöhnen. Er schraubte die Flasche zu und starrte auf die dunklen Regenwolken, die tief über dem grauen Dach des Supermarkts hingen, und dachte an morgen.

Morgen war Donnerstag, und an diesem Donnerstag hatte er eine Verabredung. Kein katastrophales Blind Date über eine Internetagentur wie beim letzten Mal, nein, eine richtige Verabredung mit einer schönen Frau. Er freute sich und war zugleich nervös. Was sollte er anziehen? Wohin sollte er mit ihr gehen? Hatten sie sich auch genug zu sagen?

Und er machte sich Sorgen wegen Sandy. Was sie davon halten würde, wenn er sich mit einer anderen Frau traf. Sicher, es war absurd, nach zehn Jahren noch so zu denken, aber er kam einfach nicht dagegen an. So wie er sich auch in jeder Minute seines Lebens fragte, was aus ihr geworden sein mochte. Ob sie noch lebte oder tot war.

Er nahm noch einen großen Schluck, blickte von den wuchernden Papierstapeln auf seinem Schreibtisch zum PC-Bildschirm und den Morgenzeitungen. Die Schlagzeile des *Argus* schrie ihm förmlich entgegen: *ZWEI TOTE BEI VERFOLGUNGSJAGD MIT POLIZEI.*

Er ließ die Zeitungen auf den Boden fallen und ging die aktuellen E-Mails durch. Grace war noch dabei, sich mit der neuen Software vertraut zu machen, die viel leichter zu bedienen war als das alte Programm. Er überflog die Vorfälle der letzten Nacht, was er gewöhnlich als Erstes tat, doch die Pressekonferenz hatte diesmal Vorrang gehabt.

Nichts Ungewöhnliches. Der übliche Kram, der mitten in der Woche in Brighton so passierte. Raubüberfälle, Einbrüche, Autodiebstähle, ein bewaffneter Überfall auf einen Lebensmittelladen, eine Kneipenschlägerei, ein häuslicher Streit, einige Verkehrsunfälle ohne Todesopfer, ein Ruf auf ein Feld bei Peacehaven, um ein verdächtiges Objekt zu untersuchen. Keine Kapitalverbrechen, nichts, was ihn hätte interessieren müssen.

Schön. Er war in der vergangenen Woche kaum im Büro gewesen und brauchte Zeit, um den Papierkram aufzuarbeiten.

Grace verband seinen Blackberry-Taschencomputer mit dem normalen PC und überprüfte den Terminkalender. Seine Sekretärin Eleanor Hodgson – oder Managementassistentin, wie man sie im Zuge politischer Korrektheit heute nannte – hatte alle Termine abgesagt, damit er sich auf seinen letzten Fall und ein wichtiges Gerichtsverfahren konzentrieren konnte. Doch der Terminkalender würde sich bald wieder füllen.

Schon klopfte es, und Eleanor trat ein. Sie war Mitte fünfzig, spröde und sachlich und sah aus wie eine Frau, die Grace bei einer Teegesellschaft im Pfarrhaus erwartet hätte – nicht dass er je zu einer eingeladen gewesen wäre. Nach drei Jahren Zusammenarbeit war sie noch immer ausgesucht höflich und ein wenig förmlich, als hätte sie aus unerfindlichen Gründen Angst, ihn zu verärgern.

Sie streckte ihm einen Stapel Papiere entgegen, als wären sie ansteckend. »Oh, hm, Roy, ich – das hier sind die späteren Ausgaben der Morgenzeitungen. Ich dachte, die würden Sie vielleicht interessieren.«

»Was Neues dabei?«

»Immer das Gleiche. Der *Guardian* zitiert Julia Drake von der unabhängigen Beschwerdestelle der Polizei.«

»Damit hatte ich gerechnet. Selbstgerechte Schlampe.«

Eleanor zuckte ein wenig zusammen und lächelte nervös. »Ich finde, Sie bekommen es ganz schön dicke.«

»Aber das interessiert keinen, oder?« Beim Anblick der Wasserflasche überkam ihn die Gier nach Kaffee. Und einer Zigarette. Und einem Drink. Es war fast Mittag, und er hatte sich fest vorgenommen, erst abends zu trinken, doch heute war ihm danach, diese Regel zu brechen. *Die unabhängige Beschwerdestelle der Polizei.* Na toll. Wie viel kostbare Zeit würde er in den kommenden Monaten darauf verschwenden? Sicher, es war unvermeidlich gewesen, dass sie sich einschaltete, aber das war ein schwacher Trost.

Das Telefon klingelte. Grace meldete sich und hörte die forsche Stimme des Chief Superintendent mit dem unverkennbaren Manchester-Akzent.

»Gut gemacht, Roy«, sagte Gary Weston und klang mehr denn je wie ein Chef. »Du hast dich gut verkauft.«

»Danke. Dafür habe ich jetzt die unabhängige Beschwerdestelle am Hals.«

»Das regeln wir schon. Hast du um drei Uhr Zeit?«

»Ja.«

»Dann komm in mein Büro, wir setzen einen Bericht auf.«

Grace bedankte sich. Sowie er aufgelegt hatte, klingelte es erneut. Diesmal war es Betty Mallet von der Dienstzentrale, die schon seit einer Ewigkeit dort arbeitete. »Hallo, Roy, wie geht's denn so?«

»Könnte besser sein.«

»Ich habe eine Anfrage aus Peacehaven, sie brauchen dringend einen leitenden Beamten für eine Tatortbesichtigung. Sind Sie gerade frei?«

Grace stöhnte. Musste sie denn ausgerechnet ihn anrufen? »Was wissen Sie darüber?«

»Eine Frau aus dem Ort ging heute Morgen mit ihrem Hund auf

einem Acker zwischen Peacehaven und Piddinghoe spazieren. Der Hund rannte weg und kam mit einer menschlichen Hand zurück. Die Polizei ist mit Suchhunden vor Ort, sie haben weitere Leichenteile gefunden. Wie es scheint, liegen sie noch nicht lange dort.«

»Okay«, sagte er und warf einen gottergebenen Blick auf die Einsatztasche, »geben Sie mir die genaue Lage durch, ich bin in zwanzig Minuten dort.«

7

SIE LACHTEN ÜBER IHN, als er die Straße entlangging. Der Wetterfrosch spürte es in den Knochen, so wie manche Leute Kälte oder Feuchtigkeit in den Knochen spürten. Darum vermied er auch jeden Augenkontakt.

Er spürte, wie sie stehen blieben, glotzten, sich umdrehten, auf ihn zeigten, flüsterten, aber das war ihm egal. Er war es gewohnt, man hatte ihn schon immer ausgelacht, jedenfalls in jenem Abschnitt seiner achtundzwanzig Lebensjahre auf diesem Planeten, an den er sich bewusst erinnerte. Er war sich ziemlich sicher, dass es auf dem früheren Planeten anders gewesen war, aber *sie* hatten seine Erinnerung daran gelöscht.

»Viking, Utsira-Nord, Utsira-Süd, Südwest 4 oder 5, nordwestschwenkend, zeitweise 5 bis 7«, sagte er im Gehen zu sich selbst. Er war ungehalten, weil man ihn zu dieser Zeit aus dem Büro geholt hatte, ausgerechnet in der Mittagspause. »Sturm 8 im Raum Viking, Schauer, abschwächend. Mäßig oder gut. Forties, Tief 5 bis 7, auf Nordwest drehend 7 bis schwerer Sturm Stärke 9, später nach Südwest drehend 4 bis 5. Schauer, später Regen. Mäßig oder gut.«

Er sprach rasch, ohne sich wirklich auf die Vorhersage zu konzentrieren, während sein Gehirn sich durch eine Reihe von Algorithmen für ein neues Programm arbeitete, das er gerade im Büro entwickelte. Es würde das aktuelle System zur Hälfte überflüssig machen, was den einen oder anderen gar nicht freuen würde. Aber dann hätten sie eben nicht die ganzen Steuergelder für beschissene Hardware ausgeben sollen, von der sie keine Ahnung hatten.

Das Leben war wie eine Steilkurve, man musste sich richtig hineinlegen. Q aus *Star Trek* hatte es kapiert. *»Wenn Sie Angst haben, sich eine blutige Nase zu holen, sollten Sie besser zu Hause unter die Bettdecke kriechen. Im All gibt es keine Sicherheit. Es gibt nur das Unerwartete ... und es gibt die Wunder und Überraschungen, die alle Bedürfnisse und Wünsche stillen. Aber das ist nichts für Angsthasen.«*

Der Mann, der kein Angsthase war, marschierte weiter bergauf. In der Mittagszeit war die North Street in Brighton gedrängt voll, er kam an einem Body Shop, einer Bausparkasse und einem Optikerladen vorbei.

Er war dünn, blass und schlaksig, mit unmodernem Haarschnitt und einer großen, altmodischen Brille, hinter der sich seine Augenbrauen angestrengt zusammenzogen. Er trug einen braunen Anorak, ein weißes Nylonhemd mit Netzpullunder, eine graue Flanellhose und Ökosandalen. Im Rucksack hatte er Laptop und Mittagessen. Er lief mit großen Schritten und hatte den Oberkörper vorgebeugt, als trotze er dem zunehmenden Südwestwind vom Kanal. Trotz seines Alters hätte er gut als schmollender Teenager durchgehen können.

»Cromarty, Forth, Tyne, Dogger, Nordwest 7 bis schwerer Sturm Stärke 9, auf Südwest drehend 4 oder 5, später strichweise 6. Schauer, später Regen. Mäßig oder gut.«

Er rezitierte die aktualisierte Seewettervorhersage für die Britischen Inseln, die an diesem Morgen um 5.55 Uhr Greenwich-Zeit gesendet worden war. Seit er zehn war, lernte er sie alle auswendig, viermal täglich, sieben Tage die Woche. Er hatte festgestellt, dass dies der beste Weg war, von A nach B zu gelangen. Wenn er unterwegs die Seewettervorhersage abspulte, spürte er nicht die brennenden Blicke auf seiner Haut.

Und es hatte verhindert, dass ihn die Kinder in der Schule weiter auslachten. Wenn jemand die Seewettervorhersage hören wollte – und es war schon erstaunlich, wie oft das in der Mile Oak School der Fall war –, konnte er sie exakt wiedergeben.

Informationen.

Informationen waren ein Zahlungsmittel. Wer brauchte noch

Geld, solange er Informationen besaß? Die meisten Leute waren beschissen, wenn es um Informationen ging, so wie sie in fast allen Dingen beschissen waren. Darum waren sie auch nicht *auserwählt*.

Das immerhin hatte er von seinen Eltern gelernt. Es gab nicht viel, wofür er ihnen dankte, aber das gehörte dazu. Sie hatten es ihm jahrelang eingetrichtert. *Etwas Besonderes. Von Gott auserwählt. Auserwählt, um erlöst zu werden.*

Na ja, so ganz hatten sie es nicht kapiert. Eigentlich steckte nicht Gott dahinter, aber er hatte es aufgegeben, ihnen das zu erklären. Es war nicht die Mühe wert.

Er kam an einer Spielhölle vorbei und bog am Uhrturm nach links in die West Street, vorbei am Waterstones-Buchladen, einem Chinarestaurant und einem Reisebüro, immer in Richtung Meer. Nach wenigen Minuten ging er durch die Drehtür des Grand Hotel mit seiner schönen Regency-Fassade und trat an die Rezeption.

Eine junge Frau in dunklem Kostüm, auf deren goldenem Namensschild *Arlene* zu lesen war, sah ihn misstrauisch an und lächelte dann routiniert. »Kann ich Ihnen helfen?«

Er starrte auf die hölzerne Theke, vermied den Augenkontakt und konzentrierte sich auf ein Display mit Antragsformularen für American Express.

»Kann ich Ihnen helfen?«, fragte sie noch einmal.

»Hm, ja, schon.« Er starrte noch angestrengter auf die Formulare und ärgerte sich, dass man ihn herbestellt hatte. »Ich wüsste gern, in welchem Zimmer ich Mr. Smith finde.«

Sie warf einen Blick auf ihren Bildschirm. »Mr. Jonas Smith?«

»Hm, ja.«

»Werden Sie erwartet?«

Und wie, blöde Kuh. »Hm, ja.«

»Dürfte ich Ihren Namen erfahren, Sir, dann sage ich Bescheid.«

»Hm, John Frost.«

»Einen Moment bitte, Mr. Frost.« Sie nahm einen Hörer und wählte eine Nummer. »Hier ist ein Mr. John Frost am Empfang. Kann ich ihn hochschicken? Danke.« Sie legte auf und sah den Wetterfrosch an. »Zimmer sieben eins vier – siebter Stock.«

Er biss sich auf die Unterlippe, nickte und sagte: »Hm, okay.«

Er fuhr mit dem Aufzug in den siebten Stock und klopfte an die Zimmertür.

Der Albaner machte ihm auf. Er hieß eigentlich Mik Luvic, doch der Wetterfrosch musste ihn Mick Brown nennen. Es war Teil eines albernen Spiels, bei dem alle, auch er selbst, unter Decknamen operierten. Der Albaner war ein muskulöser Typ Mitte dreißig. Sein schmales, hartes Gesicht strahlte Selbstsicherheit aus, die blonden gegelten Haare standen stachelig vom Kopf. Er trug ein schwarzes Muskelhemd mit goldenen Pailletten, eine blaue Hose, weiße Slipper und eine goldene Halskette. Seine kräftigen Schultern und Oberarme waren flächendeckend tätowiert. Er kaute Kaugummi und stellte dabei seine kleinen scharfen Eckzähne zur Schau, die den Wetterfrosch an einen Piranha erinnerten.

Er starrte auf den nilgrünen Teppich. »Oh, hi, ich wollte zu Mr. Smith.«

Der Albaner hatte früher von illegalen Boxkämpfen mit bloßen Fäusten und Käfigkämpfen gelebt, inzwischen aber einen geruhsameren Job gefunden. Er schaute den Wetterfrosch schweigend an, wobei er mit offenem Mund kaute, und führte ihn dann in eine geräumige Suite, die nach Zigarrenrauch stank und im plüschigen Regency-Stil eingerichtet war. Er deutete gleichgültig auf eine Tür, setzte sich auf einen Stuhl und guckte weiter ein Fußballspiel im Fernsehen an.

Der Wetterfrosch war ihm schon mehrfach begegnet, hatte ihn aber noch nie sprechen hören. Manchmal fragte er sich, ob der Albaner womöglich taubstumm sei. Durch die Tür gelangte er in einen viel größeren Raum. In dessen Mitte thronte der ungeheuer fette Mr. Smith auf dem Sofa, den Rücken zur Balkontür, die einen Blick aufs Meer bot, und hatte vier Computerbildschirme im Visier, die vor ihm auf dem Couchtisch standen. Er nagte an einem Fingernagel, als wäre er ein Hühnerbein.

Mr. Smith trug ein Hawaiihemd, das bis zum Nabel aufgeknöpft war und zwei blasse, haarlose Speckrollen enthüllte, die fast wie eine weibliche Brust aussahen. Seine blaue Hose umspannte baumstammdicke Beine, die im starken Gegensatz zu seinen winzigen Füßen standen, die in mit Monogramm bestickten Samtslippern von Gucci steckten. Sein kleiner Kopf mit dem silbergrauen welligen Haar, das er zu einem kurzen Pferdeschwanz gebunden hatte, wirkte ebenso unproportioniert wie die Füße. Smith hatte so viele Doppelkinne, dass schwer zu erkennen war, wo das Gesicht aufhörte und der Hals begann.

»Mittagessen, John?«, fragte Jonas Smith mit einem trägen Louisiana-Akzent und deutete mit einem Wurstfinger auf einen Servierwagen, der mit Tellern voller Sandwiches und Warmhalteschalen aus Aluminium beladen war.

Der Wetterfrosch sagte, noch immer mit Blick auf den nilgrünen Teppich: »Ich hab ein Sandwich dabei.«

»Ach so. Was zu trinken? Bestell dir was und setz dich.«

»Danke. Hm, okay, also – ich brauche keinen – nichts …« Er sah auf die Uhr.

»Scheiße, dann setz dich eben so.«

Der Wetterfrosch zögerte kurz, unterdrückte seine Wut und ging zum nächsten Sessel.

Der Amerikaner kaute weiter am Nagel, die Schweinsäuglein auf den Wetterfrosch gerichtet, der seinen Rucksack abnahm und sich auf die Sesselkante hockte, wobei seine Augen weiterhin forschend den Teppich sondierten.

»Coke? Willst du eine Coke?«

»Hm, na ja, nein.« Der Wetterfrosch sah wieder auf die Uhr. »Um zwei muss ich zurück sein.«

»Scheiße, du gehst zurück, wenn ich es dir sage.«

Der Wetterfrosch war hungrig. Er dachte an das Sandwich mit Tofu und Sojasprossen, das in einer Plastikdose in seinem Rucksack wartete. Das Problem war nur, er mochte es nicht, wenn Leute ihm beim Essen zusahen. Er holte tief Luft und schloss die Augen, was ihm half, seine Wut zu kontrollieren. »Fischer, Deutsche Bucht, Südwest 4 oder 5, auf Nordwest drehend, 6 bis Sturmstärke 8. Schauer. Mäßig oder gut.« Er öffnete wieder die Augen und bemerkte einen gläsernen Aschenbecher, in dem eine halb gerauchte Zigarre lag.

»Was ist das? Was hast du da geredet?«, fragte Mr. Smith.

»Seewettervorhersage. Vielleicht brauchen Sie die.«

Der Amerikaner, der in Wirklichkeit Carl Venner hieß, schaute den Freak an, als wüsste er, dass dieser halb Genie, halb Bekloppter war. Ein unfreundlicher Klugscheißer mit einem gewaltigen Minderwertigkeitskomplex. Damit kam Venner zurecht, er hatte schon Schlimmeres bewältigt. Im Moment war der Freak nützlich, und wenn er nicht mehr nützlich war, würde ihn auch niemand vermissen.

»Schön, dass du so kurzfristig kommen konntest«, sagte Venner mit knappem Lächeln, doch seine Stimme blieb eisig.

»Hm, ja, richtig.«

»Wir haben ein Problem, John.«

»Ach ja?«, fragte der Wetterfrosch.

Langes Schweigen. Er drehte sich um, als er jemanden hinter sich spürte. Der Albaner war hereingekommen und stand nun mit verschränkten Armen im Türrahmen, flankiert von zwei weiteren Männern. Der Wetterfrosch wusste, dass es Russen waren, obwohl man sie einander nie vorgestellt hatte.

Sie tauchten bei jedem Treffen mit Venner auf. Schlank, ernst, mit scharfem Gesicht, exaktem Haarschnitt und eleganten schwarzen Anzügen. Vermutlich irgendwelche Geschäftspartner, deren Gegenwart ihm jedoch nicht recht behagte.

»Du hast mir gesagt, unsere Website sei vor Hackern geschützt«, sagte Mr. Smith. »Würdest du Mr. Brown und mir bitte erklären, wie es passieren konnte, dass gestern Abend ein Hacker bei uns eingedrungen ist?«

»Wir haben fünf Firewalls, bei uns kann niemand hacken. Nach nur zwei Minuten hatte ich eine Warnung wegen unbefugten Zugriffs und habe die Verbindung unterbrochen.«

»Wie ist er denn überhaupt auf die Website gelangt?«

»Keine Ahnung, ich arbeite noch dran. Jedenfalls bis Sie mich dabei gestört haben. Könnte eine Sicherheitslücke in der Software sein.«

»Ich habe elf Jahre lang die Netzwerküberwachung der US-Streitkräfte in Europa geleitet, John. Ich kenne den Unterschied zwischen einer Sicherheitslücke und Footprints. Und hier geht es um Footprints. Sieh mal.« Er zeigte auf einen Bildschirm.

Der Wetterfrosch trat neben ihn. Verschlüsselte Zahlenkolonnen liefen in alle Richtungen. Eine Buchstabengruppe blinkte. Er betrachtete eingehend den Bildschirm und verglich ihn mit den drei anderen.

»Hm, das könnte verschiedene Gründe haben.«

»Schon«, stimmte der Amerikaner ungeduldig zu. »Aber die habe ich eliminiert. Bleibt nur eine Erklärung – ein Unbefugter hat sich eine Abonnenten-CD-ROM verschafft. Du musst den Namen und die Anschrift des Abonnenten ermitteln, der sie verloren hat. Ebenso die Person, die sie gefunden hat.«

»Ich kann Ihnen die User-ID des Abonnenten geben – seine Login-Daten. Was die andere Person angeht, die dürfte schwieriger zu finden sein.«

»Wenn er uns finden konnte, kannst du ihn auch finden.« Mr. Smith faltete die Hände und verzog die fleischigen Lippen zu einem Lächeln. »Du hast die Mittel. Nutze sie.«

8

ROY GRACE STAND BIS ZUR HÜFTE in einem schlammigen Rapsfeld. Er trug Überschuhe und einen weißen Schutzanzug aus Papier. Einen Moment lang verharrte er einfach in Wind und Nieselregen und betrachtete eine Ameise, die zielstrebig über die Frauenhand krabbelte, die mit der Handfläche nach unten zwischen den leuchtend gelben Blüten lag.

Dann kniete er sich hin, schnupperte an dem Fleisch und verscheuchte eine Schmeißfliege. Die Hand roch völlig neutral, folglich konnte sie nicht länger als vierundzwanzig Stunden in der sommerlichen Wärme gelegen haben.

Vor Jahren hatte er als Anfänger einen Tatort besucht; eine junge Frau war auf einem Friedhof mitten in Brighton vergewaltigt und erdrosselt worden. Damals hatte ihn eine attraktive rothaarige Journalistin vom *Argus* angesprochen und gefragt, ob er etwas empfinde, wenn er einen Mord untersuche, oder ob es einfach Routinearbeit für ihn sei.

Obwohl er damals glücklich mit Sandy verheiratet gewesen war, hatte er den kleinen Flirt genossen und wollte nicht eingestehen, dass dies seine erste Mordermittlung war. Also gab er sich machohaft und sagte, natürlich betrachte er es nur als Job, so könne er die entsetzlichen Bilder verarbeiten.

Jetzt fiel ihm diese Begegnung wieder ein.

Die tollkühne Lüge.

Denn in Wahrheit würde er an dem Tag, an dem er eine Mordermittlung einfach nur als Job betrachtete und kein tiefes Mitgefühl mit dem Opfer mehr empfand, den Dienst quittieren und sich etwas anderes suchen. Und dieser Tag lag noch in weiter Ferne. Vielleicht würde es ihm irgendwann so gehen, wie es seinem Vater und vielen Veteranen bei der Polizei gegangen war, doch im Augenblick spürte er noch die brodelnden Gefühle, die ihn stets aufs Neue überkamen, wenn er den Schauplatz eines Mordes betrat.

Es war eine zwingende Mischung aus Angst vor dem, was ihn erwartete, und dem Bewusstsein der ungeheuren Verantwortung, die ihm als leitendem Ermittler zufiel. Dem Wissen, dass diese tote Frau Eltern gehabt hatte, vielleicht Geschwister, einen Mann und Kinder oder einen Geliebten. Einer der Angehörigen musste die Leiche identifizieren, und man würde alle, obwohl von Entsetzen und Trauer erfüllt, befragen, um sie als Verdächtige zu eliminieren.

Die Hand wirkte elegant, mit langen Fingern, gepflegten Nägeln, einem hellrosa Lack, der einen starken Gegensatz zum alabasterweißen Fleisch bildete. Nur ein Riss mit einem langen Streifen dunkelroten geronnenen Blutes zog sich vom Daumen bis zum Handgelenk. Es sah aus, als hätte sie sich zur Wehr gesetzt. Grace fragte sich, wie sie auf diesem Feld gelandet sein mochte.

Bei einer Mordermittlung kam es auf die ersten vierundzwanzig Stunden an. Danach wurde die Arbeit deutlich langsamer und mühsamer. Er wusste, dass er in den kommenden Stunden und Tagen alles stehen und liegen lassen und sich ganz auf diesen Fall konzentrieren musste. Er würde alle Informationen sammeln, die ihr Leben und ihr Tod, ihre Wohnung, ihr persönlicher Besitz, ihre Familie und Freunde hergaben.

Und am Ende würde er mehr über sie wissen als alle, die sie im Leben gekannt hatten.

Ihre Privatsphäre würde nicht geschont, es würde manchmal brutal zugehen. Der Tod raubte dem Menschen oft die Würde, doch eine polizeiliche Ermittlung verlief meist noch gnadenloser.

Und er würde immer den Eindruck haben, dass ihn die Seele dieser Toten dabei beobachtete.

»Wir glauben, die Hand stammt von dort«, sagte Bill Barley, ein massiger Detective Inspector der East Downs Division, der in seinem weißen, vom Wind aufgeblähten Schutzanzug noch massiger wirkte. Er deutete mit einem behandschuhten Finger über das Feld, das er ordnungsgemäß abgesperrt hatte, auf eine Stelle, an der der Erkennungsdienst gerade eine weiße Zeltplane aufspannte.

Hinter dem Feld, wo Grace geparkt hatte, stand eine Flotte aus Polizeiautos, dem Wagen des Hundeführers, des Polizeifotografen und dem hohen, eckigen Einsatzwagen der Abteilung Kapitalverbrechen.

Der schwarze Wagen des Leichenbestatters war noch nicht da, ebenso wenig die Presse, aber es konnte nicht lange dauern, bevor der erste Reporter eintraf. Die waren genau wie die Schmeißfliegen.

Barley war ein Veteran von Mitte fünfzig, dessen rundliches Gesicht von geplatzten Äderchen durchzogen war. Grace war beeindruckt, wie schnell er das Gebiet abgesperrt hatte, denn es gab nichts Schlimmeres als unerfahrene Beamte, die sämtliche Beweismittel zertrampelten. Doch dieser Detective Inspector schien sein Handwerk zu verstehen.

Barley bedeckte die Hand mit einem dicken Tuch und führte Grace weg, wobei er vorsichtig in seine eigenen Fußabdrücke trat. Alle paar Schritte warf er einen Blick auf den Polizeihund, der das Rapsfeld durchkämmte. Sie erreichten das Zentrum der Aktivitäten. Dort lag ein zerfetzter schwarzer Müllbeutel, der im Wind flatterte, umsummt von Schmeißfliegen.

Grace nickte Joe Tindall vom Erkennungsdienst zu, mit dem er gut bekannt war. Bis vor kurzem noch hatte er mit seinem wilden Haar und der dicken Brille wie ein verrückter Wissenschaftler ausgesehen, sich dann aber in eine viel jüngere Frau verliebt und sein Erscheinungsbild total umgekrempelt. Er hatte sich den Kopf rasiert, ein schmales Bärtchen von Unterlippe bis Kinn wachsen lassen und trug eine coole eckige Brille mit blauen Gläsern. Mehr Drogendealer als Eierkopf, dachte Grace.

»Morgen, Roy«, sagte er in seinem üblichen sarkastischen Ton. »Willkommen zu unserer Sendung *Tausendundein Tipp fürs Basteln mit schwarzen Müllbeuteln.*«

»Warst du einkaufen?« Roy deutete auf den Beutel.

»Du glaubst nicht, was man mit Rabattmarken so alles bekommt.« Tindall kniete sich und öffnete vorsichtig den Sack.

Roy Grace arbeitete seit neunzehn Jahren bei der Polizei, davon fünfzehn als Ermittler bei Kapitalverbrechen, zumeist Mordfällen. Obwohl ihn jeder Todesfall aufs Neue berührte, konnte ihn nur wenig wirklich schockieren. Der Inhalt des schwarzen Müllbeutels gehörte dazu.

Vor sich sah Grace den Torso einer jungen, gut gebauten Frau. Er war mit geronnenem Blut bedeckt und das Schamhaar derart verfilzt, dass die eigentliche Farbe nicht mehr zu erkennen war. Ihr Körper war mit Einstichen übersät, als hätte jemand sie wie im Wahn mit einem scharfen Gegenstand bearbeitet. Der Kopf fehlte, alle vier Gliedmaßen waren abgetrennt. Außer dem Oberkörper befanden sich ein Arm und beide Beine im Beutel.

»Jesus«, sagte Grace.

Selbst Tindall war der Humor vergangen. »Muss das ein krankes Schwein sein.«

»Kein Kopf?«

»Sie suchen noch.«

»Ist der Pathologe unterwegs?«

Tindall verscheuchte die Fliegen, immer mehr summten um seinen Kopf. Schmeißfliegen witterten verwesendes menschliches Fleisch auf sieben, acht Kilometer Entfernung. Solange der Körper nicht in einem luftdicht versiegelten Behälter lag, war es so gut wie unmöglich, sie fern zu halten. Manchmal erwiesen sie sich für die Gerichtsmediziner als durchaus nützlich. Schmeißfliegen legten Eier, aus denen Larven schlüpften, die sich zu Maden und später zu Schmeißfliegen entwickelten. Der ganze Prozess dauerte nur wenige Tage. Blieb eine Leiche wochenlang unentdeckt, konnte man an der Anzahl von Insektengenerationen erkennen, wann ungefähr der Tod eingetreten war.

»Joe, ich nehme an, man hat einen Pathologen gerufen, oder?«
Tindall nickte. »Das hat Bill erledigt.«
»Nadiuska?«, frage Grace hoffnungsvoll.

Es gab im Innenministerium zwei Pathologen, die für Morde in diesem Gebiet zuständig waren, weil sie in der Nähe wohnten. Nadiuska De Sancha, eine ansehnliche Spanierin mit adligen russischen Vorfahren, war der Liebling der Polizei. Sie war mit einem der führenden britischen Schönheitschirurgen verheiratet, machte ihre Arbeit ausgezeichnet und bot zudem einen wunderbaren Anblick. Obwohl Ende vierzig, wirkte sie zehn Jahre jünger, und alle, die mit ihr zu tun hatten, diskutierten mit großer Leidenschaft darüber, ob sie dies auch dem Können ihres Ehemanns zu verdanken hatte. Die Tatsache, dass sie sommers wie winters Rollkragen trug, lieferte ein schlagendes Argument.

»Nein, sie hat Glück, multiple Stichwunden sind nicht ihr Ding. Wir kriegen Dr. Theobald. Und ein Polizeiarzt ist ebenfalls unterwegs.«

»Aha.« Grace wollte sich die Enttäuschung nicht anmerken lassen. Pathologen beschäftigten sich ungern mit multiplen Stichwunden, die samt und sonders minuziös vermessen werden mussten. Nadiuska De Sancha war nicht nur eine Augenweide, sondern auch ein echter Kumpel – kokett, witzig und effizient bei der Arbeit. Frazer Theobald hingegen galt als ebenso unterhaltsam wie die Leichen, mit denen er es zu tun hatte. Und als langsam. Unerträglich langsam. Andererseits arbeitete er präzise und fehlerlos.

Aus dem Augenwinkel entdeckte Grace Theobalds winzige Gestalt, ganz in Weiß, mit der großen Tasche in der Hand. »Guten Morgen«, grüßte er in die Runde und schüttelte latexgeschützte Hände.

Dr. Frazer Theobald war Mitte fünfzig, stämmig, mit haselnussbraunen Augen und dickem Schnurrbart, über dem eine lange Nase hervorstach. Sein schütteres Haar wirkte stets ungepflegt. Mit einer dicken Zigarre als Requisit wäre er auf jedem Kostümfest als Groucho Marx durchgegangen. Allerdings bezweifelte Grace, dass Theobald je etwas so Frivoles wie eine Kostümparty besucht hätte. Er wusste nur, dass der Pathologe mit einer Dozentin für Mikrobiologie verheiratet war und in seiner Freizeit mit einem Ein-Mann-Dinghi segelte.

»Nun denn, Detective Superintendent Grace«, sagte er und warf einen kurzen Blick auf die menschlichen Überreste im Beutel und die unmittelbare Umgebung. »Können Sie mich schnell informieren?«

»Ja, Dr. Theobald.« In der ersten halben Stunde ging es immer förmlich zu. »Wir haben hier den Torso einer jungen Frau mit multiplen Stichverletzungen.« Grace schaute Barley an, als suchte er Bestätigung, und der DI fuhr fort:

»Bei der East Downs Polizei ging heute Morgen ein Anruf ein. Der Hund einer Spaziergängerin hat eine menschliche Hand gefunden, die wir in situ belassen haben.« Der Detective Inspector deutete in die entsprechende Richtung. »Ich habe das Gebiet abgesperrt. Suchhunde entdeckten diese Überreste. Ich habe lediglich den Beutel geöffnet, ohne den Inhalt zu berühren.«

»Kein Kopf?«

»Noch nicht.«

Der Pathologe kniete sich hin, stellte die Tasche ab und klappte sorgfältig den Beutel zurück. Schweigend betrachtete er die Leichenteile.

»Zur Identifizierung brauchen wir dringend Fingerabdrücke und DNA-Analyse.« Grace schaute über das Feld auf die Wohnstraßen hinunter. Dahinter in der Ferne lag der Kanal, der sich kaum vom Grau des Himmels unterschied.

Er wandte sich an Barley. »Wir sollten eine Haus-zu-Haus-Befragung in der Gegend durchführen, mit Blick auf verdächtige Vorfälle in den letzten Tagen. Nachhören, ob hier jemand vermisst wird, und, falls nicht, die Suche auf Brighton und ganz Sussex ausweiten. Gibt es hier Überwachungskameras, Bill?«

»Nur in einigen Geschäften und Firmen.«

»Sorgen Sie dafür, dass die Bänder der letzten sieben Tage nicht gelöscht werden.«

»Wird gemacht.«

»Irgendeine Ahnung, wie die Leiche hergekommen sein könnte? Reifenabdrücke?«

»Wir haben Fußspuren. Schwere Arbeitsstiefel, wie es aussieht.

Sie sind tief eingesunken, man hat das Opfer wohl getragen«, sagte Bill Barley und zeigte auf einen schmalen Streifen Ackerland, der mit einem Band abgesperrt war.

Theobald hatte seine Tasche geöffnet und untersuchte sorgfältig die blutige Hand.

Wer war sie?, dachte Grace. *Warum wurde sie getötet? Wie ist sie hergekommen?* Wut stieg in ihm auf.

Wut und noch etwas anderes.

Die furchtbare Ahnung, die er stets verdrängte, der er nie ins Gesicht sehen wollte. Die Ahnung, dass seine Frau das gleiche Schicksal erlitten haben könnte. Vor zehn Jahren war Sandy spurlos verschwunden, es hatte nie eine Spur gegeben. Womöglich war auch sie ermordet und irgendwo abgelegt worden. Abgeschlachtet. Es war gar nicht mal schwer, eine Leiche so zu entsorgen, dass sie nie gefunden wurde.

Und genau das nagte an ihm. Jemand hatte sich die Mühe gemacht, den Kopf des getöteten Mädchens zu entfernen. Doch wenn man die Identifizierung wirklich erschweren wollte, musste man auch die Hände mitnehmen.

Warum hatte man ihre Leiche mitten auf dieses Feld geworfen, wo sie über kurz oder lang entdeckt würde? Warum nicht irgendwo verscharrt?

Oder *sollte* sie womöglich entdeckt werden?

9

KELLIE HOCKTE IM VIOLETTEN JOGGINGANZUG auf dem Boden, den Rücken ans Sofa gelehnt, die Tastatur auf dem Schoß, und mampfte sich durch eine Rolle Pringles mit Salz-und-Essig-Geschmack. Nicht gerade das gesündeste Mittagessen, aber die Chips waren fettreduziert und würden ihrer Figur wohl nicht allzu sehr schaden.

Sie starrte auf den Bildschirm, wo ein Swarowski-Armband aus lila Kristall zu sehen war, und klickte auf das Foto, um es zu vergrößern. Ein wenig schuldbewusst gab sie sich dem Gedanken hin, wie gut es zu ihrem Jogginganzug passen würde. Vielleicht ein bisschen protzig, ein bisschen ordinär. Aber Modeschmuck von Swarowski hatte einfach Stil, sie liebte die Sachen. Der empfohlene Ladenverkaufspreis lag bei 152 Pfund, das Höchstgebot bei Ebay war gerade mal zehn Pfund fünfundsiebzig, und das Angebot endete in nur drei Stunden und zweiundvierzig Minuten!

Zehn Pfund fünfundsiebzig war gar nichts! Sie bot zwölf. Kein großes Loch in der Haushaltskasse, und wenn sie das Armband zu etwa diesem Preis bekäme, könnte sie es in ein paar Wochen mit Gewinn weiterversteigern!

Sie schaute noch ein paar Minuten hin, es kamen keine weiteren Gebote. So weit, so gut. Kellie griff nach der Smirnoff-Flasche, einer aus ihrem Geheimvorrat, den sie ganz hinten in ihrer Wäscheschublade vor Tom versteckt hielt. Sie schraubte den Deckel auf und nippte einmal. Erst der dritte Drink an diesem Morgen, doch sie ignorierte geflissentlich, dass die Flasche schon zu einem Drittel leer war, obwohl sie sie erst heute angebrochen hatte.

Draußen prasselte der Regen. Lady trottete herein, Leine in der Schnauze, legte den Kopf schief und winselte.

»Du willst Gassi gehen, was? Musst warten, bis es aufhört zu regnen, okay?«

Die Hündin winselte lauter.

Kellie stellte die Flasche hin und hob den Arm. Lady kuschelte sich an sie und drehte sich dann auf den Rücken.

»Typisch Frau«, nuschelte Kellie liebevoll. Der Wodka färbte den Mittagsblues ein bisschen rosa. »Willst nur, dass dir jemand die Titten streichelt.«

Sie liebkoste den Bauch der Hündin, legte ihr den Arm um den Hals und küsste sie auf den Kopf, wobei sie den warmen Fellgeruch einatmete. »Ich hab dich lieb, Lady.«

Plötzlich ein Geräusch von draußen. Lady sprang auf, knurrte, sauste in die Diele. Sie bellte, und dann hörte Kellie die Hundetür klappern, als Lady in den Garten schoss. Zweifellos um einen Vogel zu verjagen, der es gewagt hatte, sich auf ihrem Rasen niederzulassen.

Immer noch kein höheres Angebot.

Eines Tages würde sie diese Versteigerungsgeschichte richtig hinkriegen. Vor ein paar Wochen hatte sie einen Artikel aus der *Daily Mail* ausgeschnitten, der von Leuten berichtete, die bei Ebay ein Vermögen gemacht hatten. Sie hatte Tom davon erzählen und ihm erklären wollen, dass sie doch nur auf ihre Weise Geld verdienen wollte, aber er schien es nicht zu kapieren. Bisher hatte sie es nicht richtig angepackt, doch irgendwann würde es klappen.

Ein Blick auf die Flasche. Noch ein winzig kleines Schlückchen? Kellie schloss die Augen. *Was ist nur los mit mir? Mit meinem Leben? Liegt es in den Genen?*

Sie dachte an ihre Eltern. Ihr geliebter Vater, der so viele Träume gehabt hatte, war mit achtundfünfzig Jahren ans Haus gefesselt. Parkinson. Sie erinnerte sich an die ganzen Geschäftsideen, die er früher ausprobiert hatte und mit denen er gescheitert war. Er war in Brighton Taxi gefahren und hatte einen Mietservice für Luxuslimousinen gegründet. Ohne Erfolg. Dann hatte er eine Franchiselizenz für Gesundheitsdrinks gekauft, mit der er sein Glück machen wollte. Die hatte ihre Eltern das Haus gekostet.

Ihre Mutter hatte bis spätabends im Duty-Free-Shop auf dem Flughaften Gatwick Parfum verkauft, bis sie die Stelle aufgeben und sich um Kellies Vater kümmern musste. Sie lebten jetzt in einer Sozialwohnung in Whitehawk, dem übelsten Stadtteil von Brighton, und hatten ständig Angst vor Vandalen, Einbrechern und Schlägern. Erst vor zwei Tagen war sie bei ihnen gewesen und hatte den Espace nur eine Stunde vor der Tür stehen lassen. Danach hatten die Radkappen gefehlt.

Kellie erinnerte sich, wie sie Tom kennen gelernt hatte. Eine Freundin vom Lehrercollege in Brighton feierte ihren 21. Geburtstag. Ihr fiel sofort die verblüffende Ähnlichkeit mit ihrem Vater auf, so wie er früher gewesen war: gut aussehend, jungenhaft, ungeheuer charmant, voller Lebenslust und Begeisterung. Auch Tom hatte große Visionen und wunderbare Pläne, die aber anders als die ihres Vaters gründlich durchdacht waren. Er wollte bei einer erfolgreichen Firma seiner Branche Erfahrungen sammeln, bevor er sich selbstständig machte.

Und Kellie hatte an ihn geglaubt. Undenkbar, dass Tom jemals scheitern könnte. Alle ihre Freunde mochten ihn auf Anhieb. Ihre

Eltern vergötterten ihn. Gleich am ersten Abend hatte sie sich in ihn verliebt und zwei Tage später mit ihm geschlafen. In seiner winzigen Kellerwohnung am Strand von Hove, während eine CD von Scott Joplin Endlosschleifen drehte. Danach waren sie kaum je eine Nacht getrennt gewesen.

Die ersten Jahre ihrer Ehe waren wunderbar. Tom gründete seine eigene Firma, die gleich super lief. Sie waren in eine größere Wohnung und von dort aus in dieses Haus gezogen.

Das Unglück fing an, als sie kurz vor der Geburt von Max ihre Stelle als Grundschullehrerin aufgab. Sie langweilte sich und litt unter starken postnatalen Depressionen. Es fiel ihr schwer, den ganzen Tag allein mit dem Baby zu Hause zu bleiben, während Tom frühmorgens nach London fuhr und spät heimkam. Dann war er meist zu müde zum Reden. Aber er hatte versprochen, dieser Zustand werde nicht ewig dauern. Er müsse jetzt viel Zeit in die Firma investieren, da es um ihre Zukunft gehe.

Dann wurde Jessica geboren, und der einsame Kampf ging von vorne los. Nur war Tom jetzt noch stärker eingespannt. Er arbeitete noch länger und sprach noch weniger mit ihr. Über Max' Schule hatte Kellie neue Freundinnen gefunden, die alle erfolgreiche Männer, tolle Klamotten, schöne Autos und coole Häuser zu haben schienen und an die exotischsten Orte reisten.

Sie hatte die ganze Ebay-Sache, die Tom einfach nicht verstehen wollte, nur begonnen, weil sie ihm helfen wollte.

Sicher, manche Sachen kaufte sie auch für sich, aber das meiste waren Schnäppchen, die sie irgendwann mit Gewinn weiterverkaufen wollte.

Doch niemand bot auch nur annähernd das, was sie selbst dafür bezahlt hatte.

Und es gab noch einen weiteren Grund, weshalb sie so viel Geld bei Ebay und QVC ausgab, den sie Tom aber nicht verraten konnte: Sie tarnte damit die vierzig Pfund, die ihre Wochenration Wodka kostete.

Sie sagte sich, es sei nur eine Phase, ein Mittel, um den Stress zu bewältigen. Sie sei keine Alkoholikerin, sondern mache lediglich eine kleine Krise durch. Und als wollte sie sich selbst davon überzeugen, griff sie zum *Argus* und ging die Stellenangebote durch.

Ein Teilzeitjob wäre die beste Lösung. So könnte sie wenigstens zum Haushaltseinkommen beitragen und ein bisschen nebenbei verdienen, um den einen oder anderen Drink zu bezahlen – den sie im Grunde gar nicht brauchte.

Da klingelte ihr Handy. Es lag noch in der Küche.

Fluchend rappelte Kellie sich auf und ging unsicheren Schrittes aus dem Zimmer. Das Display zeigte die Nummer ihrer besten Freundin Lynn Cottesloe.

»Hi, wie geht's?« Sie merkte, dass sie ein bisschen nuschelte.

»Ich sitze hier bei Orsino's. Wo steckst du denn?«

»Oh, Scheiße«, sagte Kellie. »Tut – tut mir Leid.«

»Alles okay?«

Scheiße, dachte Kellie, *Scheiße, Scheiße, Scheiße*! Sie hatte ihre Verabredung zum Mittagessen völlig vergessen. Schon Viertel nach eins.

»Alles in Ordnung, Kellie?«

»Mit mir? Klar doch«, sagte sie betont munter.

10

TOM BRYCE SASS IN DEM RAUM, der als Londoner Büro und Ausstellungsraum der *BryceRight Promotional Merchandise Limited* diente. Er hatte die Ärmel aufgerollt, die Krawatte gelockert und schaute finster drein. Ihm war kalt, er überlegte schon, ob er sein Jackett wieder anziehen sollte. Bei diesem verfluchten englischen Wetter wusste man nie, woran man war.

Nach außen hin bot sein Büro das richtige Bild: nicht groß, aber in einer schicken Gegend, ein eleganter Raum mit hohen Fenstern und Stuck an der Decke. Der Platz reichte so gerade für die Schreibtische der vier Mitarbeiter, den Wartebereich, in dem auch die Produktpalette ausgestellt war, und eine winzige Teeküche hinter einem Paravent.

Der Firmenname *BryceRight* war Kellies Idee gewesen. Er fand ihn damals ein bisschen abgedroschen, aber sie hatte gemeint, dass er im Gedächtnis bleiben würde. *BryceRight* belieferte Firmen und Vereine mit Geschenkartikeln und Kleidung. Die Produktpalette reichte von bedruckten Kugelschreibern, Taschenrechnern, Mousepads und coolem Schreibtischspielzeug bis hin zu T-Shirts, Baseballkappen, Sportkleidung und Pokalen.

Nachdem er in Brighton Betriebswirtschaft studiert hatte, arbeitete Tom für *The Motivation Business*, einen der Branchenführer. Vor zehn Jahren hatte er sich mit Kellies Unterstützung bis über beide Ohren verschuldet und seine eigene Firma gegründet. Zunächst arbeitete er zu Hause in seinem Büro und den noch leeren Kinderzimmern, bis Max geboren wurde und er genügend Kapital zusammenhatte, um an diese prestigeträchtige Adresse nahe der Bond Street zu wechseln. Dazu mietete er ein Lager in der Nähe der Brick Lane in East London an.

In den ersten sechs Jahren boomte das Geschäft. Er war der geborene Verkäufer, die Kunden mochten ihn, die Zukunft sah rosig aus. Doch nach dem 11. September stand das Telefon erstmals zwei Tage still. Und danach wurde es nie mehr wie früher.

Tom beschäftigte vier Verkäufer, von denen zwei in London, einer in Nordengland und einer in Schottland arbeiteten. Dazu seine Sekretärin Olivia und die Sachbearbeiterin Maggie, die sich um Kundenbetreuung und Wareneinkauf kümmerte. Und vier Mitarbeiter im Lager, einen für die Bestellungen, einen für die Qualitätskontrolle und zwei für den Versand. Dort lag auch die Quelle der Probleme, vermutlich weil er nicht ständig vor Ort war.

Die meisten Kunden von *BryceRight* waren börsennotierte Firmen, darunter einige ganz große Namen: Weetabix, Range Rover, Legal und General Insurance, Nestlé, Grants of St. James und zahlreiche kleinere Kunden.

In den ersten Jahren ging Tom richtig gern zur Arbeit, doch mit der Rezession der letzten Zeit und dem wachsenden Wettbewerb waren die Umsätze so weit zurückgegangen, dass er die laufenden Ausgaben nicht mehr decken konnte. Er verlor Kunden an die Konkurrenz, andere bestellten einfach weniger, in letzter Zeit war intern so viel schief gelaufen, dass weitere Kunden absprangen.

In seinem Eingangsfach stapelten sich offene Rechnungen, von denen manche über neunzig Tage alt waren.

Und auch an diesem Monatsende würde es eine heikle Gratwanderung zwischen Forderungen und Verbindlichkeiten geben, damit er die Gehälter bezahlen konnte. Hinzu kam noch der nicht unbeträchtliche Kellie-Faktor.

Sie lächelte ihn mit Max und Jessica aus dem silbernen Rahmen auf dem Schreibtisch an. Es war ein tolles Foto mit schmeichelhaftem Weichzeichner, der ihnen etwas Verträumtes verlieh. Er schaute sie liebevoll an und hoffte bei Gott, dass er wenigstens von ihr vorerst keine unangenehmen Überraschungen zu erwarten hatte.

Wie sollte er ihr nur beibringen, dass sie womöglich das Haus verkaufen und ihren Lebensstil herunterschrauben mussten? Vielleicht in eine Wohnung ziehen? Und wie sollte er Max und Jessica begreiflich machen, dass sie dann keinen eigenen Garten mehr hätten?

Er schaute durch den strömenden Regen aufs Haus gegenüber. Die Conduit Street war schmal, die hohen Gebäude erinnerten an eine Schlucht. Selbst an sonnigen Tagen lag sein Büro im Schatten.

Unten sah er den Strom der Menschen, die Mittagspause machten, ein Meer von Regenschirmen und lange Schlangen von Autos, Taxis und Lieferwagen, die an der Kreuzung Bond Street warteten.

Trübselig kaute er sein Sandwich mit Thunfisch und Mais, eine Kombination, auf die er nicht gerade wild war, und die scharfen Kümmelkörner im Roggenbrot mochte er auch nicht. Doch heute Morgen hatte er sich fest vorgenommen, gesünder zu essen, und dieses Zeug enthielt angeblich wenig Fett. Speck mit Ei oder Cheddar mit eingelegter Gurke wäre ihm lieber gewesen. Dass Kellie gestern Abend aus Spaß in seinen Bauch gepiekt und ihn Dickerchen genannt hatte, brachte das Fass zum Überlaufen.

Bei einem Blick auf die Titelseite des Fachblatts *Incentive Marketing* entdeckte er, dass ein Konkurrent, dessen Geschäft florierte, den Börsengang vorbereitete. Wie machten die das nur? Und was zum Teufel hatte er bloß falsch gemacht?

Er nahm noch einen Bissen und sah zu, wie sein Computertechniker Chris Webb, ein großer, wortkarger Vierziger mit rasiertem Kopf und Ohrring, mit einem Schraubenzieher in den Eingeweiden seines Mac herumstocherte. Tom rief ihn an, wenn es Computerprobleme gab, und musste sich dann immer wie ein Kleinkind behandeln lassen. Er schaute inständig auf den leeren Bildschirm und hoffte entgegen aller Wahrscheinlichkeit, dass etwas passieren würde.

Und dachte an das, was er gestern Abend dort gesehen hatte.

Das Bild des erstochenen Mädchens hatte ihn verfolgt und ihm derartige Albträume verursacht, dass er um drei Uhr morgens schreiend aufgewacht war. Es musste irgendein Filmtrailer gewesen sein. Konnte nur ein Trailer gewesen sein.

Dennoch, es hatte verdammt echt ausgesehen.

»Tut mir Leid, Kumpel, deine Daten sind weg«, sagte Chris Webb aufreizend fröhlich.

»Sag ich doch. Du musst sie zurückholen.«

Der Techniker machte sich erneut am Computer zu schaffen. Tom, der sich ohne seinen Mac irgendwie verloren vorkam und sich nicht auf die Zeitschrift konzentrieren konnte, betrachtete die Displays mit seinen Werbeartikeln. Sie sahen ein bisschen müde aus, standen schon zu lange herum. Da musste frischer Wind rein.

Seine Sekretärin Olivia, eine attraktive Fünfundzwanzigjährige, die von einer Beziehungskrise in die nächste stolperte, kam mit einer Tüte von Prêt-à-manger herein, das Handy am Ohr, ins Gespräch vertieft. An ihrem Schreibtisch saß gerade Peter Chard, sein bester Verkäufer. Er sah aus wie ein Doppelgänger von Leonardo DiCaprio, trug einen seiner typischen schicken Anzüge und hatte das Haar mit Gel nach hinten gekämmt. Er las eine Autozeitschrift und löffelte dabei eine Fünf-Minuten-Terrine. Am Schreibtisch daneben saß der aus Hongkong stammende Simon Wang, ein stiller, ehrgeiziger Dreißiger, der ein Bestellformular ausfüllte. Ein neuer Kunde, ein anständiger Auftrag, wenigstens ein Grund zur Freude, dachte Tom.

Ein Telefon klingelte. Olivia schien es nicht zu bemerken, auch Peter und Simon reagierten nicht. Maggie war zum Mittagessen.

»Scheiße, kann vielleicht mal jemand drangehen?«, brüllte Tom.

Seine Sekretärin hob entschuldigend die Hand und ging zu ihrem Tisch.

»Noch mal zum Mitschreiben, was genau ist passiert?«, fragte Chris Webb entnervt, als hätte er es mit einem Schwachsinnigen zu tun.

Die Verkäufer schauten zu Tom herüber.

»Ich habe heute Morgen im Zug meinen Laptop aufgeklappt, konnte ihn aber nicht hochfahren. Da tat sich nichts mehr.«

»Er fährt einwandfrei hoch. Aber es sind keine Daten vorhanden. Darum sieht man auch nichts auf dem Monitor.«

Tom senkte die Stimme, weil es ihm peinlich war, wenn alle zuhörten. »Das verstehe ich nicht.«

»Da gibt es nichts zu verstehen, Kumpel. Deine Festplatte ist blitzblank, vollkommen leer.«

»Kann nicht sein. Ich meine, ich hab doch nichts gemacht.«

»Entweder hast du dir einen Virus eingefangen oder ein Hacker ist eingedrungen.«

»Ich dachte, Macs kriegen keinen Virus.«

»Du hast dich doch an das gehalten, was ich dir gesagt habe, oder? Du hast ihn nicht an den Büroserver angeschlossen?«

»Nein.«

»Dein Glück, sonst hättest du deine gesamte Datenbank gelöscht.«

»Also doch ein Virus.«

»*Irgendwas* ist hier drin. Die Hardware ist okay, ich kann nur nicht fassen, wie man so blöd sein kann und eine CD-ROM startet, die jemand im Zug liegen gelassen hat. Herrgott, Tom!«

Tom schaute an ihm vorbei. Sein Team schien das Interesse verloren zu haben. »Was soll das heißen, du Blödmann? Das ist ein Computer, oder? Und er hat die ganze Antivirensoftware, die hast du selbst installiert. Er liest CD-ROMs. Und zwar sollte er *jede* CD-ROM lesen können.«

Webb hielt sie in die Höhe. »Ich habe sie mir separat angeschaut, wo sie kein Unheil anrichten kann. Das ist Spyware, sie konfiguriert deine Software neu und pflanzt Gottweißwas in dein System. Und du hast sie im Zug gefunden?«

»Gestern Abend.«

»Geschieht dir recht. Hättest sie ins Fundbüro bringen sollen.«

Manchmal konnte Tom nicht fassen, dass er diesen Typen tatsächlich noch dafür *bezahlte*, dass er ihn beleidigte. »Danke für die Blumen. Ich wollte nur nett sein und nach einer Adresse suchen, an die ich die CD-ROM schicken kann.«

»Ja, sicher. Nächstes Mal schickst du sie mir, dann sehe ich sie mir zuerst an. Hast du sonst irgendwelche unbekannten Attachments geöffnet?«

»Nein.«

»Ganz bestimmt nicht?«

»Tu ich nie, du hast mich schon vor Jahren gewarnt. Ich öffne sie nur, wenn ich den Absender kenne. Sind meist Witze, Pornofotos, das übliche Zeug.«

»Ich schlage vor, du surfst das nächste Mal mit Kondom.«

»Sehr komisch.«

»Das war ernst gemeint. Du hast dir einen ganz üblen Virus eingefangen, extrem aggressiv. Wenn du dich heute Morgen auf deinem Büroserver eingeloggt hättest, wäre der komplett gelöscht worden und damit auch die Festplatten aller anderen Rechner der Firma. Samt Backup.«

»Scheiße.«

»Da sagst du was. Hätte es selbst nicht besser formulieren können.«

»Und wie werde ich ihn wieder los?«

»Indem du mir eine Menge Geld bezahlst.«

»Na super.«

»Oder dir einen neuen Computer kaufst.«

»Du kannst einen wirklich aufheitern.«

»Du wolltest die Fakten, ich habe sie geliefert.«

»Trotzdem, ich dachte, ein Mac kriegt keinen Virus.«

»Nicht sehr oft. Aber es gibt Ausnahmen. Vielleicht hattest du einfach Pech. Wahrscheinlich stammt er jedoch von dieser CD-ROM. Natürlich gibt es noch eine zweite Möglichkeit.« Er sah sich nach seiner Teetasse um und trank einen Schluck.

»Und die wäre?«

»Jemand könnte sauer auf dich sein.« Dann fügte Webb hinzu: »Tolle Krawatte.«

Tom schaute an sich hinunter. Lavendelblau mit silbernen Pferden, von Hermès. Kellie hatte sie kürzlich im Internet bei einem Ausverkauf erstanden – das verstand sie unter Sparen.

»Was gibst du mir dafür?«

11

SIE HATTEN DIE ZERSTÜCKELTEN ÜBERRESTE der jungen Frau unter der Zeltplane, auf die der Regen peitschte, drei Stunden lang minuziös untersucht, und um halb fünf gelangte der Pathologe endlich zu dem Schluss, dass unter diesen Bedingungen nicht mehr herauszufinden sei.

Dr. Theobald drückte Klebeband auf jeden Zentimeter nackte Haut – eine primitive, aber wirksame Methode –, da er hoffte, so weitere Fasern sicherzustellen, entnahm mit einer Pinzette Fasern aus dem Schamhaar, die er sorgfältig eintütete, und prüfte ein letztes Mal Leichenteile und unmittelbare Umgebung, ob ihm auch wirklich nichts entgangen war.

Grace wäre es lieber gewesen, wenn der Pathologe wie allgemein üblich umgehend ins Leichenschauhaus gefahren wäre und die Autopsie vorgenommen hätte. Doch Theobald teilte ihm bedauernd mit, es stehe noch eine weitere Autopsie in Hampshire an, wo es einen mysteriösen Jachtunfall gegeben hatte.

In einer Idealwelt würde man alle Autopsien an Mordopfern vor Ort durchführen, da immer die Gefahr bestand, entscheidende Hinweise, die fürs bloße Auge kaum sichtbar waren, beim Transport zu zerstören. Doch ein matschiges, windgepeitschtes Feld war nun mal kein idealer Ort. Leichen wurden ohnehin nur selten an Orten gefunden, die sich für eine Autopsie eigneten. Manche Pathologen verbrachten wenig Zeit am Tatort und kehrten möglichst rasch in die vergleichsweise angenehme Umgebung des Leichenschauhauses zurück. Dr. Frazer Theobald gehörte nicht zu dieser Kategorie. Er konnte bis spät in die Nacht am Tatort verweilen, notfalls auch bis zum nächsten Morgen, bevor er endlich sein Okay zum Abtransport gab.

Grace sah auf die Uhr. Im Geiste war er schon halb bei seiner Verabredung für den nächsten Abend. Er hätte gern Feierabend gemacht, bevor die Geschäfte schlossen. Sicher, so zu denken war unprofessionell, aber seine Schwester und alle, die ihn kannten, sagten seit Jahren, er müsse sich ein neues Leben aufbauen. Und zum ersten Mal, seit Sandy verschwunden war, war er einer Frau begegnet, für die er

54

sich wirklich interessierte. Daher auch die Sorge, seine Garderobe könne unpassend sein, er musste dringend neue Sommersachen kaufen. Doch er versuchte, sich wieder auf die Arbeit zu konzentrieren.

Den Kopf der jungen Frau hatte man noch immer nicht gefunden. Roy Grace hatte einen Suchspezialisten hinzugezogen, zudem waren bereits mehrere Mannschaftswagen eingetroffen, um die Umgebung trotz schlechter Sicht systematisch zu durchkämmen. Der Besitzer des Feldes musste hilflos mit ansehen, wie sechzig Polizisten in fluoreszierenden Jacken, die noch gelber leuchteten als sein Raps, seinen ganzen Acker zertrampelten. Über ihnen dröhnte ein Hubschrauber, der das Gelände von oben sondierte. Nur die Suchhunde schien das Regenwetter nicht zu stören.

Grace war ständig am Telefon gewesen, um die Suche zu organisieren, hatte in der Soko-Zentrale einen Arbeitsbereich für sein Team angefordert, einen Decknamen für die Ermittlungen beantragt und sich die Beschreibungen junger Frauen angehört, die in den vergangenen Tagen als vermisst gemeldet worden waren. Innerhalb eines Radius von acht Kilometern gab es nur eine Meldung, die Anlass zur Sorge gab; weitere drei stammten aus ganz Sussex und noch einmal sechs aus dem gesamten Südosten.

Bisher hatte der schweigsame Dr. Theobald nur wenig Handfestes geliefert: hellbraunes Haar, wobei er sich am Schamhaar orientierte, vermutlich zwischen zwanzig und Anfang dreißig.

Diese Beschreibung passte auf vier Frauen. Grace war sich durchaus bewusst, dass in England jedes Jahr 230 000 Menschen verschwanden. Und dass neunzig Prozent von denen, die wieder auftauchten, innerhalb der ersten dreißig Tage auftauchten. Über dreißig Prozent jener 230 000 Menschen wurden nie wieder gesehen. Normalerweise wurde die Polizei nur dann sofort aktiv, wenn es sich um Kinder oder alte Menschen handelte. Bei allen anderen Vermisstenmeldungen wartete sie je nach Situation mindestens vierundzwanzig Stunden ab, meist auch länger.

Jede Vermisstenmeldung traf bei Roy Grace einen Nerv. Wann immer er das Wort hörte, überlief ihn ein Schauer.

Denn seine Frau war eine dieser Vermissten. Vor knapp zehn Jahren war sie an seinem neunundzwanzigsten Geburtstag spurlos verschwunden und nie wieder aufgetaucht.

Es gab keinerlei Beweise dafür, dass jene 70 000 Menschen, die verschwunden blieben, tatsächlich gestorben waren. Menschen verschwanden aus den unterschiedlichsten Gründen. Meist ging es um familiäre Probleme – Eheleute, die einander verließen; Kinder, die von zu Hause wegliefen. Psychische Erkrankungen. Doch manche, und das gestand er sich nur ungern ein, landeten auch aus schlimmeren Gründen auf der Liste. Sie wurden ermordet oder, was seltener vorkam, gegen ihren Willen gefangen gehalten.

Hin und wieder gab es Meldungen über grauenhafte Fälle weltweit, in denen Menschen jahre-, manchmal jahrzehntelang gegen ihren Willen eingesperrt worden waren. In Stunden dunkelster Verzweiflung stellte er sich vor, wie irgendein Irrer Sandy in einem Keller in Ketten hielt.

Er glaubte nach wie vor, dass sie am Leben war. In den vergangenen zehn Jahren hatte er diverse Medien zu Rate gezogen. Hörte er von jemandem mit einem guten Ruf, suchte er ihn unweigerlich auf. Trat ein Medium in Brighton auf, saß Roy Grace grundsätzlich im Publikum.

Und in all den Jahren hatte nicht einer behauptet, er habe Kontakt zu seiner toten Frau aufgenommen oder eine Botschaft von ihr erhalten.

Grace glaubte nicht blind an die Fähigkeiten von Medien, so wie er auch ein gesundes Misstrauen gegenüber Ärzten und Wissenschaftlern hegte. Doch er blieb offen für Neues und glaubte immerhin an die Maxime von Sherlock Holmes, einer seiner literarischen Lieblingsfiguren: *Wenn man das Unmögliche ausgeschlossen hat und das Unwahrscheinliche übrig bleibt, muss das Unwahrscheinliche die Wahrheit sein.*

Das Handy riss ihn aus seinen Gedanken. Er schaute aufs Display, doch die Nummer wurde nicht angezeigt. Vermutlich ein Kollege. »Roy Grace.«

»Yo, alter weiser Mann!«, meldete sich eine vertraute Stimme.

»Scheiße, ich hab zu tun«, sagte Grace grinsend. Nachdem er drei Stunden vergeblich auf eine Konversation mit Dr. Theobald gehofft hatte, tat es gut, eine freundliche Stimme zu hören. Detective Sergeant Glenn Branson und er waren eng befreundet. Sie arbeiteten seit Jahren zusammen, und er hatte Branson sofort ins Team berufen.

»Gleichfalls, Oldtimer. Während du nach einem langen gemütlichen Lunch den zweiten Brandy genießt, reiße ich mir hier den Arsch für dich auf.«

»Schön wär's.« Grace schmeckte noch das Sandwich mit Sardine und Tomate, das er vor einer Ewigkeit statt eines Mittagessens zu sich genommen hatte.

»Hab gestern Abend einen tollen Film gesehen, *Serpico*. Al Pacino spielt einen Typen, der bei der New Yorker Polizei korrupte Cops jagt. Kennst du den?« Branson war ein totaler Filmfreak.

»Hab ihn vor dreißig Jahren in der Wiege gesehen.«

»Der ist von 1973.«

»Hat aber lang gebraucht bis in euer Kino.«

»Sehr witzig. Du solltest ihn dir mal wieder anschauen, Pacino ist der Größte.«

»Danke für die wertvolle Information, Glenn.« Grace trat unter der Zeltplane hervor, außer Hörweite des Pathologen, des Polizeifotografen und des Pressesprechers Dennis Ponds, der soeben eingetroffen war, um abzuchecken, was er der Presse sagen konnte. Grace wusste aus Erfahrung, dass man in diesem Stadium am besten Diskretion wahrte. Je weniger die Presse über die Einzelheiten brachte, desto weniger Verrückte hatte man am Telefon und konnte besser beurteilen, ob Informationen wirklich echt waren.

Gleichzeitig war die Polizei aber auch auf eine reibungslose Beziehung zu den Medien angewiesen, obwohl Grace im Augenblick nicht gut auf sie zu sprechen war. Gerade eben hatten sie ihn wegen des Todes der beiden Verdächtigen an den Pranger gestellt; letzte Woche waren sie über ihn hergefallen, als in einem Mordprozess bekannt wurde, dass er ein Medium aufgesucht hatte.

»Ich stehe hier im strömenden Regen auf einem beschissenen Hügel und wäre dankbar, wenn du etwas Sinnvolles zu unseren Ermittlungen beitragen könntest.«

»Mensch, es geht um deine Bildung. Du guckst dir ja nur Mist an.«

»Was hast du denn gegen *Desperate Housewives*?«

»Brauch ich nicht, ich lebe mit einer zusammen. Aber ich habe trotzdem Informationen für dich.«

»Und?«

»Eine Jurareferendarin. Ist gerade reingekommen.«

»Welch ein Verlust.«

»Mann, du bist wirklich krank.«

»Nein, bloß ehrlich.«

Wie die meisten seiner Kollegen hielt Roy Grace nicht viel von Anwälten – vor allem nicht von Strafverteidigern, die das Gesetz als Spielzeug betrachteten. Tag für Tag riskierten Polizeibeamte ihr Leben, um Verbrecher zu fangen. Und deren Anwälte lebten davon, dass sie das Gesetz austricksten und die Verbrecher wieder auf freien Fuß gesetzt wurden. Sicher, wenn Unschuldige verhaftet wurden, hatten sie Schutz verdient.

»Ach, egal. Jedenfalls ist sie heute nicht zur Arbeit erschienen. Eine Freundin war in ihrer Wohnung – nichts zu finden. Sie machen sich ernsthaft Sorgen.«

»Wann wurde sie zuletzt gesehen?«

»Gestern Nachmittag im Büro. Heute Morgen kam ein wichtiger Klient, und sie ist einfach nicht aufgetaucht. Hat auch nicht angerufen. Ihr Chef sagt, das passe gar nicht zu ihr. Heißt übrigens Janie Stretton.«

»Ich habe noch vier andere Namen auf der Liste. Was ist an ihr so besonders?«

»Nur eine Ahnung.«

»Janie Stretton?«

»Ja.«

»Ich setze sie auf die Liste.«

»An erste Stelle.«

Der Regen durchweichte seinen Anzug und rann ihm übers Gesicht. Grace trat wieder unter die schützende Plane. »Noch immer kein Kopf. Und mir ist, als würden wir ihn aus gutem Grund nicht finden. Die Fingerabdrücke waren negativ. Wir schicken DNA zur Eiluntersuchung ins Labor nach Huntingdon, aber das dauert ein paar Tage.«

»Ich hab sie gefunden, darauf wette ich«, sagte Branson.

»Janie Stretton?«

»So ist es.«

»Vermutlich liegt sie im Bett und vögelt mit einem Rechtsverdreher, der drei Riesen pro Stunde verdient.«

»Nein, Roy«, meinte der Sergeant nachdrücklich, »ich glaube, sie liegt direkt vor dir.«

12

TOM VERBRACHTE DEN NACHMITTAG bei Polstar Vodka, einem neuen Kunden, bei dem er seine Preise und damit auch die Gewinnspanne schmerzhaft herunterschrauben musste, um den Auftrag nicht an die Konkurrenz zu verlieren. Ohne seinen Laptop fühlte er sich zusätzlich behindert. Er verließ den Kunden mit einem Auftrag über 50 000 gravierte Martinigläser und bedruckte silberne Untersetzer, von dem er sich ursprünglich einen netten Profit erhofft hatte. Jetzt konnte er von Glück sagen, wenn der Auftrag die Kosten deckte. Immerhin ein Umsatz, den er seiner Bank vorweisen konnte, doch er kannte den alten Spruch, nach dem *Umsatz für Eitle und Gewinn für Gewinner* sei, nur zu gut.

Na ja, mit etwas Glück würden profitablere Aufträge folgen.

Als er um kurz vor fünf ins Büro kam, sah er zu seiner Erleichterung, dass der Laptop wieder lief. Leider erst nach sieben Stunden, die er seinem Techniker teuer bezahlen musste. Peter Chards Schreibtisch war verlassen, Simon Wang telefonierte gerade, ebenso Maggie. Olivia brachte ihm einen Stoß Briefe zum Unterzeichnen.

Tom erledigte die Post und ließ sich dann von Chris Webb das Systemupgrade und den neuen Virenschutz erklären, die natürlich weitere Kosten bedeuteten. Und Chris konnte ihm immer noch nicht sagen, wie genau es zu dem Super-GAU gekommen war, versprach aber, die CD-ROM aus dem Zug genauer zu analysieren.

Nachdem Webb gegangen war, verbrachte Tom eine halbe Stunde mit seinen aktuellen Mails. Aus Neugier öffnete er seinen Browser und schaute sich die Legende der letzten vierundzwanzig

Stunden an. Ein paar Besuche bei Google, bei jeeves.co.uk, bei Polstar Vodka, um sich auf den heutigen Termin vorzubereiten. Dann entdeckte er eine URL, die ihm überhaupt nichts sagte.

Eine lange, komplizierte Kette aus Buchstaben und Schrägstrichen. Chris Webb hatte ihm im Gehen noch gesagt, er solle keine unbekannten Websites aufsuchen, aber Tom kannte sich im Internet aus. Er wusste, dass man sich einen Virus einfangen konnte, indem man ein Attachment öffnete, nicht aber vom bloßen Aufruf einer Website. Cookies dagegen schon. Viele Händler arbeiteten mit diesem skrupellosen Trick und sendeten ein »Cookie«, sobald man sich auf ihrer Seite einloggte. Das Cookie blieb im System und berichtete über alles, was man sich danach im Netz anschaute. So konnten Firmen in ihren Datenbanken individuelle Kundenprofile anlegen und gezielt für ihre Produkte werben.

Er klickte die Adresse an.

Sofort erschien eine Mitteilung auf dem Monitor:

Zugang verweigert. Unbefugter Login-Versuch.

»Brauchst du noch was, Tom?«

Er schaute hoch. Olivia stand mit ihrer Handtasche vor ihm.

»Nein, alles in Ordnung. Danke.«

Sie strahlte ihn an. »Hab ein heißes Date. Ich muss noch zum Friseur!«

»Viel Glück!«

»Er ist Marketingleiter bei einer Verlagsgruppe. Könnte was für uns sein!«

»Zeig's ihm!«

»Und wie!«

Er schaute wieder auf den Monitor und klickte erneut auf die Adresse.

Binnen einer Sekunde erschien die gleiche Nachricht.

Zugang verweigert. Unbefugter Login-Versuch.

Nach dem Abendessen, einem größeren Martini und fast einer ganzen Flasche eines köstlichen australischen Chardonnay saß

Tom in seinem Arbeitszimmer, klappte den Laptop auf, holte E-Mails ab und begann zu arbeiten.

Zwei davon waren lohnende Folgeaufträge, über die er sich aufrichtig freute. Der Marketingleiter eines Großkunden bedankte sich persönlich bei ihm, weil er zum Erfolg des fünfzigjährigen Firmenjubiläums entscheidend beigetragen habe.

In Hochstimmung überflog er die restlichen Mails, löschte, beantwortete oder archivierte sie. Dann kam noch eine herein.

Sehr geehrter Mr. Bryce,
gestern Abend haben Sie unbefugt eine Website besucht.

Heute haben Sie es erneut versucht. Wir schätzen keine ungebetenen Gäste. Falls Sie der Polizei mitteilen, was Sie gesehen haben, oder jemals wieder versuchen sollten, diese Website zu besuchen, wird das, was mit Ihrem Computer geschehen ist, auch mit Ihrer Frau Kellie, Ihrem Sohn Max und Ihrer Tochter Jessica geschehen. Überlegen Sie es sich gut.

Ihre Freunde von Scarab Productions

Noch bevor er die Worte richtig verstanden hatte, verschwanden sie wieder vom Bildschirm. Dann auch die übrigen Mails.

Wie gelähmt und unfähig, den Computer auszuschalten, musste er zusehen, wie der gesamte Inhalt seines Rechners verschwand.

Er drückte die Tasten. Aber vor ihm gähnte nur ein leerer schwarzer Bildschirm.

13

DENNIS PONDS, seines Zeichens Pressesprecher der Sussex Police, war ein Mann, auf den stets der erste Verdacht fiel, wenn etwas an die Presse durchsickerte.

Er war ein ehemaliger Journalist, sah aber eher wie ein Börsenmakler als ein Zeitungsmann aus – Anfang vierzig, das schwarze Haar mit Gel zurückgekämmt, dichte Augenbrauen und ein Hang zu smarten Anzügen. Er hatte die heikle Aufgabe, für gute Beziehungen zwischen Polizei und Öffentlichkeit zu sorgen.

Roy Grace nahm einen Schluck aus seiner Wasserflasche und schaute Ponds mitfühlend an. Er besaß weder das Vertrauen der Polizeibeamten noch das der Journalisten und musste die Kritik beider Seiten ertragen. Ein früherer Pressesprecher war in einer Nervenklinik gelandet; ein anderer, an den sich Grace gut erinnerte, trug stets einen Flachmann bei sich.

Ponds hatte soeben sämtliche Morgenzeitungen auf seinem Schreibtisch ausgebreitet und schaute Grace eindringlich an. »Immerhin konnten wir es von der Titelseite fernhalten, Roy.« Seine Augenbrauen zuckten hoch wie zwei abflugbereite Krähen.

Sie hatten Glück gehabt, dass eine Story über Charles und Camilla die Titelseite beanspruchte. Es waren die Zeichen der modernen Zeit, dass die Sache mit dem kopflosen Torso nur einige Seiten weiter innen und in manchen Blättern gar nicht erst erwähnt wurde. Die *Daily Mail* hingegen brachte einen halbseitigen Artikel mit der Riesenüberschrift *ZWEI TOTE BEI VERFOLGUNGS-JAGD MIT POLIZEI*, eine Story, die alle überregionalen Zeitungen aufgenommen hatten.

»Sie haben Ihr Bestes getan«, sagte Grace. Anders als viele Kollegen wusste er, wie wichtig es war, sich den Pressesprecher warm zu halten.

»Sie haben die Konferenz gut gemanagt«, sagte Ponds. »Wir können heute höchstens auf die Torso-Geschichte bauen. Hab für zwei Uhr eine PK anberaumt. Sind Sie dabei?«

»Auf in den Kampf«, versetzte Grace.

»Können Sie mir schon jetzt etwas liefern?«

Grace schraubte die Flasche auf und zu. »Keine Übereinstimmung bei den Fingerabdrücken. Auf die DNA-Analyse warten wir noch. Bis dahin gehen wir die Vermisstenmeldungen durch.«

»Sollen wir sagen, dass der Kopf fehlt?«

»Das soll noch niemand erfahren. Ich werde lediglich sagen, dass der Körper beträchtlich verstümmelt wurde, was die Identifizierung erschwert.«

»Ich dachte, ich wäre derjenige, der die Wahrheit in genießbaren Dosen verabreicht.«

Grace lächelte. »Offenbar habe ich von Ihnen gelernt.«

Die Augenbrauen zuckten wie Flügel empor. »Irgendwelche heißen Spuren?«

»Kommen Sie, Dennis, jetzt klingen Sie selbst wie ein Reporter.«

»Ich würde ihnen gern etwas zum Fraß vorwerfen.«

»Es gibt Übereinstimmungen mit den Vermisstenmeldungen.«

»Wie ich hörte, scheint es auf eine Jurareferendarin aus Brighton hinauszulaufen. Stimmt das?«

»Woher haben Sie das denn?«, fragte Grace verblüfft.

Der Pressesprecher zuckte die Achseln. »Man erzählt sich so einiges.«

»Wer erzählt was? Woher zum Teufel haben Sie das?«

Ponds schaute Grace erstaunt an. »Mich haben drei Journalisten unabhängig voneinander angerufen.«

Grace erinnerte sich an das Telefonat mit Glenn Branson, bei dem sein Kollege über die Identität der jungen Frau spekuliert hatte. Hatte jemand mitgehört? Kaum denkbar – die neuen Handys sandten zerhackte digitalisierte Signale. Wut stieg in ihm auf, und er fragte ungehalten: »Scheiße, wer hat mit denen gesprochen? Dennis, das tote Mädchen hatte Familie. Vielleicht einen Mann, Kinder, eine Mutter, einen Vater, die sie alle geliebt haben. Wir können uns keine Spekulationen leisten.«

»Das weiß ich doch, Roy. Aber wir können die Presse auch nicht belügen.«

Wie immer ließ ihn der Gedanke an Sandy nicht los. »Verstehen Sie denn nicht, dass jeder, der eine Person vermisst, auf die die Beschreibung passen könnte, die Artikel verschlingen und jede Radio- und Fernsehsendung verfolgen wird? Es ist nicht meine Aufgabe, den Leuten Hoffnung zu machen, sondern Verbrechen aufzuklären.«

Dennis Ponds stenographierte wie wild mit. »Das ist toll«, sagte er, »der letzte Satz, meine ich. Darf ich den in der Presseerklärung verwenden?«

Grace starrte ihn an. Typisch PR-Mann, Hauptsache knallige Statements. Dann nickte er und sah auf die Uhr, es zog ihn in die

Soko-Zentrale zu seinem Team. Danach musste er zur Autopsie, die für zehn Uhr angesetzt war.

Er wollte unbedingt dabei sein, und das nicht nur wegen der armen Frau, deren zerstückelte Überreste vom Pathologen noch weiter zerstückelt würden.

Nein, ihm ging es um eine andere junge Frau, die im Leichenschauhaus arbeitete und mit der er an diesem Abend verabredet war.

Unter den Zeitungen, die sich auf seinem Schreibtisch stapelten, lag auch das Männermagazin *FHM*. Grace hatte gehofft, es irgendwann am Morgen überfliegen und sich über die neueste Herrenmode informieren zu können. Glenn Branson zog ihn ständig wegen seiner Kleidung, Frisur, sogar wegen seiner verdammten Uhr auf. Die treue alte Seiko, ein Geschenk von Sandy, verschaffe ihm das falsche Image.

Wie zum Teufel sah man cool aus? Und lohnte es überhaupt die Mühe, wenn man bald neununddreißig wurde?

Dann dachte er an Cleo Morey, und sein Magen schlug freudige Kapriolen. Ja, sagte er sich, und ob es die Mühe lohnte.

Dennis Ponds schwätzte noch ewig weiter, doch Grace ließ ihn reden, weil er ihn als Verbündeten brauchte. Außerdem erfuhr er von ihm interessanten Klatsch über den Chief Constable, den Assistant Chief Constable und Chief Superintendent Gary Weston, seinen direkten Vorgesetzten. Ponds beklagte sich, dass Weston sich mehr für Pferde- und Hunderennen interessiere als für die Polizeiarbeit, und dass dieses Desinteresse innerhalb der Behörde allmählich auffalle.

Grace wusste, dass Ponds Recht hatte, Weston war nur noch selten im Büro anzutreffen. Und es war nicht klug, seinen Ruf derart aufs Spiel zu setzen. Vielleicht sollte er als Freund mit ihm darüber sprechen, aber wie? Außerdem wusste er, auch wenn er es sich nur ungern eingestand, dass er manchmal ein wenig neidisch auf Westons Lebensstil war. Er hatte eine Familie, die ihn vergötterte, anscheinend mühelos Karriere gemacht und bewegte sich gewandt auf dem gesellschaftlichen Parkett. Irgendjemand hatte mal gesagt: *Wenn ein Freund von mir erfolgreich ist, stirbt etwas in mir.* Was leider der Wahrheit entsprach.

Endlich ließ Dennis Ponds ihn allein. Sowie die Tür zugefallen war, blätterte er das Magazin durch. Binnen Minuten kehrte seine düstere Stimmung jedoch zurück, da auf jeder Seite ein anderer Look präsentiert wurde. Worin würde er modern und cool aussehen? Und worin wie der totale Loser?

Es gab nur eine Möglichkeit, das herauszufinden. Selbst wenn er dabei das Gesicht verlor.

14

GRACE GING DURCH DEN SEKRETARIATSBEREICH, in dem Eleanor mit drei weiteren Management-Assistentinnen saß. Die vier Frauen arbeiteten für alle leitenden Kripobeamten bis auf Gary Weston, der eine eigene Sekretärin hatte.

Auf Eleanors Schreibtisch sah er eine hübsche Vase mit einem Strauß Veilchen, ein Foto ihrer vier Kinder ohne den Vater, ein halb gelöstes Sudoku-Rätsel aus der Zeitung und eine Butterbrotdose aus Plastik. Ihre Strickjacke hing ordentlich über der Stuhllehne.

Sie lächelte ein wenig nervös. Manche Dinge geschahen aus Erfahrung einfach automatisch, und so hatte sie wie immer, wenn ein neues Kapitalverbrechen geschah, seinen Terminkalender frei geräumt. Eleanor informierte ihn kurz über die drei Ausschusssitzungen, die sie für ihn abgesagt hatte.

Dann rief ihn seine juristische Beraterin Emily Gaylor kurz an und teilte ihm mit, dass er heute auf keinen Fall im Verfahren gegen Suresh Hossain gebraucht werde. Der Immobilienhai war angeklagt, einen Konkurrenten ermordet zu haben.

Durch die Glasscheibe zu seiner Linken blickte er in das imposante Büro von Gary Weston, der ausnahmsweise an seinem Schreibtisch saß und seiner Assistentin etwas diktierte.

Roy hielt seine Karte vor den Ausweisleser, stieß die Tür auf und betrat einen langen Flur mit grauem Teppichboden, der nach frischer Farbe roch. Er kam an einem roten, filzbezogenen Anschlagbrett vorbei, auf dem SOKO LISBON stand. Darunter hing das Bild eines chinesisch aussehenden Mannes mit flaumigem Bart, umgeben von mehreren Fotos des felsigen Strandes bei Beachy Head, die jeweils mit einem roten Kreis markiert waren.

Vier Wochen zuvor hatte man den bislang nicht identifizierten Mann tot am Fuß der Klippen aufgefunden. Zunächst ging die Polizei von einem Selbstmord aus, doch die Autopsie ergab, dass er zum Zeitpunkt des Sturzes bereits tot gewesen war.

Es folgte das Büro der Außenermittler und das des LEITEN-DEN ERMITTLERS, das Grace für die Dauer dieser Ermittlung beziehen würde. Unmittelbar gegenüber befanden sich die SOKO-Zentralen 1 und 2, in denen bei Ermittlungen von Kapitalverbrechen alle Fäden zusammenliefen. Er betrat Raum 1.

Trotz der blickdichten Fenster, die ohnehin zu hoch waren, um einen Ausblick zu bieten, wirkte der Raum mit den weißen Wänden luftig und verströmte pure Energie. Es war sein Lieblingsraum im ganzen Gebäude, und nur hier fand er etwas von der inspirierenden Betriebsamkeit, die er aus anderen Einsatzzentralen kannte.

Die L-förmige Zentrale sah geradezu futuristisch aus und hätte sich gut in Cape Canaveral gemacht. Im Gegensatz zu anderen Polizeibüros gab es hier keine persönlichen Besitztümer auf den Schreibtischen und an den Wänden. Keine Familienfotos, Fußballposter, Listen von Sportereignissen oder witzige Karikaturen. Auch hörte man keine freundschaftlichen Frotzeleien, hier dominierten stille Konzentration, das leise Gemurmel von Telefongesprächen und das schlurfende Geräusch von Laserdruckern, die fortwährend Papier ausspuckten.

Der neue Fall trug die Bezeichnung Soko Nightingale, einen willkürlich gewählten Namen, den der Computer der Sussex Police ausgeworfen hatte.

Nur Glenn Branson blickte hoch, als Grace eintrat. Der hoch gewachsene Schwarze mit dem kahlen Kopf hob grüßend die Hand. Er trug wie immer einen eleganten Anzug, diesmal mit Nadelstreifen, der ihn eher wie einen wohlhabenden Drogendealer aussehen ließ, ein weißes Hemd mit gestärktem Kragen und eine Krawatte, die vermutlich ein farbenblinder Schimpanse auf Crack entworfen hatte.

»Yo, Oldtimer«, sagte er so laut, dass alle Köpfe in die Höhe fuhren.

Grace lächelte seinen acht Teammitgliedern zu. Die meisten kamen direkt vom letzten Fall und hatten keine richtige Pause gehabt, doch sie waren ein gutes Team, das reibungslos zusammenarbeitete. Und er wusste aus Erfahrung, dass man alles tun musste, um ein gutes Team zusammenzuhalten.

Die Zweitälteste war die fünfunddreißigjährige Bella Moy, Detective Sergeant, die mit fröhlichem Gesicht und einer offenen Schachtel Schokolade vor ihrem PC hockte. Sie tippte konzentriert weiter, während ihre rechte Hand wie ein Insekt verstohlen zur Seite kroch, ein Stückchen schnappte und in den Mund beförderte. Sie war gertenschlank, und doch kannte Grace niemanden, der mehr aß als sie.

Neben ihr saß Detective Constable Nick Nicholas. Er war Ende zwanzig, lang aufgeschossen, mit kurzem Haar und als Ermittler ebenso eifrig wie als Fußballstürmer. Grace spielte mit dem Gedanken, ihn fürs Rugbyteam der Polizei zu werben, dem er ab Herbst als Präsident vorstehen würde.

Gegenüber arbeitete sich DC Emma-Jane Boutwood durch einen dicken Stapel Computerpapier. Zuerst hatte Grace die hübsche Frau, die erst vor kurzem zum Team gestoßen war, wegen ihrer blonden Haare und der perfekten Figur ein wenig unterschätzt, doch sie hatte sich rasch profiliert und würde eine große Zukunft haben, sofern sie bei der Polizei blieb.

»Und?«, fragte Glenn Branson. »Meine Ahnung geht jetzt in eine andere Richtung. Wie kann ich dich davon überzeugen, dass ich diesmal Recht habe? Sie heißt Teresa Wallington.«

»Was wissen wir über sie?«

»Stammt aus Peacehaven. Ist gestern Abend nicht zu ihrer Verlobungsfeier erschienen.«

Ein Schauer überlief ihn. »Weiter.«

»Ich habe mit dem Verlobten gesprochen. Wirkt überzeugend.«

»Na, ich weiß nicht«, meinte Grace. Sein Instinkt sagte ihm, dass es noch zu früh war, doch er wollte auch Glenns Enthusiasmus nicht bremsen. Er betrachtete die Tatortfotos an der Wand, die auf sein Drängen hin schnell entwickelt worden waren. Eine Nahaufnahme der abgetrennten Hand, die grauenhaften Bilder des Torsos im schwarzen Müllbeutel.

»Vertrau mir, Roy.«

»Dir vertrauen?«, fragte Grace noch immer mit Blick auf die Fotos.

»Schon wieder!«, beschwerte sich Branson.

»Was?«, fragte Grace verwirrt.

»Jetzt tust du es schon wieder, Mann. Beantwortest eine Frage mit einer Frage.«

»Weil ich nie kapiere, wovon du eigentlich redest!«

»Ach, Scheiße!«

»Wie viele vermisste Frauen kommen immer noch in Betracht?«

»Fünf, genau wie gestern. Innerhalb eines angemessenen Radius. Mehr, wenn wir landesweit suchen.«

»Noch nichts über die DNA?«

»Heute Abend um sechs wissen sie hoffentlich, ob sie das Opfer in der Datenbank haben«, warf DC Boutwood ein.

Grace sah auf die Uhr. Noch eine Viertelstunde, dann musste er ins Leichenschauhaus. Er rechnete rasch im Kopf nach. Nach Schätzung von Dr. Theobald war die Frau noch keine vierundzwanzig Stunden tot gewesen. Es kam gar nicht so selten vor, dass jemand einen Tag lang vermisst wurde. Nach zwei Tagen setzte bei Freunden, Verwandten und Kollegen gewöhnlich die Sorge ein. Im Laufe des Tages würden sie hoffentlich eine definitive Liste der in Frage kommenden Frauen aufstellen können.

»Haben wir einen Abguss von den Fußabdrücken?«, fragte er DC Nicholas.

»Ist in Arbeit.«

»Das reicht mir nicht«, sagte Grace leicht gereizt. »Bei der Besprechung heute Morgen habe ich angeordnet, dass zwei Beamte mit Abgüssen zu den Berufsausstattern in der Gegend fahren, vielleicht hat jemand Arbeitsstiefel für diesen Zweck gekauft. Und wenn ja, könnte ihn die Überwachungskamera gefilmt haben. So viele Geschäfte, die Arbeitsstiefel führen, kann es ja nicht geben. Ich will den Bericht um halb sieben auf dem Tisch haben.«

DC Nicholas nickte und griff nach dem Telefon.

»Sie hat sich seit zwei Tagen nicht gemeldet«, drängte Branson.

»Wer?«

»Teresa Wallington. Wohnt mit ihrem Verlobten zusammen. Es scheint keinen Grund zu geben, warum sie nicht zu der Feier hätte kommen sollen.«

»Und die vier anderen?«

»Auch von ihnen wurde heute keine gesehen«, gab Branson zu.

Obwohl schon einunddreißig, war er nach einem Fehlstart als Rausschmeißer in einem Nachtklub erst vor sechs Jahren zur Polizei gekommen. Ahnungen waren wichtig, aber sie führten auch zu vorschnellen Schlüssen, bei denen man gern andere Möglichkeiten außer Acht ließ und die Beweise selektiv auswählte. Manchmal musste Grace seinen Kollegen ein wenig bremsen, damit er sich nicht selber austrickste.

Im Augenblick brauchte er ihn jedoch nicht wegen seiner Ahnungen, sondern für einen Gefallen, der eher privater Natur war.

»Willst du mit mir ins Leichenschauhaus fahren?«

Branson zog die Augenbrauen hoch. »Scheiße, Mann, gehst du da immer mit deinen Verabredungen hin?«

Grace grinste. Denn damit lag Branson gar nicht so falsch.

15

TOM BRYCE SASS IM BESPRECHUNGSZIMMER eines Bürogebäudes, das sich in einem Gewerbegebiet in der Nähe von Heathrow befand. Und zwar so nah, dass es aussah, als würde der Jumbo Jet, der mit ausgefahrenen Rädern und Landeklappen übers Dach hinwegdonnerte, mitten im Zimmer landen.

Der Raum war altmodisch bis auf die gerahmten Plakate von Horror- und SciFi-Filmen. Braune Velourstapete, ein bronzener Besprechungstisch, der aussah wie ein Beutestück aus einem tibetanischen Tempel, und zwanzig extrem unbequeme hochlehnige Stühle, um die Sitzungen möglichst kurz zu halten.

Sein Kunde Ron Spacks war ein kurzatmiger ehemaliger Rockpromoter, der stramm auf die Sechzig zuging. Sein Toupet saß schief, die Zähne waren viel zu makellos für sein Alter, und sein Gesicht zeugte vom Missbrauch diverser Rauschmittel. Er trug ein verblichenes T-Shirt von Grateful Dead, Jeans und Sandalen. Er blätterte im Katalog von *BryceRight* und murmelte vor sich hin, wann immer er an etwas Gefallen fand.

Tom nippte geduldig an seinem Kaffee. Gravytrain Distributing war einer der größten DVD-Händler des Landes. Das Goldmedaillon, die Klunker an den Fingern und der schwarze Ferrari draußen auf dem Parkplatz zeugten von Ron Spacks' Erfolg.

Er hatte Tom stolz mitgeteilt, dass er mit einem Stand an der Portobello Road angefangen habe, wo er schon gebrauchte DVDs verkaufte, als noch keiner wusste, was eine DVD überhaupt war. Tom bezweifelte nicht, dass sein Imperium größtenteils auf Raubkopien gegründet war, doch war es nicht an ihm, seine Kunden nach moralischen Gesichtspunkten auszuwählen. Spacks hatte immer en gros bestellt und pünktlich bezahlt.

»Yeah. Tom, meine Kunden wollen keinen modischen Schnickschnack. Was haben Sie denn Neues im Programm?«

»Untersetzer in Form von CDs, die kann man bedrucken lassen. Auf Seite 42.«

Spacks schlug die Seite auf. »Yeah«, meinte er wenig begeistert. »Wie viel kosten 100000 von denen – Sie können doch auf ein Pfund runtergehen, oder?«

Ohne seinen Computer fühlte Tom sich verloren, doch der wurde gerade im Büro von Chris Webb wiederbelebt. Alle Einstandspreise waren dort drin, und ohne sie wagte er nicht, Rabatte einzuräumen, vor allem nicht bei so großen Aufträgen.

»Ich schicke Ihnen später eine Mail.«

»Mehr als ein Pfund ist nicht drin«, sagte Spacks und öffnete eine Dose Cola. »Eigentlich wären mir siebzig Pence noch lieber.«

Toms Handy klingelte. Kellie. Er drückte sie weg.

Siebzig Pence waren undenkbar, das wusste er genau, die CD allein kostete schon mehr, aber damit wollte er jetzt nicht unbedingt rausrücken. »Könnte eng werden.«

»Yeah. Ich sag Ihnen mal, woran ich wirklich interessiert bin. Fünfundzwanzig goldene Rolex wären der Deal.«

»Goldene Rolex-Uhren? Echte?«

»Klar, keine Kopien, das einzig Wahre. Mit eingraviertem Logo. Können Sie mir ein Angebot einholen? Aber ich brauch sie schnell, bis Mitte nächster Woche.«

Tom verbarg seine Überraschung. Eben noch hatte Spacks gesagt, er wolle keinen modischen Schnickschnack, und jetzt redete er von Uhren, die Tausende Pfund pro Stück kosteten. Wieder meldete sich das Handy.

Kellie, das machte ihm Sorgen; normalerweise hätte sie eine Nachricht hinterlassen. Vielleicht war eins der Kinder krank? »Darf ich mal? Meine Frau.«

»Wenn die Herrin des Hauses ruft. Die klassische Rolex ist doch die Oyster, oder?«

Tom wusste ungefähr so viel über goldene Rolex-Uhren wie über Hühnerzucht in den Anden. »Sicher doch.« Dann nickte er Spacks zu und nahm den Anruf entgegen. »Ja, Schatz?«

Kellie klang seltsam verstört. »Tom, tut mir Leid, wenn ich dich störe, aber ich hatte einen unheimlichen Anruf.«

Er stand auf und ging beiseite. »Was ist passiert, Liebes?«

»Ich war im Nagelstudio. Fünf Minuten, nachdem ich nach Hause kam, klingelte das Telefon. Ein Mann fragte, ob ich Mrs. Bryce sei, und ich hab ja gesagt. Dann fragte er, ob ich Mrs. Kellie Bryce sei, und ich sagte noch mal ja. Dann hat er eingehängt.«

Draußen war es feucht und regnerisch, und die Klimaanlage machte den Raum kälter als nötig. Doch tief im Inneren spürte Tom eine Kälte, die nichts mit der Außenwelt zu tun hatte. Eisige Finger griffen nach seiner Seele.

Hatte es mit der Drohung von gestern Abend zu tun? Mit der Mail, die er erhalten hatte, unmittelbar bevor seine Festplatte gelöscht wurde?

Falls Sie der Polizei mitteilen, was Sie gesehen haben, oder jemals wieder versuchen sollten, diese Website zu besuchen, wird das, was mit Ihrem Computer geschehen ist, auch mit Ihrer Frau Kellie, Ihrem Sohn Max und Ihrer Tochter Jessica geschehen.

Doch er hatte die Polizei nicht informiert oder erneut versucht, die Website aufzurufen. Im Geiste ging er alle Möglichkeiten durch. »Hast du versucht zurückzurufen? Eins vier sieben eins?«

»Ja. Die Nummer wurde unterdrückt.«

»Wo bist du jetzt?«

»Zu Hause.«

Er sah auf die Uhr, seine Hand zitterte. Kurz nach Mittag. »Hör zu, vermutlich hat sich nur jemand verwählt. Wegen einer Ebay-Lieferung oder so. Könnte tausend Gründe haben.« Er wollte beruhigend klingen, überzeugte damit aber nicht einmal sich selbst. Im Geiste sah er nur die schöne junge Frau mit den langen Haaren, die von einem Mann mit tief sitzender Mütze abgeschlachtet wurde.

»Ich habe gerade einen Termin, ich rufe so schnell wie möglich zurück.«

»Ich liebe dich.«

Er schaute flüchtig zu Spacks, der weiter im Katalog blätterte. »Ich dich auch. Es dauert höchstens zehn Minuten.«

»Frauen«, sagte Spacks mitfühlend, als Tom an den Tisch zurückkehrte.

Tom nickte.

»Bei Frauen zieht man immer den Kürzeren.«

»Stimmt.«

»Also zurück zu den Rolex. Ich brauche ein Angebot über fünfundzwanzig goldene Rolex-Uhren. Mit kleiner Gravur. Lieferung Ende nächster Woche.«

Tom war so um Kellie besorgt, dass er den ungeheuren Wert des potenziellen Auftrags kaum registrierte. »Was für eine Gravur?«

»Einen Microdot. Ganz winzig.«

»Überlassen Sie das mir, ich melde mich mit dem besten Preis.«

»Yeah.«

16

GLENN BRANSONS FAHRSTIL hatte Grace nie sonderlich behagt, doch seit sein Kollege das Fahrtraining absolviert hatte, das bei der Bewerbung für die National Crime Squad verlangt wurde, starb er auf dem Beifahrersitz tausend Tode. Schlimmer noch, sein Kollege hörte beim Fahren einen Rap-Sender, der so laut dröhnte, dass Grace sich wie in einem Mixer vorkam.

Bei dem Training wurden Beamte auf Verfolgungsjagden bei hoher Geschwindigkeit vorbereitet. Um seine neu erworbenen Fähigkeiten zu demonstrieren, wählte Branson die einzige Route, auf der er richtig Gas geben konnte. Zweieinhalb Kilometer einer zweispurigen Straße, die das Gewerbegebiet, in dem sich die Kripozentrale befand, mit der Stadtmitte von Brighton verband.

Sie lud förmlich zu Autorennen ein, da das erste Stück gut zu überblicken war: zwei sanfte Biegungen, ein Stück gerader Straße, dann aber eine scharfe Rechtskurve und nach einem Kilometer eine scharfe Linkskurve, in der es noch vor einer Woche zu einem tödlichen Unfall gekommen war. In der Ferne sah Grace einen Lkw auf sie zukommen und schaute Branson an. Hoffentlich war seinem Kollegen klar, dass beide Wagen etwa zur selben Zeit in die Rechtskurve gehen würden. Aber nein, Branson konzentrierte sich ganz auf die Linkskurve.

Der Tacho zeigte unerhörte 150 Stundenkilometer, die Nadel kletterte weiter. Regentropfen zerplatzten auf der Scheibe. »Hier, Mann!«, rief Branson, um die dröhnende Stimme von Jay-Z zu übertönen. »Du fährst ganz nach rechts, damit du die Kurve richtig überblickst, und schneidest sie an der Spitze. So machen sie es auch in der Formel 1.«

Grace pfiff durch die Zähne, als sie die Spitze der Kurve schnitten und dabei ein Stück Erde samt Gras und Brennnesseln mitnahmen. Der Wagen geriet bedenklich ins Schleudern. Sein Hemd war feucht.

Der Lkw kam näher.

Grace prüfte den Sicherheitsgurt und sah auf den Tacho. Der neutrale Polizei-Vectra fuhr jetzt 175 km/h. Er hätte seinen Kollegen gern gefragt, ob er nicht bremsen wolle, bevor sie die Rechtskurve erreichten, die nur wenige hundert Meter vor ihnen im 90°-Winkel abknickte, fürchtete aber, Branson vom Fahren abzulenken. Er schaute aus dem Fenster. Zwei Männer zogen ihre Caddies über eine windgepeitschte Anhöhe des Golfplatzes.

Er fragte sich, ob er die letzten Sekunden seines Lebens im zermalmten Wrack eines Polizeiwagens verbringen würde, der nach alten Burgern, Zigaretten und fremdem Schweiß stank, während zwei alte Käuze mit Golfwägelchen durchs Fenster glotzten und ein Rapper ihn wüst aus dem Radio beschimpfte.

»Also, zu meiner Vorahnung«, sagte Branson mitten in der Kurve, als der schwere Laster nur noch wenige hundert Meter entfernt war.

Grace klammerte sich an den Sitz.

Entgegen aller physikalischen Gesetze schaffte der Wagen die Kurve und fuhr immer noch geradeaus. Nur noch die eine gefährliche Kurve, dann wären sie in einem Tempo-60-Gebiet und damit in Sicherheit.

»Ich bin ganz Ohr!«

»Ich höre nur deinen Herzschlag«, meinte Branson grinsend.

»Ein Glück, dass es noch schlägt.« Er drehte das Radio leiser, worauf Branson tatsächlich den Fuß vom Gas nahm.

»Teresa Wallington wohnt mit ihrem Verlobten zusammen. Sie planen für Dienstagabend eine Verlobungsfeier im ›Al Duomo‹. Sie muss unter der Woche stattfinden, weil er seltsame Arbeitszeiten hat. Sie laden Freunde und Verwandte aus dem ganzen Land ein.«

Grace sagte nichts. Die Gefahr war nicht vorüber, obwohl sie sich nun in ruhigerem Fahrwasser befanden. Branson redete, fummelte am Radio herum und merkte nicht, wie er auf einen entgegenkommenden Bus zufuhr. Gerade als Grace ins Steuer greifen wollte, lenkte Branson völlig gelassen nach links zurück.

»Sie taucht nicht auf. Kein Anruf, keine SMS, nada.«

»Also hat der Verlobte sie ermordet?«

»Ich habe ihn für heute Nachmittag vorgeladen, wir sollten ihn im Vernehmungsraum mal unter die Lupe nehmen.«

In Sussex House gab es einen kleinen Vernehmungsraum, den man vom Nebenzimmer aus mit einer Kamera überwachen konnte, um die Aussagen zweifelhafter Zeugen aufzuzeichnen. Die Beamten konnten so die Körpersprache bewerten und auf die Glaubwürdigkeit der Zeugen schließen. Manchmal nutzte Grace den Raum auch, um eine Erstbefragung von Personen durchzuführen, die sich später als Verdächtige entpuppen konnten – nicht selten der Ehemann oder Liebhaber eines Mordopfers.

Die absichtlich bequem gehaltenen roten Sessel des Raums täuschten eine gewisse Gemütlichkeit vor und brachten Leute dazu, Informationen preiszugeben, die sie auf den harten Stühlen der Polizeiwache von Brighton vielleicht für sich behalten hätten. Die Aussagen wurden auf Video aufgezeichnet und in manchen Fällen an psychologische Gutachter weitergegeben.

»Du bist also von deiner Jurareferendarin abgekommen? Ich dachte, auf die stehst du«, zog Grace ihn auf.

»Hab mit ihrer besten Freundin gesprochen. Sie sagt, das sei schon öfter vorgekommen – dass sie mal für ein paar Tage verschwindet, ohne etwas zu sagen. Nur sei sie sonst immer zur Arbeit erschienen.«

»Du meinst, sie ist unzuverlässig?«

Branson fummelte wieder am Radio herum. »Hört sich ganz so an.«

Grace fragte sich, ob Branson bemerkt hatte, dass sich vor ihnen der Verkehr an einer roten Ampel staute, während sie mit überhöhtem Tempo auf ein Müllauto zudonnerten. Diesmal rief er warnend: »Glenn!«

Branson trat auf die Bremse, hinter ihnen kreischten Reifen. Grace drehte sich um und sah, wie ein kleines rotes Auto knapp vor ihrer Stoßstange zum Stehen kam.

»Was war das für ein Fahrkurs? Habt ihr die Anweisungen in Blindenschrift bekommen?«

»Ach, Scheiße, du Weichei. Solltest nur auf dem Rücksitz mitfahren.«

Grace war der Ansicht, dass er sich dort auch sehr viel sicherer gefühlt hätte.

Der Motor soff ab, Branson ließ ihn wieder an. »Kennst du noch den Anfang von *Charlie staubt Millionen ab*, in dem er mit dem Ferrari in den Tunnel rast und – bumm!«

»Meinst du das Remake?«

»Nein, du Banause, das war doch Scheiße. Das Original mit Michael Caine.«

»Ich weiß noch, wie der Bus am Ende über der Klippe hängt. Daran erinnert mich übrigens auch dein Fahrstil.«

»Und du fährst wie ein altes Weib.«

Grace holte sein Männermagazin aus der Aktentasche. »Kannst du kurz mal anhalten, ich brauche deinen Rat.«

Als die Ampel auf Grün sprang, fuhr Branson noch ein kleines Stück und hielt dann an einer Bushaltestelle. Grace schlug das Magazin auf und zeigte ihm eine doppelseitige Fotostrecke mit Models in verschiedenen Outfits.

Branson schaute ihn misstrauisch an. »Bist du schwul geworden oder wie?«

»Ich bin verabredet.«

»Mit einem von denen?«

»Sehr komisch. Heute Abend, es ist was Ernstes. Und da du der Stil-Guru der Sussex Police zu sein scheinst, brauche ich deinen Rat.«

Branson betrachtete die Fotos. »Ich hab dir ja schon mal gesagt, du sollst was mit deinen Haaren machen.«

»Du hast gut reden, du hast ja keine.«

»Ich rasiere mir den Kopf, Mann, das ist total cool.«

»Vergiss es.«

»Ich kenne einen tollen Friseur, Ian Habbin bei *The Point*. Ein paar Highlights färben, die Seiten kürzer, oben etwas länger und dann mit Gel stylen.«

»Ich kann sie ja wohl kaum bis heute Abend um acht wachsen lassen. Aber Klamotten kann ich mir kaufen.«

Branson schenkte ihm ein wohlmeinendes Lächeln. »Du meinst es wirklich ernst, Mann, du hast ein heißes Date! Freut mich für dich.« Er drückte Roys Schulter. »Wird auch Zeit, dass du wieder unter Menschen kommst. Wer ist sie? Kenne ich sie?«

»Mag sein.« Grace war gerührt über die Reaktion seines Freundes.

»Tu nicht so geheimnisvoll, wer ist sie? Emma-Jane? Die hat Klasse!«

»Nein, sie ist ohnehin zu jung für mich.«

»Wer dann? Bella?«

»Sag mir einfach, was ich anziehen soll.«

»Jedenfalls nicht den dämlichen Anzug, den du gerade trägst.«

»Na los, was meinst du?«

»Wo geht ihr denn hin?«

»Zum Italiener. ›Latin in the Lanes‹.«

»Aris Lieblingsrestaurant, sie liebt den gemischten Meeresfrüchtteller«, strahlte Branson. »Mensch, du legst dich ja richtig ins Zeug!«

»Hast du etwa geglaubt, ich lade sie zu McDonald's ein?«

»Pass auf, wie sie isst.«

»Wieso das?«

»Daran kannst du erkennen, wie eine Frau im Bett ist.«

»Ich werd's mir merken.«

Branson schwieg einen Moment und blätterte im Magazin. »An deiner Stelle würde ich mich nicht zu sehr auf jung trimmen.«

»Du kannst mich mal.«

Branson zeigte auf ein Model, das eine lässige beigefarbene Jacke zu einem weißen T-Shirt, Jeans und braunen Slippern trug. »Das bist du, so sehe ich dich. Mr. Cool. Geh zu Luigi's in der Bond Street, die haben so was.«

»Fährst du nach der Autopsie mit mir hin?«

»Nur wenn ich mich danach mit dir verabreden darf.«

Jemand hupte laut. Branson und Grace drehten sich um und sahen einen Bus, der das gesamte Rückfenster ausfüllte.

Branson fuhr weiter. Kurz darauf rollten sie bergab in einen hektischen Kreisverkehr, vorbei an einem riesigen Sainsbury-Supermarkt, einem strategisch geschickt gelegenen Bestattungsinstitut und bogen scharf links durch ein schmiedeeisernes Tor, neben dem ein kleines Schild mit der Aufschrift STÄDTISCHES LEICHENSCHAUHAUS BRIGHTON AND HOVE prangte.

Zweifellos gab es schlimmere Orte auf dieser Welt, aber dieser hier war schlimm genug. Jemand hatte einmal von der *Banalität des Bösen* gesprochen. Und dies hier war ein banaler Ort. Ein nichts sagendes Gebäude mit finsterer Aura. Lang gestreckt, mit grauem Rauputz und überdachter Einfahrt, in die ein Krankenwagen passte.

Dieses Leichenschauhaus war der Zwischenstopp für Menschen, die plötzlich, gewaltsam oder auf unerklärliche Weise zu Tode gekommen waren, hierher wurden auch die Opfer ansteckender Krankheiten wie Meningitis, bei denen eine Autopsie für die öffentliche Sicherheit wichtig war, gebracht. Meist überlief Grace ein kalter Schauer, wenn er durch das Tor fuhr, doch heute war alles anders.

Heute fühlte er sich geradezu beschwingt. Nicht wegen der Leiche, die er gleich betrachten würde, sondern wegen der Frau, die hier arbeitete. Seiner Verabredung von heute Abend.

Aber das würde er Glenn Branson nicht auf die Nase binden.

17

VORSICHTIG ROLLTE TOM RÜCKWÄRTS vom Parkplatz der Gravytrain Distributing, weil er fürchtete, Ron Spacks' Ferrari zu rammen, steckte sein Handy in die Freisprechanlage und wählte Kellies Nummer.

Das Bild der abgeschlachteten Frau verfolgte ihn noch immer. Sicher, es konnte nur ein Film gewesen sein, irgendein Thriller, den er nicht kannte. Oder ein Werbetrailer. Heutzutage gab es die verrücktesten Spezialeffekte. Klar, es war ein Film.

Alles andere wäre undenkbar.

Aber er wusste, dass er sich etwas vormachte. Seine gelöschte Festplatte, der dubiose Anruf, die bedrohliche Mail – er schauderte, als hätte sich eine dunkle Wolke vor seine Seele geschoben. Was zum Teufel hatte er am Dienstagabend wirklich gesehen?

Dann hörte er Kellies Stimme, die nun ein wenig munterer klang. »Hi.«

»Liebes? Tut mir Leid, war ein schwieriger Kunde.«

»Schon gut, vielleicht rege ich mich auch zu sehr auf. Es war nur – irgendwie unheimlich.«

Während Tom an Fabriken und Lagerhäusern vorbeifuhr, setzte der nächste Jet zur Landung an, und er musste lauter sprechen, um ihn zu übertönen. »Erzähl mal, was genau passiert ist.«

»Es war nur ein Anruf, der Mann fragte, ob hier Familie Bryce wohne und ob ich Mrs. Kellie Bryce sei, und als ich ja sagte, hängte er ein.«

»Weißt du was, das war bestimmt so ein Telefonbetrüger. Ich

hab darüber gelesen, das ist eine ganze Bande. Sie rufen Leute an und geben sich als Mitarbeiter einer Bank aus. Sicherheitsprüfung und so weiter, und dabei horchen sie einen über Haus, Passwörter, Bankverbindungen und Kreditkarten aus. Könnte sein, dass er mitten drin unterbrochen wurde.«

»Kann sein.« Sie klang ebenso unsicher, wie er sich fühlte. »Er hatte einen komischen Akzent.«

»Was für einen?«

»Irgendwie ausländisch, der war nicht von hier.«

»Und sonst hat er nichts gesagt?«

»Nein.«

»Erwartest du irgendwelche Lieferungen?«

Unbehagliches Schweigen. »Nicht direkt.«

Scheiße, sie hatte wieder was gekauft. »Was meinst du mit *nicht direkt*, Liebes?«

»Das Angebot läuft noch.«

Tom wollte gar nicht wissen, um welches extravagante Teil es diesmal ging. »Hör zu, ich versuche, früh nach Hause zu kommen. Ich muss noch in die Stadt, meinen Laptop abholen, er ist wieder in Reparatur.«

»Immer noch kaputt?«

»Ja, irgendein Fehler, der sich nicht so leicht beheben lässt. Wie ist das Wetter bei euch?«

»Es wird schöner.«

»Wenn ich es schaffe, können wir vielleicht noch mit den Kindern grillen.«

»Ja, okay, mal sehen.«

Als er auf die Hauptstraße bog und nach einem Hinweisschild Richtung Innenstadt suchte, dachte er bei sich, dass ihre Antwort seltsam ausweichend geklungen hatte.

Beim Stop-and-go auf der M4, der nur Ken Livingstones verfluchter Busspur zu verdanken war (und für den er den Bürgermeister am liebsten mit den Eiern in siedendes Öl getaucht hätte), ging er im Geiste alle Gründe durch, aus denen jemand einen solchen Anruf getätigt haben könnte. Wahrscheinlich ein Fahrer, der etwas anliefern wollte und im Gespräch unterbrochen worden war. Kein Grund zur Sorge.

Aber er machte sich Sorgen, weil er Kellie, Max und Jessica über alles liebte.

Als er zwanzig war, starben seine Eltern im Nebel bei einem Autounfall auf der M1, und sein einziger Bruder Zack, fünf Jahre jünger als er, hatte den Verlust nie richtig verwunden. Er lebte heute als zugekiffter Aussteiger in Bondi Beach, Sydney, und hielt sich mit Aushilfsarbeiten und Surfunterricht über Wasser. Außer Zack und einem Onkel mütterlicherseits, der in Melbourne lebte und sich nicht einmal die Mühe gemacht hatte, zum Begräbnis von Toms Eltern zu kommen, hatte er nur Kellie, Max und Jessica.

Als die Autobahn in die Cromwell Road überging, klingelte sein Handy. Keine Nummer im Display.

Tom drückte den Knopf. »Hallo?«

Eine Männerstimme mit starkem osteuropäischen Akzent fragte: »Spreche ich mit Tom Bryce?«

»Ja«, sagte er vorsichtig.

Der Mann hängte ein.

18

DIE ÜBERRESTE DER TOTEN FRAU lagen im sterilen Autopsieraum auf einem Seziertisch aus Edelstahl, in durchsichtiges Plastik gehüllt wie Tiefkühlfleisch aus dem Supermarkt.

Der Torso war in eine separate Folie gewickelt; die Beine und die eine Hand ebenfalls. Die Hand befand sich in einer kleinen Tüte, und über jeden Fuß war ebenfalls eine separate Tüte gestülpt, um Fasern oder Erdpartikel zu sichern, die sich womöglich auf der Haut oder unter den Nägeln befanden. Dann hatte man alles noch einmal in eine große Plane gewickelt.

Diese entfernte Dr. Frazer Theobald nun mit äußerster Vorsicht, um keine noch so kleinen Spuren an Haaren oder Haut zu übersehen, die vom Mörder stammen konnten.

Grace war schon oft in diesem Raum gewesen, zum ersten Mal vor etwa zwanzig Jahren, als er seine erste Autopsie erlebte. Er konnte sich lebhaft an den Sechzigjährigen erinnern, der von einer Leiter gefallen war und splitternackt und bar aller menschlichen Würde mit zwei Namensschildern am Zeh auf dem Tisch gelegen hatte.

Als der Leichenbeschauer die Kopfhaut rundherum am Haaransatz entlang eingeschnitten und nach vorn gerollt hatte, sodass sie übers Gesicht hing, und der Pathologe zur Kreissäge gegriffen hatte, die sich knirschend in den Schädelknochen fräste, hatte Grace getan, was viele Anfänger taten: Er lief grün an, taumelte zur Toilette und übergab sich.

Übergeben musste er sich heute nicht mehr, doch überlief ihn an diesem Ort immer wieder ein Schauer. Vielleicht lag es am Geruch des Desinfektionsmittels, der einem noch Stunden, nachdem man das Gebäude verlassen hatte, aus jeder Pore drang; vielleicht auch am diffusen Licht, das durch die blickdichten Fenster fiel und dem ganzen Raum etwas Unwirkliches verlieh. Außerdem hatte er immer das Gefühl, dass das Leichenschauhaus ein brutales Zwischenlager war, das den Tod und die friedliche Ruhe voneinander trennte.

Die Leichen wurden aufbewahrt, bis die Todesursache feststand, manchmal auch bis zur offiziellen Identifizierung, worauf man sie auf Wunsch der Angehörigen einem Bestatter übergab. Manche wurden nie identifiziert. In einem Kühlfach im Lagerraum gab es einen älteren Mann, der seit fast einem Jahr dort lag. Man hatte ihn tot auf einer Parkbank gefunden, doch niemand schien ihn zu vermissen.

Bisweilen fragte sich Grace, wenn ihn eine düstere Stimmung überkam, ob es ihm auch irgendwann so gehen würde. Er hatte keine Frau, keine Kinder, keine Eltern, wenn er nun auch seine Schwester überlebte? Doch er verdrängte den Gedanken rasch, da es schwierig genug war, im Leben zurechtzukommen. Trotzdem dachte er häufig über den Tod nach, vor allem hier drinnen. Wenn er eine Leiche auf einem Tisch oder die Türen des Kühlschranks betrachtete, drang eine eisige Kälte in seine Adern, und er fragte sich, wie viele Geister in diesem Haus umgehen mochten.

Cleo Morey, die leitende Leichenbeschauerin, half Dr. Theobald dabei, die äußere Plane zu entfernen, und faltete sie sorgfältig zusammen. Man würde sie ins Labor schicken, falls an der Leiche selbst nichts festzustellen war. Grace schaute Cleo kurz an. Selbst in Arbeitskleidung war sie hinreißend schön, eine Ansicht, die alle teilten, die ihr je begegnet waren.

Dann wickelte der Pathologe den Torso aus und begann mit der mühsamen Aufgabe, sämtliche vierunddreißig Stichwunden zu vermessen und die Maße aufzuzeichnen.

Das Fleisch wirkte blasser als am Vortag, und obwohl es an den meisten Stellen, vor allem an den Brüsten, mit roten Schnitten bedeckt war, konnte Grace die ersten Anzeichen der Verwesung erkennen.

Der Raum enthielt zwei stählerne Seziertische, von denen einer mit Rollen versehen war, eine blaue hydraulische Hebebühne und eine Reihe von Kühlkammern, deren Türen vom Boden bis zur Decke reichten. Die Wände waren grau gekachelt, um den ganzen Raum zog sich eine Abflussrinne. An einer Wand befanden sich eine Reihe Waschbecken und ein gelber, aufgerollter Schlauch, an einer anderen eine breite Arbeitsplatte, ein metallenes Schneidbrett und eine Vitrine voller Instrumente, verpackter Batterien und scheußlicher Souvenirs, meist Herzschrittmacher, für die man keine Verwendung mehr hatte.

Daneben hing eine Tafel, auf der der Name der Verstorbenen und das Gewicht von Hirn, Lungen, Herz, Leber, Nieren und Milz eingetragen werden würde. Bisher stand dort nur: UNBEK. FRAU.

Der Autopsieraum war recht groß, doch an diesem Morgen wurde es ziemlich eng. Neben dem Pathologen und Cleo Morey befanden sich noch Darren, Cleos Assistent, Joe Tindall, der jede Wunde bei der Vermessung fotografierte, Glenn Branson und Grace im Raum.

Die Besucher trugen grüne Kittel mit weißen Manschetten und Überschuhe aus Plastik oder Gummistiefel, der Pathologe und die beiden Leichenbeschauer pyjamaähnliche blaue Anzüge und schwere grüne Schürzen. Um Theobalds Hals baumelte eine Maske. Die Blicke von Grace und Cleo Morey trafen sich flüchtig, und sie grinste rasch, was seinen ganzen Körper in Aufruhr versetzte.

Sicher, es war falsch und unprofessionell, weil er sich eigentlich nur auf den Fall konzentrieren durfte, aber mein Gott, ist sie toll, dachte er. Und je öfter er ihr auch begegnete, konnte er doch nie ganz begreifen, warum diese junge Frau mit den langen blonden Haaren, dem rosigen Teint und dem scharfen Verstand einen so entsetzlichen Beruf ausübte.

Mit ihrem Aussehen hätte sie Model oder Schauspielerin werden können, mit ihrer Intelligenz hätte sie jeden Weg gehen können, doch sie hatte sich ausgerechnet für diese Arbeit entschieden. Lange Arbeitszeiten, Tag und Nacht abrufbereit. Man holte sie an Flussufer, in ausgebrannte Lagerhäuser oder flache Erdgräber im Wald, um Leichen abzutransportieren. Sie bereitete die Toten für die Autopsie vor und flickte sie danach so gut wie möglich zusammen, damit die Verwandten sie identifizieren und sich ein wenig Hoffnung bewahren konnten, dass der Tod nicht ganz so grausam gewesen war.

Dr. Theobald drückte ein Lineal gegen die fünfte Stichwunde, die sich unmittelbar über dem Bauchnabel befand. Um diesen Fall beneidete er Cleo nun wirklich nicht. Mit etwas Glück konnte man die Tote mit Hilfe der DNA identifizieren, Eltern sollte ein solcher Anblick erspart bleiben.

Und doch wusste er nur zu gut, wie wichtig es manchmal war, das Opfer noch einmal zu sehen. Die Angehörigen bestanden oft darauf, sie zu sehen und sich von ihnen zu verabschieden.

Damit sie einen Schlussstrich ziehen konnten.

Genau das, was ihm selbst nicht vergönnt gewesen war. Ohne Schlussstrich konnte man nicht neu anfangen. Das war auch der Grund, warum er sich seit Sandys Verschwinden in einer Art Schwebezustand befand und der Lösung keinen Schritt näher gekommen war. Morgen sollte ein angesagtes neues Medium in Brighton vor kleinem Publikum in einem Zentrum für Ganzheitsmedizin auftreten. Er hatte sich eine Karte gekauft.

Vermutlich eine weitere Niete, dachte Grace, doch was sollte er tun? Die britische Polizei und Interpol hatten alle Mittel ausgeschöpft.

Cleo warf ihm einen liebevollen Blick zu, sie flirtete eindeutig mit ihm. Er sah zu Branson und zwinkerte dann zurück.

Mein Gott, bist du wunderbar! Wenn er nur kein so verdammt schlechtes Gewissen wegen Sandy gehabt hätte. Doch nach all den Jahren kam er sich immer noch vor, als betrüge er sie.

Sein Handy zeigte piepsend eine SMS an. Er schaute aufs Display. DC Nicholas aus der Soko-Zentrale.

Teresa Wallington ausgeschieden.

Sofort trat er zu Branson und winkte ihn nach hinten. »Hier, an deinen Ahnungen musst du wohl noch arbeiten.« Er hielt ihm das Handy hin.

»Scheiße. Ich hatte so ein Gefühl – ganz ehrlich.« Der Detective Sergeant sah so niedergeschlagen aus, dass Grace Mitleid bekam.

Er klopfte ihm ermutigend auf die Schulter. »Glenn, Morgan Freeman hatte im Film *Sieben* auch eine Ahnung, die sich nicht bestätigt hat.«

»Willst du damit andeuten, dass das bei schwarzen Cops häufiger vorkommt?«, fragte er mit einem Seitenblick.

»Nein, der ist doch nur Schauspieler«, meinte Grace mit einem Blick auf Cleo. Ihr blondes Haar hob sich auffällig von dem grünen Band der Schürze ab. »Aber vielleicht kommt es bei großen kahlen Gorillas häufiger vor.«

Er rief Nick über das Telefon an, das auf der Arbeitsplatte stand. Die neuen Digitaltelefone der Polizei zerhackten alle Gespräche, doch die handelsüblichen Handys waren leicht abzuhören, und er vermied es, sie bei heiklen Anrufen zu benutzen.

»Sie hat wegen der Hochzeit kalte Füße bekommen«, erklärte Nick Nicholas. »Ist einfach abgehauen. Und jetzt zerknirscht wieder aufgetaucht.«

»Wie reizend«, meinte Grace sarkastisch. »Ich sag's Glenn. Er steht auf Heulfilme mit Happy End.«

Schweigen. DC Nicholas war klug, doch es fehlte ihm ein wenig an Humor.

Sie gingen die verbleibenden Frauen durch, auf die die Beschreibung passte. Grace wies Nicholas an, von den vier Frauen Dinge zu beschaffen, denen die Polizei DNA-Proben entnehmen konnte.

Nicholas berichtete, dass die Suche in der Umgebung des Fundorts fortgesetzt werde, man Kopf und zweite Hand bisher jedoch nicht gefunden habe. Insgeheim bezweifelte Grace ohnehin, dass man sie finden würde. Die Hand vielleicht schon, ein Hund oder ein Fuchs könnte sie weggeschleppt haben. Doch irgendwie glaubte er nicht, dass sie den Kopf finden würden.

Dr. Theobald arbeitete sich langsam, aber gründlich vor. Der Mageninhalt wies darauf hin, dass das Opfer in den Stunden vor der Ermordung nichts zu sich genommen hatte, was bei der Feststellung der Todeszeit helfen würde. Kein Geruch von Alkohol, der auf den Besuch einer Kneipe hindeuten würde.

Gegen zwölf war Grace noch einmal kurz beiseite getreten, um sich mit Dennis Ponds wegen der Pressekonferenz um zwei abzustimmen. Glenn Branson kam zu ihm herüber, er sah ungewohnt erschüttert und angewidert aus.

»Roy, das solltest du dir besser ansehen.«

Grace folgte ihm durch den Raum. Alle blickten betreten schweigend auf den Seziertisch. Es stank nach Exkrementen und Darmgasen.

Man hatte den Oberkörper der Frau geöffnet, den Brustkorb freigelegt und die Organe entfernt, die nach der Autopsie in Plastiktüten verpackt wieder in den Brustkorb zurückgelegt würden.

Auf einer Metallablage befand sich ein braunes längliches Gebilde, das wie eine lange Wurst aussah. Etwa zweieinhalb Zentimeter Durchmesser, umgeben von einer Lache aus Blut, Exkrementen und Schleim. Dr. Theobald hatte es aufgeschnitten und hielt es mit einer Zange auseinander.

Der Pathologe schaute ihn noch ernster an als sonst. »Das sollten Sie sich mal ansehen, Roy.«

Anatomie war noch nie Grace' Stärke gewesen, und wenn er die Organe einer Leiche betrachtete, fehlte es ihm gelegentlich an Orientierungsvermögen. Er überlegte, was es sein könnte. Vermutlich ein Teil der Eingeweide. Dann zog Dr. Theobald den Schnitt mit der Zange weiter auseinander, sodass Grace hineinschauen konnte.

Und er sah, was alle im Raum bereits gesehen hatten.

Starrte in sprachlosem Entsetzen darauf.

Wich unwillkürlich zurück.

»Jesus«, sagte er und schloss flüchtig die Augen, als seine Füße plötzlich ganz schwer wurden. In seinem Magen brodelte es vor Entsetzen und Ekel.

»Oh, mein Gott.«

19

ES WAR EIN DICKER, glänzend schwarzer Käfer, etwa fünf Zentimeter lang, mit dünnen Beinen und einem gerippten Rücken. Aus seinem Kopf ragte ein einzelnes Horn.

Frazer Theobald hob ihn vorsichtig mit einer Pinzette aus dem Wulst heraus und zeigte ihn herum. Das Geschöpf rührte sich nicht.

Grace, der sich nie für Käfer hatte begeistern können, trat einen Schritt zurück. In Wirklichkeit hatte er mit allen Krabbeltieren Probleme, fürchtete sich vor Spinnen und begegnete auch Käfern mit größtem Respekt. Und das hier war ein wirklich Angst einflößendes Exemplar.

Er bemerkte den Ekel in Cleos Blick.

»Was ist das genau?«, erkundigte sich Branson mit bebender Stimme und deutete auf den Seziertisch, womit er Grace vor einer peinlichen Frage bewahrte.

»Ihr Rektum natürlich«, erwiderte der Pathologe.

Branson wandte sich angewidert ab. Dann sah er zu, wie Theobald den Käfer so nah an die Nase hielt, dass sich sein Schnurrbart fast in den haarigen Stacheln an den Beinen verfing.

Er schnüffelte eingehend. »Formaldehyd«, verkündete er und streckte Grace den Käfer zur Prüfung hin. Der Detective Superintendent kämpfte gegen seinen Ekel an und roch ebenfalls daran. Sofort stieg ihm ein Geruch in die Nase, den er noch aus dem Biologieunterricht kannte.

»Ja.« Er schaute auf den Seziertisch hinunter.

»Darum habe ich ihn bei der visuellen Untersuchung des Rektums auch nicht bemerkt – man hatte ihn zu weit eingeführt.«

Grace starrte auf die Röhre, die im Schließmuskel endete. »Was meinen Sie, wurde er vor oder nach Eintritt des Todes eingeführt?«

»Das kann ich nicht sagen.«

Dann stellte Grace die Frage, die allen auf den Nägeln brannte. »Warum um Gottes willen?«

»Das müsst ihr herausfinden.«

Branson lehnte an der Arbeitsplatte gleich neben dem Waschbecken. »Wisst ihr noch, *Das Schweigen der Lämmer?*«

Grace wusste es nur zu gut. Er hatte den Roman gelesen, eines der wenigen Bücher, das ihm wirklich Angst gemacht hatte, und er kannte auch den Film.

»Die Opfer hatten alle eine Motte in der Kehle«, sagte Branson. »Einen Totenkopfschwärmer.«

»Ja, die Signatur des Mörders.«

»Vielleicht ist das hier ja die Signatur unseres Mörders.«

Grace betrachtete den Käfer, und er hätte schwören können, dass die Beine zuckten, dass dieses Ding noch lebte. »Weiß jemand, was für ein Käfer das ist?«

»Ein Hirschkäfer?«, schlug Cleo Morey vor.

»In dieser Größe?«, warf ihr Assistent Darren ein. »Ich habe mich während meiner Ausbildung auch mit Entomologie beschäftigt. An so große Hirschkäfer kann ich mich nicht erinnern. Der dürfte nicht von hier sein.«

»Vielleicht ein Import?«, fragte Grace. »Aber warum sollte sich jemand die Mühe machen, das Vieh zu importieren, um es in ihr Rektum einzuführen?«

Langes Schweigen. Schließlich steckte der Pathologe den Käfer in einen Plastikbeutel und etikettierte ihn. »Wir müssen so viel wie möglich über ihn herausfinden.«

Grace dachte angestrengt nach. Im Laufe der Jahre hatte er gezwungenermaßen allerhand über die Psyche von Mördern gelesen. Die meisten Morde geschahen im Familienkreis, viele Menschen wurden von Bekannten getötet. Das waren Einmaltäter, die oft aus Leidenschaft oder im Affekt handelten. Doch einige wenige Morde waren wirklich verzwickt, da die Täter zur Befriedigung ihrer Triebe töteten und glaubten, sie könnten die Polizei überlisten – wobei sie bisweilen so weit gingen, dass sie mit den Ermittlern ihre Spielchen trieben.

Oftmals hinterließ der Mörder eine Botschaft, so als wollte er sagen: *Hier ist der Schlüssel, nun fang mich, wenn du kannst!*

Grace sah auf die Uhr. Es gab einen Menschen, der ihm vermutlich spontan den Namen des Käfers nennen konnte. Er wusste nicht, ob es hilfreich wäre, aber ein Versuch würde nicht schaden.

»Wir müssen das aus der Presse heraushalten«, sagte er. »Absolutes Stillschweigen, okay?«

Alle nickten. Sie verstanden seine Gründe. Anhand eines so ungewöhnlichen Indizes könnten sie sofort prüfen, ob jemand, der sich als Mörder ausgab, tatsächlich auch der Täter war. Das würde ihnen stunden-, wenn nicht tagelange Ermittlungsarbeit ersparen.

Grace wies Branson an, ein Teammitglied in der Soko-Zentrale auf Morde innerhalb Großbritanniens anzusetzen, bei denen ein Käfer am Tatort gefunden wurde. Dann stellte er dem Pathologen doch noch eine Frage. Er wusste, dass sie dumm war, konnte aber nicht anders. »War der Käfer definitiv tot, als er eingeführt wurde?«

»Ich bezweifle, dass irgendjemand einen Vorrat an Formaldehyd im Rektum aufbewahrt«, entgegnete der Pathologie mit leichtem Sarkasmus. Er deutete auf eine kleine Phiole mit trüber Flüssigkeit. »Die Darmschleimhaut, darin sind keine Spuren zu finden.«

Grace nickte und rechnete rasch im Kopf. Wenn er sofort nach der Pressekonferenz losfuhr, konnte er den Käfer einem Mann zeigen, der ihn mit großer Sicherheit erkennen würde.

20

»VIKING NORDWEST, Südost schwenkend 5 oder 6, später wechselhaft bei 3 oder 4. Schauer. Gut. Utsira-Nord, Utsira-Süd, Nordwest, zunächst 4 oder 5 in Utsira-Süd, ansonsten wechselhaft bei 3 oder 4«, brabbelte der Wetterfrosch.

Er fuhr in seinem schäbigen weißen Fiat Panda, der unter Durchrostung im Endstadium litt. Im Radio quatschte ein Ignorant darüber, wie einfach es sei, jemandem die Identität zu stehlen. Die Tatsache, dass er die Straße von Shoreham Harbour, dem Handelshafen von Brighton and Hove, entlangfuhr, machte den Seewetterbericht eindeutig erforderlich.

Zu seiner Linken lag der Sussex Motor Jacht Club, dahinter ein Lagerhaus. Rechts Reihenhäuser. Er war wieder einmal unterwegs zu Jonas Smith – besser gesagt Carl Venner –, und der fette Typ kotzte ihn allmählich an. Eigentlich hatte er sich nur mit ihm eingelassen, um sich an den Leuten zu rächen, für die er arbeitete und die ihn noch viel mehr ankotzten. Jetzt musste er springen, wenn Venner es wollte, da dieser sich weigerte, wie normale Menschen per Telefon oder E-Mail zu kommunizieren. Es folgte immer eine lächerliche Scharade, bei der sie sich wie letztens in einem Hotelzimmer oder in seltenen Fällen, so wie heute, in Venners Büro trafen.

Am Ende der Häuserreihe kam er an einem Jachtausstatter vorbei, betätigte den rechten Blinker und wartete auf eine Lücke im Verkehr. Er gab Gas und rollte ins Portslade Units Gewerbegebiet. Das Gebäude war leicht zu finden, da auf dem Dach gleich einem mutierten Rieseninsekt Venners schwarzer Privathubschrauber hockte.

Er fuhr an einem Antiquitätenlager vorbei und parkte vor einem modernen Lagerhaus. Der große schwarze Mercedes neben ihm gehörte Venner. Auf dem Schild an der Wand stand: OCEANIC & OCCIDENTAL IMPORT/EXPORT.

Er stellte den Motor ab, hörte aber weiter Radio 5 Live und fragte sich, ob er anrufen und den Ignoranten bloßstellen sollte. Leider war er spät dran und musste wieder ins Büro. Als er ausstieg, murmelte er: »Forties, Cromarty, Tyne, Dogger, Nordwest 7 bis schwerer Sturm Stärke 9« vor sich hin. Er schloss ab, überprüfte sämtliche Türen, ging zum Seiteneingang, wo er sein Gesicht vor die Linse der Sicherheitskamera hielt, und betätigte die Klingel.

Das Schloss sprang mit einem heiseren Schnarren auf. Er drückte gegen die schwere Tür und betrat das Erdgeschoss, das die Ausmaße eines Fußballplatzes hatte und mit großen grauen Seecontainern zugestellt war. Zwei mürrische Typen in Overalls nickten kurz und wandten sich einem Container zu, der gerade von einem Mobilkran emporgehievt wurde.

Der Wetterfrosch hatte sich ins Computersystem der Firma gehackt und die Ladungsverzeichnisse gelesen. Er wusste, was in den Containern war. Zur Hälfte legale Ware, vor allem Maschinenteile und landwirtschaftliche Chemikalien. Die andere Hälfte enthielt gestohlene Luxusautos für Russland und den Nahen Osten, Rüstungsgüter für Syrien und Nordkorea und Medikamente mit abgelaufenem Haltbarkeitsdatum für Nigeria.

Doch das würde er Jonas Smith nicht auf die Nase binden. Dieses Wissen konnte sich irgendwann als nützlich erweisen. Er wollte einfach mit Venner sprechen, ihm sagen, was er herausgefunden hatte, und schnell ins Büro zurückkehren. Außerdem war er heute Abend mit Mona verabredet – na ja, in einem Internet-Chatroom. Sein drittes Date mit ihr. Mona arbeitete für eine IT-Firma in Boise, Idaho, und sie sprachen meist über Umweltprobleme.

Das Tolle an ihr war, dass sie Robert Anton Wilson gelesen hatte, und es gab noch viele weitere Gemeinsamkeiten. Sie war genau wie der Wetterfrosch der Meinung, dass Menschen bald ihr Gehirn in einen Computer laden und ein virtuelles Leben führen könnten, frei von den Zwängen und Nachteilen einer biologischen Existenz.

Er fuhr mit dem Lastenaufzug in den ersten Stock. »Abschwächend bei Forties Ost und Dogger Ost«, teilte er Mick Brown mit, der ihn vor der Tür erwartete.

Der Albaner kannte den Seewetterbericht nicht und hatte keine Ahnung, wovon der Wetterfrosch sprach, aber es interessierte ihn auch nicht. Er kaute mit offenem Mund Kaugummi und starrte den Wetterfrosch nur an. Dessen schlaffes Gesicht, das dünne Haar, das schlabbrige Hemd, die schlotternde Hose, die schwerfälligen Schuhe. Er suchte nach Anzeichen für eine Waffe. Nicht dass der seltsame Mr. Frost aussah, als trüge er eine bei sich, doch Brown tat nur seine Arbeit.

Frost wirkte schwächlich. Es würde nicht schwer sein, ihn zu töten, wenn die Zeit gekommen war. Aber auch kein Spaß. Der Albaner bevorzugte Kämpfertypen, die sich zur Wehr setzten, vor allem Frauen. »Handy?«

»Hab ich nicht dabei.«

»Auto oder Büro?«

»Büro«, log er. »Hatte man mir so gesagt.«

Gegenüber vom Aufzug befand sich eine solide Tür mit Kartenleser und Überwachungskamera. Der Albaner holte seine Karte aus der Tasche, drückte sie vor das Lesegerät und stieß die Tür auf, gefolgt vom Wetterfrosch.

Sofort schlug Mr. Frost der vertraute abgestandene Zigarrenrauch entgegen. Das Zimmer war klein, dunkel, fensterlos, mit billigem Teppichboden. Darin standen ein alter Metallschreibtisch, der nach Ramsch aussah, und ein Drehstuhl, an der Wand hingen ein Flachbildfernseher, auf dem ein Fußballspiel lief, und fünf weitere Monitore, die den Flur und das Außengelände in einem Radius von 360° zeigten.

»Du wartest.« Der Albaner öffnete eine weitere Tür und schloss sie hinter sich. Kurz darauf erklangen laute Stimmen. Mr. Smith brüllte, doch die Worte waren nicht zu verstehen.

Der Wetterfrosch schaute auf den Fernseher. Es war Mittag, was ihm auch nicht passte. Venner hatte ihn diese Woche nun schon zum zweiten Mal um diese Zeit herbestellt. Er konzentrierte sich auf ein winziges Stück Silberfolie, das in einer Teppichfaser hing, und fragte sich, ob er den Mut aufbringen würde, Venner den Laufpass zu geben. Dann schaute er hoch und wünschte, es liefe *Star Trek* statt Fußball. *Star Trek* gab ihm Mut und Inspiration, er dachte sich in die Figuren hinein. Viele Lichtjahre von der Erde entfernt …

»Hrm.« *Der Mann, der kein Angsthase war,* räusperte sich und überlegte erneut, ob er den Mut aufbringen würde. Carl Venner wäre sicher nicht erfreut …

Er wurde aus seinen Gedanken gerissen, als Venners Tür aufging und die Stimme des fetten Mannes mit ihrem gedehnten Louisiana-Akzent rief: »Schaff mir die kleine Schlampe aus den Augen, die Hure hat mich gebissen!«

Kurz darauf taumelte ein verängstigtes Mädchen aus dem Raum. Es hatte osteuropäische Züge, langes braunes Haar, eine schlanke Figur und trug einen grellen Lippenstift, der völlig verschmiert war. Dazu nuttige Schuhe, ein tief ausgeschnittenes Top und einen Mini, der eher wie ein Gürtel aussah. Das rechte Auge war angeschwollen, die linke Wange stark gerötet und aufgeplatzt. Beide Arme waren mit blauen Flecken übersät.

Der Wetterfrosch schätzte sie auf höchstens zwölf.

Sie schaute ihn hilfesuchend an, doch er wandte sich ab und fixierte wieder das Stückchen Silberfolie auf dem Teppich. Wohl war ihm nicht dabei, doch was sollte er tun. Seine Entschlossenheit, sich von Venner zu trennen, wuchs, aber er hatte sein Geld noch nicht bekommen.

Der Albaner richtete in einer fremden Sprache ein paar scharfe Worte an das Mädchen. Es antwortete mit erhobener Stimme, die ziemlich frech klang, schaute noch einmal flehend den Wetterfrosch an, doch er blickte nur murmelnd auf den Teppich hinunter.

In den säuerlichen Zigarrengestank mischte sich ein Körpergeruch, den das Eau de Toilette von Comme des Garçons nur unzureichend überdeckte. Vor kurzem hatte er im Duty Free Shop auf dem Flughafen Gatwick sämtliche Herren- und Damendüfte auswendig gelernt, um sich die Wartezeit zu vertreiben.

»Sie mag nicht in den Arsch gefickt werden, John. Was sagst du dazu?« Carl Venner watschelte vor ihm durch die Tür, über seine Wange zog sich ein frischer Kratzer. Sein silbergraues Haar, das normalerweise sorgfältig frisiert war, wirkte zerzaust, und der Pferdeschwanz hatte sich gelöst. Er trug ein smaragdgrünes Hemd, an dem einige Knöpfe fehlten, sodass die Fleischrollen an seinem nackten weißen Bauch, der über den Gürtel quoll, hervorlugten.

Sein Gesicht war mit roten Flecken übersät, und auf seiner Stirn zeigte sich ein Ekzem, das dem Wetterfrosch noch gar nicht aufgefallen war. Außerdem schnaufte der Mann so laut, als bekäme er jeden Moment einen Herzinfarkt.

»Sie will nicht in den Arsch gefickt werden«, wiederholte Venner. »Kannst du dir das vorstellen?«

Der Wetterfrosch hatte im Grunde keine Meinung zu diesem Thema und zog es vor, mit einem unverbindlichen »Ummm« zu antworten.

Venner wandte sich an Mr. Brown. »Mach mit ihr, was du willst, und sieh zu, dass du sie danach loswirst.«

Solche Szenen mit anzusehen, war eigentlich nicht die Aufgabe des Wetterfroschs; andererseits hatte er nie verstanden, was für ein Mensch sein Auftraggeber war, bis er in dessen private Dateien vorgedrungen war.

Zuerst war er Venner bei einer Chatline für PC-Freaks begegnet, auf denen man Informationen austauschte, technische Rätsel stellte und löste.

Venner hatte ihm eine Aufgabe gestellt, die der Wetterfrosch damals noch für unlösbar hielt. Ob es möglich sei, eine Website einzurichten, die auf Dauer vollkommen unauffindbar wäre.

Der Wetterfrosch hatte das System dafür bereits entworfen und mit dem Gedanken gespielt, es dem britischen Geheimdienst anzubieten, doch der Irakkrieg hatte ihn ziemlich sauer gemacht. Außerdem misstraute er grundsätzlich jeder staatlichen Institution. Eigentlich misstraute er allem und jedem.

Venner schob ihn durch die Tür in sein höhlenartiges Büro, das fast das gesamte Obergeschoss des Lagerhauses einnahm. Ein riesiger, fenster- und seelenloser Ort, der mit dem gleichen billigen Teppichboden ausgelegt war wie das Vorzimmer. Ebenfalls spärlich möbliert, nur ganz am Ende standen mehrere Regale mit Computerhardware, die der Wetterfrosch selbst dort installiert hatte.

Auf Venners Schreibtisch befanden sich drei aufgeklappte Laptops, ein gläserner Aschenbecher, in dem zwei Zigarrenstummel lagen, und eine Glasschale mit Schokoriegeln. Dahinter standen ein alter Chefsessel aus schwarzem Leder und ein braunes Ledersofa. Auf dem Boden entdeckte der Wetterfrosch einen zerknüllten Spitzenslip.

Wie immer tauchten Venners schweigsame russische Kollegen wie aus dem Nichts auf und bezogen rechts und links von ihm Position. Sie quittierten seine Anwesenheit mit einem leichten Nicken.

»Sieh mal, die Schlampe hat mich tatsächlich gebissen!« Venner stieß seinen zigarrengeschwängerten, übelriechenden Atem aus und hielt den stummeligen Zeigefinger hoch, dessen Nagel bis zum Bett abgekaut war. Der Wetterfrosch sah tiefe rote Eindrücke oberhalb des ersten Gelenks. »Sie brauchen eine Tetanusspritze.«

»Tetanus?«

Der Wetterfrosch fixierte den Spitzenslip und schaukelte gedankenverloren hin und her.

»Tetanus?«, wiederholte der Amerikaner besorgt.

Noch immer mit Blick auf den Slip sagte der Wetterfrosch: »Die Wunde, die ein menschlicher Biss verursacht, ist schlimmer mit Bakterien durchsetzt als jeder Tierbiss. Haben Sie eine Vorstellung davon, wie viele Organismen in der menschlichen Mundflora gedeihen?«

»Nein.«

»Bis zu einer Million pro Milliliter – bestehend aus über einhundertneunzig verschiedenen Bakterienarten«, erklärte er schaukelnd.

»Na super.« Venner betrachte skeptisch seine Wunde. »Also –«

Er lief erregt im Kreis, legte die Hände zusammen, sein Gesicht signalisierte einen abrupten Wechsel von Stimmung und Gesprächsthema. »Hast du die Informationen?«

»Um.« Spitzenslip, Schaukeln. »Was wird – hm – aus dem Mädchen? Was passiert mit ihr?«

»Mick bringt sie heim. Stört dich das?«

»Hm – nein – hm – schon gut. Alles klar.«

»Hast du es dabei? Das, wofür ich dich bezahle, du Scheißkerl?«

Der Wetterfrosch stand kurz auf und holte ein kleines liniertes Blatt aus der Gesäßtasche, das zweimal gefaltet war. Er gab es Venner, der es mit einem Grunzen entgegennahm. »Bist du dir hundertprozentig sicher?«

»Ja.«

Venner watschelte zufrieden an seinen Tisch, um es zu lesen.

Auf dem Blatt stand die Adresse von Tom und Kellie Bryce.

21

FÜR GRACE SAH PROFESSOR LARS JOHANSSON eher wie ein Banker als ein Wissenschaftler aus, der sein Leben lang durch Fledermaushöhlen, Sümpfe und feindselige Dschungel gekrochen war, um nach seltenen Insekten zu suchen.

Der gebürtige Schwede war groß, mit glattem blonden Haar, auf sanfte Art attraktiv, und trug einen Dreiteiler mit Nadelstreifen. Er verströmte kosmopolitischen Charme und Selbstvertrauen. Sein großer Schreibtisch stand in einem voll gestopften Büro im obersten Stock des Natural History Museum in London, umgeben von Vitrinen und Gläsern mit seltenen Exemplaren, einem Mikroskop und den unterschiedlichsten Messinstrumenten, Linealen und Gewichten. Der Raum hätte sich gut in einem Indiana-Jones-Film gemacht.

Sie hatten sich vor Jahren bei einer Tagung der Vereinigung internationaler Ermittlungsbeamter kennen gelernt, die Grace regelmäßig besuchte und die jährlich in unterschiedlichen amerikanischen Städten stattfand. Meist schickte er ein Mitglied seines Teams zu Johansson, doch wenn er persönlich erschien, konnte er schneller mit einer Antwort rechnen.

Der Entomologe holte den Käfer aus dem Plastikbeutel. »Haben Sie einen Abstrich genommen, Roy?«, fragte er in kultiviertem Englisch, in dem ein schwedischer Akzent mitschwang.

»Ja.«

»Also kann ich ihn unbesorgt herausnehmen?«

»Nur zu.«

Johansson entnahm den Käfer mit einer Pinzette und legte ihn auf seine Schreibtischunterlage. Er betrachtete ihn schweigend durch eine große Lupe, während Grace dankbar seinen schwarzen Kaffee trank und sehnsüchtig an die Verabredung mit Cleo dachte, die er hatte absagen müssen. Heute Abend fand zudem noch eine Teambesprechung in Sussex House statt. Er hatte sich so sehr auf Cleo gefreut und war tief enttäuscht, dass er sie nun nicht sehen würde, doch hatten sie immerhin ein neues Treffen für Samstag verabredet. Nur zwei Tage, in denen er zudem Zeit hätte, um sich neu einzukleiden.

»Das ist ein schönes Exemplar, Roy, wirklich wunderbar.«

»Was können Sie mir darüber sagen?«

»Wo genau haben Sie den her?«

Grace erklärte es und musste dem Entomologen zugute halten, dass dieser kaum eine Miene verzog.

»Das passt. Krankhaft, aber passend.«

»Wieso passend?«

»Ein angemessener Ort, den Grund werden Sie gleich verstehen.« Er grinste schief.

»Ich bin ganz Ohr.«

»Möchten Sie den ausführlichen zweijährigen Universitätskurs über diesen kleinen Burschen oder lieber die Kurzfassung?«

»Nur den Download für Dumme – ich muss es Leuten erklären, die noch dämlicher sind als ich.«

Der Entomologe lächelte. »Sein lateinischer Name lautet *Copris*

Lunaris, und er weist eine überdurchschnittliche Größe auf. Sie liegt gewöhnlich bei fünfzehn bis fünfundzwanzig Millimetern. Er ist in Südeuropa und Nordafrika beheimatet.«

»Gibt es die hier überhaupt?«

»Nur im Zoo.«

Grace runzelte die Stirn.

»Die alten Ägypter hielten ihn für heilig – er ist auch als Mistkäfer oder Skarabäus bekannt.«

Jetzt begriff Grace, was der Professor gemeint hatte. »Mistkäfer?«

»Genau. Die bekannteste Unterart sind die Pillendreher. Sie benutzen Kopf und Vorderbeine, um Mist zusammenzukratzen und zu einer Kugel zu formen, rollen sie an eine geeignete Stelle, an der sie sie vergraben können, bis sie reift und sich auflöst.«

»Klingt köstlich«, meinte Grace.

»Ich persönlich bevorzuge schwedische Fleischklößchen.«

»Also hat es eine gewisse Bedeutung, wenn jemand diesen Käfer ins Rektum einer Frau einführt.«

»Ja, wenn auch eine ziemlich verdrehte.«

Draußen sauste ein Wagen mit Sirene vorbei. »Ich denke, wir können mit Fug und Recht behaupten, dass es um eine Person geht, die einem etwas anderen Wertesystem anhängt.« Grace verzog das Gesicht.

»Worin genau besteht die Verbindung zu den alten Ägyptern, Lars?«

»Ich kann es Ihnen ausdrucken, es ist wirklich faszinierend.«

»Hilft es mir, den Mörder zu finden?«

»Er kennt sich eindeutig mit Symbolen aus. Ich würde sagen, es ist wichtig, die Sache so genau wie möglich zu verstehen. Waren Sie schon mal in Ägypten?«

»Nein.«

Der Professor wurde richtig munter. »Wenn Sie Luxor, das Tal der Könige oder einen Tempel besuchen, werden Sie überall gemeißelte Skarabäen finden. Sie waren ein fundamentaler Bestandteil der Kultur Ober- und Unterägyptens. Und von großer Bedeutung für die Begräbnisriten.«

Grace trank einen Schluck Kaffee, während der Professor auf

seiner Tastatur tippte, und ging im Geiste durch, was für den Abend noch anstand.

Vor zwanzig Minuten hatte DC Emma-Jane Boutwood ihn angerufen und mitgeteilt, die DNA-Ergebnisse seien da und hätten keine Übereinstimmung mit der Datenbank ergeben. Weitere Leichenteile seien auch nicht gefunden worden. Eine der vermissten Frauen konnte vor einer Stunde ausgeschlossen werden. Man hatte DNA-Proben aller vermissten Frauen ans Labor geschickt und hoffte nun auf Meldungen. Falls nicht, mussten sie die Suche ausweiten.

Plötzlich erwachte ein Drucker unmittelbar vor Grace' Nase zum Leben und spuckte ein Blatt aus.

»Begräbnisriten?«

»Ja.«

»Welche Bedeutung hatten diese Käfer bei den Begräbnisriten?«

»Man setzte sie in die Gräber, um das ewige Leben zu garantieren.«

Grace überlegte einen Moment. Hatten sie es mit einem religiösen Fanatiker zu tun? Trieb jemand Spielchen mit ihnen? Offenbar war derjenige intelligent und kultiviert genug, um etwas über das alte Ägypten zu wissen. Der Käfer war nicht zufällig in das Rektum dieser Frau gelangt. »Wo bekommt man in England einen Skarabäus?«, fragte Grace. »Nur im Zoo?«

»Nein, es gibt einige Händler, die tropische Insekten importieren. Zweifellos bekommt man sie auch übers Internet.«

Grace nahm sich vor, alle Insektenhändler auflisten und überprüfen zu lassen. Außerdem würde er sich im Web umsehen.

Der Entomologe legte den Käfer wieder in den Beutel. »Sonst noch etwas, womit ich Ihnen helfen kann, Roy?«

»Da kommt sicher noch etwas nach. Vielen Dank auch, dass Sie wegen mir so lange im Büro geblieben sind.«

»Kein Problem.« Lars Johansson nickte zum Fenster. »Ein schöner Abend. Fahren Sie noch zurück nach Sussex?«

Grace nickte.

»Noch einen Drink für unterwegs?«

Er sah auf die Uhr. Der nächste Zug nach Brighton ging in etwa vierzig Minuten. Für einen Drink war eigentlich keine Zeit mehr, obwohl er ihn gut gebrauchen konnte. Und der Professor hatte ihm schon so oft geholfen, dass eine Ablehnung unhöflich gewesen wäre. »Ganz schnell, dann muss ich los.«

Und so kam es, dass er dreißig Minuten später auf dem Gehweg vor einem überfüllten Pub saß und sich fragte, warum in seinem Leben alles schief lief. An diesem Abend hätte er eigentlich mit einer der schönsten Frauen von ganz Brighton ausgehen sollen. Stattdessen trank er bereits sein zweites warmes Bier, nachdem er sich zuerst einen fünfzehnminütigen Vortrag über das Verdauungssystem des Skarabäus angehört hatte, und nun einem zunehmend weinerlichen Lars Johansson lauschte, der von seinen Eheproblemen berichtete.

22

DER BERUFSVERKEHR AM DONNERSTAGABEND war noch schlimmer als sonst gewesen. An diesem schönen, milden Abend schien ganz London aufs Land zu fahren. Normalerweise nahm Tom den Zug, um dieser Hölle auf Rädern zu entgehen, doch heute hatte er den Wagen gebraucht, um zu Ron Spacks zu gelangen und danach mitten in der Stadt seinen Laptop abzuholen.

Sein Plan, früh nach zu Hause zu fahren und mit der Familie zu grillen, war von seinem Techniker durchkreuzt worden, der viel länger als erwartet für die Reparatur gebraucht hatte. Es war fast halb fünf, als Chris Webb fertig war, die ungünstigste Zeit für die Heimfahrt.

Meist erledigte Tom im Wagen Anrufe oder hörte Radio – David Prever auf LBC, die Nachrichten auf Radio4 oder Jazz FM. Doch an diesem Abend rief er lediglich Ron Spacks an, um ihm mitzuteilen, dass sein Team an den Preisen für die Rolex Oyster arbeite. Ein potenzieller Traumauftrag. Ansonsten war er in düstere Gedanken versunken.

Spreche ich mit Tom Bryce?

Der starke osteuropäische Akzent.

Und dann sein Gespräch mit Kellie.

Er hatte einen komischen Akzent.

Irgendwie ausländisch, der war nicht von hier.

Ob es derselbe Anrufer war?

Sehr geehrter Mr. Bryce,

gestern Abend haben Sie unbefugt eine Website besucht. Heute haben Sie es erneut versucht. Wir schätzen keine ungebetenen Gäste. Falls Sie der Polizei mitteilen, was Sie gesehen haben, oder jemals wieder versuchen sollten, diese Website zu besuchen, wird das, was mit Ihrem Computer geschehen ist, auch mit Ihrer Frau Kellie, Ihrem Sohn Max und Ihrer Tochter Jessica geschehen. Überlegen Sie es sich gut.

Tom hatte keineswegs vor, die Polizei über das zu informieren, was er am Dienstagabend gesehen hatte. Das Internet war eine Kloake, in der Erotik und Obszönität keine Grenzen kannten. Er war auf einer Website gelandet, auf der entweder ein Filmtrailer lief oder kranke Hirne bedient wurden, Schluss, aus. Es war nicht seine Aufgabe, diese Kloake zu reinigen.

Doch die Drohmail ließ ahnen, dass mehr dahinter steckte.

Er näherte sich den South Downs und kam nun trotz dichten Verkehrs zügig voran. Jenseits der Wiese zu seiner Linken blitzte Licht auf, das sich in Glas spiegelte. Ein Zug. In fünfzehn Minuten würde er zu Hause sein und sich einen anständigen Drink genehmigen.

Er schaute nach vorn auf den leuchtenden Sonnenball, der langsam am kobaltblauen Himmel versank. Hinter den Hügeln lag sein Zuhause, seine Zuflucht. Doch er fühlte sich nicht mehr sicher, etwas ließ ihn innerlich erbeben, brachte seine Gefühle durcheinander und machte ihm Angst.

Am liebsten würde er Kellie gar nichts von seinem Anruf erzählen, aber sie hatten immer eine offene und ehrliche Beziehung geführt. Vielleicht wäre es ein Fehler, es ihr zu verschweigen. Andererseits würde es sie noch mehr beunruhigen. Zudem müsste er ihr dann die Sache mit der CD-ROM erklären.

Und dann?

Die Drohung in der Mail war mehr als deutlich. *Falls* er die Polizei einschaltete, *falls* er noch einmal versuchen sollte, die Website zu besuchen.

Nun, er hatte weder das eine noch das andere vor. Damit sollte eigentlich alles klar sein.

Wozu dann die Anrufe? Vermutlich war der zweite Versuch ziemlich dumm gewesen.

Als er in die Straße einbog, in der er wohnte, stutzte er. Kellies alter Espace parkte auf der Straße statt wie sonst im Carport. Warum nur?

Kurz darauf sah er eine riesige Kiste, die den Carport ausfüllte, eine der größten Kisten, die er in seinem ganzen Leben gesehen hatte. Sie hätte problemlos für einen ausgewachsenen Elefanten gereicht.

Herrgott, das Ding passte nicht mal durchs Garagentor.

Auch fiel ihm auf, dass Kellie, Max, Jessica und Lady nicht wie üblich aus der Tür stürmten, um ihn zu begrüßen. Nein, seine Frau öffnete die Tür nur wenige Zentimeter und spähte vorsichtig heraus, bevor sie sich hervorwagte. Sie trug ein weites weißes T-Shirt, abgeschnittene Jeans und Flipflops. Irgendwo im Haus bellte Lady aufgeregt. Von den Kindern war nichts zu sehen.

»Er ist ein bisschen größer, als ich dachte«, sagte Kellie kleinlaut. »Sie kommen morgen noch mal wieder, um ihn aufzubauen.«

Tom starrte sie verblüfft an. Plötzlich kam sie ihm sehr verletzlich vor. Fürchtete sie sich vor dem Anrufer oder eher vor ihm? »Hm – was ist das, bitte?« Er hatte nur den einen Gedanken: Was es auch sein mochte, es musste ziemlich teuer gewesen sein.

»Ich konnte nicht anders. Ehrlich, es war ein tolles Angebot.«

Jesus. Er rang mühsam um Fassung. »Was ist das?«

Sie antwortete mit einem leichten Achselzucken. »Nur ein Grill.« Sie wollte unbekümmert klingen, vergeblich.

Jetzt wurde ihm auch klar, weshalb sie so zurückhaltend geklungen hatte, als er am Telefon vorschlug, abends zu grillen. »Ein Grill? Was zum Teufel willst du darauf grillen? Wale? Saurier? Eine verdammte Herde Aberdeen Angus-Rinder?«

»Der Listenpreis liegt bei über achttausend Pfund. Und ich hab ihn für *dreitausend* bekommen!«

Tom wandte sich ab, konnte sich nur mit Mühe beherrschen. »Ich fasse es nicht, Liebling. Wir haben doch einen wunderbaren Grill.«

»Der ist verrostet.«

»Du hättest im Baumarkt einen neuen für siebzig Pfund bekommen. Und hast *dreitausend* ausgegeben??? Wo sollen wir das Scheißding hinstellen? Dann ist ja der halbe Garten weg.«

»Nein, ist er nicht – zusammengebaut ist er kleiner. Und sieht wahnsinnig cool aus!«

»Du musst ihn zurückschicken.« Er schaute sich um. »Wo sind die Kinder?«

»Ich habe gesagt, ich muss zuerst mit dir reden. Ich habe sie gewarnt, dass ihr Daddy vielleicht nicht ganz so glücklich darüber ist.« Sie umarmte ihn. »Ach, eins habe ich dir noch nicht gesagt. Es sollte eine Überraschung sein.« Sie küsste ihn.

Mein Gott, was kam jetzt? War sie etwa schwanger?

»Ich habe einen Job!«

Nun musste er sogar lächeln.

Ein halbe Stunde später hatte er Jessica mehrere Seiten aus *Poppy Cat liebt Regenbogen* und Max ein Kapitel aus *Harry Potter und der Feuerkelch* vorgelesen, die Tomaten im Gewächshaus, die Himbeersträucher, das Erdbeerbeet und die Zucchini gegossen und saß nun mit Kellie am Holztisch auf der Terrasse, einen anständigen Wodka in der Hand. Sie stießen klirrend mit den Gläsern an und genossen die letzten Sonnenstrahlen. Lady zerbiss genießerisch einen Knochen.

Die Luft roch süß, alles war still bis auf das abendliche Vogelgezwitscher. Normalerweise liebte Tom diese Jahreszeit, vor allem den Feierabend, wenn er sich entspannen und das Leben richtig genießen konnte. Nicht so heute. Nichts konnte die unbestimmte Furcht vertreiben, die sich in ihm festgesetzt hatte.

»Ich – ich wusste gar nicht, ich meine, ich dachte, du wärst nicht so wild drauf zu arbeiten. Von den Kindern weg zu sein und so«, sagte er.

»Jessica ist jetzt im Kindergarten, da habe ich Zeit.« Sie nippte an ihrem Wein. »In Lewes hat ein neues Hotel eröffnet, und man hat mir eine Stelle am Empfang angeboten. Flexible Arbeitszeit, nächsten Montag kann ich anfangen.«

»Warum denn in einem Hotel, das hast du doch noch nie gemacht. Warum fängst du nicht wieder als Lehrerin an?«

»Weil ich Lust auf etwas Neues habe. Ich werde eingearbeitet, ist gar nichts dabei. Es läuft fast alles über Computer.«

Damit du den ganzen Tag bei Ebay shoppen kannst, dachte Tom, sprach es aber nicht aus. Er nahm einen tiefen Schluck von seinem Drink und begann zu rechnen. Wenn Kellie genug verdiente, um ihre Einkäufe zu bezahlen, wäre das schon eine große Hilfe. Aber dreitausend Pfund für dieses Ungeheuer von einem Grill, die von ihrer Kreditkarte abgingen ... Sie würde Monate brauchen, um das wieder hereinzuholen, und bis dahin würde er dafür aufkommen müssen. Dann klingelte sein Handy im Arbeitszimmer.

Sie schauten sich an. Er spürte eine Unruhe in sich aufsteigen und fragte sich, ob es Kellie ebenso erging.

Tom eilte nach oben und sah erleichtert den Namen von Chris Webb im Display.

»Hi, Chris, konntest du mit der CD-ROM was anfangen?«

Der Techniker klang sauer. »Nein, und das werde ich wohl auch nicht.«

»Wieso?«

»Meine ganze Wohnung wurde durchwühlt, jemand hat alles auf den Kopf gestellt. Das Aufräumen dauert bestimmt eine Woche.«

»Mein Gott, wurde viel gestohlen?«

»Nein, das nicht.« Eine lange Pause, in der Tom das Klicken eines Feuerzeugs und einen scharfen Atemzug hörte. »Im Grunde scheint nur eins zu fehlen.«

»Und das wäre?«

»Die beschissene CD-ROM.«

23

ASSISTANT CHIEF CONSTABLE ALISON VOSPER besaß ein unberechenbares Naturell, das blitzschnell umschlagen konnte. Vor einigen Jahren hatte ein Witzbold ihr den Spitznamen »Nr. 27« gegeben, und der war hängen geblieben. »Nr. 27« war ein süßsaures Gericht im örtlichen China-Imbiss. Allmählich gelangte Grace jedoch zu der Ansicht, dass sie eine andere Nummer wählen müssten, da Vosper in letzter Zeit nur noch sauer zu sein schien.

Und ganz besonders heute.

Um neun Uhr an diesem Freitagmorgen stand er auf dem dicken Teppich in Vospers Büro, im Magen das gleiche flaue Gefühl wie früher, wenn er zum Schuldirektor gerufen wurde. Es war lächerlich, dass er in seinem Alter nervös wurde, wenn er mit seiner Vorgesetzten sprach, doch Alison Vosper hatte nun einmal diese Wirkung auf ihn. Auf andere übrigens auch.

Angeblich hatte sie ihn zu sich bestellt, um einen Bericht über die tägliche Pressekonferenz zu erhalten, aber dazu gab es eigentlich nicht viel zu sagen. Nahezu achtundvierzig Stunden waren vergangen, und sie konnten weder mit dem Namen des Opfers noch mit einem Verdächtigen aufwarten.

Eines hatte Grace gelernt. Die Führung der Polizei wollte die Öffentlichkeit immer und überall glauben machen, es gäbe Fortschritte. Bisweilen beschlich ihn der Verdacht, dass man lieber einen noch so Unschuldigen verhaftete, nur damit sich die breite Masse sicher fühlte und der Polizei vertraute. Lieber Aktivität vortäuschen als einem Raum voller Journalisten eingestehen, dass man nicht den blassesten Schimmer hatte.

Die großen Tiere residierten nicht wie er im seelenlosen Sussex House, sondern im Polizeipräsidium, das in einem hübschen Herrenhaus im Queen-Anne-Stil am Rande von Lewes untergebracht war.

In den meisten Büros, darunter auch in dem von Alison Vosper, hatte man die stuckverzierten Decken belassen. Ihr Raum im Erdgeschoss, der mit eleganten Antiquitäten eingerichtet war, sah makellos gepflegt aus und bot einen Ausblick über den kurz geschorenen Rasen.

An diesem Morgen war Assistant Chief Constable Alison Vosper nicht sauer, sondern eher tiefgekühlt, was durch ihre steif wirkende eisgrüne Bluse mit der ebenso eisig wirkenden Diamantbrosche noch unterstrichen wurde. Selbst ihr Parfum roch irgendwie scharf.

Wie üblich bot sie ihm keinen Platz an – eine Methode, um Gespräche mit Untergebenen kurz und präzise zu halten. Grace informierte sie über alles, was seit der Abendbesprechung geschehen war. Sie schien nur auf die Sache mit dem Käfer zu reagieren und zeigte immerhin genügend Ekel, der die Vermutung zuließ, dass irgendwo unter ihrem harten Panzer ein menschliches Herz schlug.

»Also gibt es noch drei Frauen, die in den letzten Tagen vermisst gemeldet wurden, auf die die Beschreibung zutrifft?« Ihr Midlands-Akzent ließ ihre Stimme noch härter klingen.

»Ja. Wir haben aus den Wohnungen Material für die DNA-Analyse entnehmen lassen. Die schulden mir noch was, das Ergebnis müsste heute kommen.«

»Und wenn es keine Übereinstimmung gibt?«

»Müssen wir die Suche ausweiten.«

Vospers Telefon klingelte. Sie drückte einen Knopf und knurrte: »Hab zu tun.« Dann schaute sie Grace wieder an. »Sie wissen hoffentlich, wie viel für Sie davon abhängt, oder?«

»Mehr als bei anderen Fällen?«, fragte er achselzuckend.

Sie schaute ihn eindringlich an. »Ich glaube, das ist uns beiden bekannt.«

Grace runzelte die Stirn, ihre Worte waren ihm nicht geheuer.

Sie drehte ihren Ehering, was sie ein wenig sanfter zu stimmen schien. »Sie hatten Glück, dass Sie Ihre gesamte Laufbahn hier in der Gegend verbringen konnten, Roy. Viele Polizeibeamte müssen ständig umziehen, wenn sie befördert werden wollen. Wie ich. Ich bin in Birmingham zu Hause, habe aber nur drei Jahre dort gearbeitet. Northumberland, Ipswich, Bristol, Southampton, ich bin überall gewesen. Heutzutage läuft es anders als bei Ihrem Vater. Er hat immer nur in Brighton Dienst getan, oder?«

»Ja, wenn Sie Worthing dazunehmen.«

Sie lächelte knapp. Worthing lag nur wenige Kilometer entfernt an der Küste. »Wie ich höre, war Ihr Vater ein beliebter und angesehener Mann. Viele Leute scheinen aber der Meinung zu sein, dass Sie ihm überhaupt nicht ähnlich sind.«

Die Worte hingen im Raum. Roy spürte sie wie einen Stich ins Herz, und aus dieser Wunde schien nun seine Kraft zu entweichen. Er schaute Vosper verwirrt an und kam sich tatsächlich sehr verletzlich vor. »Ich – ich weiß, dass ich Kritiker habe.« Zu spät wurde ihm bewusst, wie lahm das klang.

Sie schüttelte den Kopf, zog ihren Ehering ab und hielt ihn vor sich, als wollte sie demonstrieren, dass nichts von Dauer sei, dass sie Roy ebenso mühelos aus ihrem Leben schnipsen könnte wie den goldenen Ring in den nächsten Papierkorb. »Ich mache mir keine Sorgen um Ihre Kritiker, Roy. Der Chief sorgt sich eher um den Schaden, den Sie der Sussex Police zugefügt haben. Sie haben einem Medium Beweismittel vorgelegt, um ein Haar einen Prozess platzen lassen und sind damit landesweit in die Schlagzeilen geraten. Sie haben uns alle zum Gespött gemacht und bei Ihren Kollegen gehörig an Ansehen verloren. Und dann sterben Ihnen auch noch zwei Verdächtige bei einer Verfolgungsjagd.«

Grace wollte sie unterbrechen, weil er ihre Worte vollkommen ungerecht fand, doch sie hob abwehrend die Hand.

»Seit mittlerweile achtundvierzig Stunden läuft eine Mordermittlung, bei der Sie bislang weder das Opfer identifizieren noch einen Verdächtigen beibringen konnten. Alles, was Sie haben, ist ein blöder Käfer, der am Tatort gefunden wurde.«

Allmählich geriet er in Wut. »Das ist nicht fair, und das wissen Sie genau.«

»Hier geht es nicht um Fairness, Roy, sondern darum, dass die Polizei in der Öffentlichkeit als kompetent wahrgenommen wird.«

»Die beiden Toten bei dem Unfall waren zu hundert Prozent schuldig und gefährlich obendrein. Sie haben mehrere Straßensperren durchbrochen, zwei Autos entführt, einen Beamten vom Motorrad geschleudert. Hätten wir sie lieber laufen lassen sollen?« Er schüttelte entnervt den Kopf.

»Roy, ich will damit nur sagen, dass es ratsam sein könnte, Sie in eine Gegend zu versetzen, in der niemand Sie kennt. Vielleicht oben im Norden, wo es viel zu tun gibt, wo Ihre Fähigkeiten gebraucht werden. Newcastle beispielsweise. Ein Kollege von dort hat mich nach einem erfahrenen Ermittler gefragt, es geht um einen heiklen Fall, der mehrere Monate, vielleicht sogar ein Jahr in Anspruch nehmen wird. Und ich glaube, Sie sind der Richtige für diese Aufgabe.«

»Sie machen wohl Witze. Ich bin hier zu Hause, ich will nicht versetzt werden. Wenn es dazu käme, würde ich eher den Dienst quittieren.«

»Dann reißen Sie sich zusammen, damit es nicht so weit kommt. Ich ziehe einen weiteren Beamten heran, der sich um die alten Fälle kümmert, da Sie damit auch nicht die erwarteten Fortschritte vorweisen können. Einen ehemaligen Inspektor von der Metropolitan Police. Wir haben ihn befördert, er hat jetzt den gleichen Dienstgrad wie Sie.«

»Kenne ich ihn?«

»Er heißt Cassian Pewe.«

Oh nein, dachte Grace. Detective Inspector Cassian Pewe, besser gesagt, Detective Superintendent Cassian Pewe. Grace war ihm vor einigen Jahren begegnet, als die Met Verstärkung für den Labour-Parteitag nach Brighton geschickt hatte. Ein überaus arroganter Typ. »Der kommt zu uns?«

»Er fängt am Montag an, bezieht ein Büro hier im Haus. Ist das etwa ein Problem für Sie?«

Ja, wollte er sagen, natürlich, der Klassenprimus, Lehrers Liebling. Wo sonst würde sie ihn unterbringen? Hier konnten sie und Pewe in aller Ruhe besprechen, wie man den Störenfried Roy Grace sabotieren konnte.

Aber ihm blieb nichts anderes übrig, als die Frage zu verneinen.

»Sie sind also vorgewarnt, Roy. Alles klar?«

Er konnte nur nicken. Dann meldete sich sein Handy. Vosper bedeutete ihm, er solle rangehen.

Er trat beiseite und schaute aufs Display. Die Soko-Zentrale. »Roy Grace.«

DC Nicholas teilte ihm aufgeregt mit, dass sie vom Labor in Huntington gehört hatten. Es gab eine positive DNA-Übereinstimmung.

24

»NICHT ZU FASSEN, was du so hörst«, sagte Branson. »Das ist doch Scheiße, totale Scheiße. Mir fällt kein anderes Wort dafür ein.«

Sie fuhren auf einer langen, vierspurigen Straße nach Westen, vorbei an dem alten Luftwaffenstützpunkt aus dem Zweiten Weltkrieg, der heute Shoreham Airport heißt und gute Geschäfte mit Privatjets und Flügen auf die Kanalinseln und nach Southampton macht.

Shoreham ist der westlichste Vorort von Brighton, und Grace empfand immer eine seltsame Mischung aus Erleichterung und Traurigkeit, wenn er ihn hinter sich ließ. Traurigkeit, weil er hier zu Hause war und sich ungern in fremde Gegenden begab. Erleichterung, weil er in Brighton and Hove stets eine gewisse Verantwortung spürte und sich erst entspannen konnte, wenn er die Stadt verlassen hatte.

Nach den vielen Jahren bei der Polizei war es ihm in Fleisch und Blut übergegangen, jeden Fußgänger und Autofahrer unbewusst zu registrieren. Er kannte die meisten örtlichen Kriminellen, sämtliche Dealer, viele Schläger und Einbrecher und wusste, ob sie sich straflos an einem Ort aufhalten durften oder nicht. Und genau das machte Alison Vospers Drohung so lächerlich. An jedem anderen Ort wäre seine lebenslange Erfahrung nutzlos.

Roy Grace hatte beschlossen, selbst zu fahren, weil seine Nerven keine zweite Tour mit Branson am Steuer durchstehen würden. Allmählich ging ihm allerdings auch das Gefummel am CD-Spieler gehörig auf die Nerven. Doch Branson war noch nicht mit ihm fertig.

»Die Beatles? Wer zum Teufel hört denn heute im Auto noch die Beatles?«

»Ich. Ich mag sie«, meinte Grace abwehrend. »Dein Problem besteht darin, dass du nicht zwischen Lärm und guter Musik unterscheiden kannst.« An der Kreuzung Lancing College Road hielt er vor einer roten Ampel. Er fuhr seinen eigenen Alfa Romeo, weil die Batterie aufgeladen werden musste. Außerdem hätte er Branson unmöglich am Fahren hindern können, wenn sie einen Dienstwagen genommen hätten.

»Komisch, ausgerechnet du musst das sagen. Du verstehst einfach nichts von Musik!« Dann wechselte er abrupt das Thema und deutete auf ein gegenüberliegendes Pub. »*The Sussex Pad*. Da gibt es guten Fisch, bin mal mit Ari da gewesen. War echt super.« Er wandte sich wieder dem CD-Spieler zu. »*Dido!*«

»Was dagegen?«

Er zuckte die Achseln. »Na ja, wenn du auf so was stehst. Wusste gar nicht, wie armselig du bist.«

. »Ich mag nun mal solche Musik.«

»Herrgott, was ist das denn? War das die Gratiszugabe bei einer Zeitschrift?«

»*Bob Berg*«, sagte Grace gereizt. »Ist zufällig ein ernst zu nehmender cooler moderner Jazzmusiker.«

»Ja, aber kein schwarzer.«

»Ach so, muss man etwa schwarz sein, um guten Jazz zu spielen?«

»Das habe ich nicht behauptet.«

»Und ob! Er ist tot, starb vor ein paar Jahren bei einem Autounfall. Und ich liebe seine Stücke, war ein toller Tenor-Saxophonist. Willst du sonst noch was runtermachen? Oder sollen wir uns mal über deine Vorahnungen unterhalten?«

Ein wenig beleidigt schaltete Glenn Branson das Radio an und stellte einen Rapsender ein. »Du wolltest morgen mit mir Klamotten kaufen gehen, oder? Dann kaufen wir in einem auch Musik. Wenn du eine heiße Braut im Auto hast und sie sieht deine CDs, sucht sie im Handschuhfach nach dem Rentenausweis.«

Grace hörte weg und konzentrierte sich auf die bevorstehende Aufgabe und die anderen Dinge, die alle gleichzeitig erledigt werden mussten. Seine Nerven lagen bloß wegen des Gesprächs mit Alison Vosper, aber auch wegen dem, was er in etwa einer Stunde zu tun haben würde.

Grace konnte mit Gewissheit von sich sagen, dass er fast alles an der Polizeiarbeit liebte – mit einer Ausnahme: Wenn er jemandem den Tod seines Kindes oder einer anderen nahe stehenden Person melden musste. Heutzutage kam es nicht mehr allzu oft vor, weil es bei der Polizei eigens geschulte Familienbetreuer gab. Aber in manchen Situationen wollte Grace dabei sein, um in den entscheidenden Momenten, nachdem die Nachricht überbracht worden war, die Reaktionen zu sehen und so viele Informationen wie möglich zu sammeln. Und er nahm Glenn Branson mit, weil es eine nützliche Erfahrung für ihn sein würde.

Menschen, die soeben einen Angehörigen verloren hatten, verhielten sich nach einem nahezu fast identischen Muster. In den ersten Stunden standen sie unter Schock und waren vollkommen angreifbar. Schon bald jedoch zogen sie sich zurück, andere Familienmitglieder schlossen eine Art Ring um sie. Wenn man Informationen wollte, musste man in den ersten Stunden ansetzen. Es war grausam, aber effektiv, sonst saß man wochen-, wenn nicht gar monatelang fest. Und das wussten auch die Zeitungsleute.

Er erkannte DC Amanda Donnington und DC Vanessa Ritchie, die Familienbetreuerinnen, die in einem kleinen grauen Volvo gegenüber vom Haus saßen. Grace parkte den Alfa unmittelbar davor. Sie starrten ihn missbilligend durch die Scheibe an.

»Scheiße, Mann! Wie können sich Leute so was leisten?« Glenn schaute durch das Stahltor, das von zwei Säulen mit steinernen Kugeln flankiert wurde.

»Indem sie nicht bei der Polizei arbeiten.«

Geld hatte Grace nie viel bedeutet. Sicher, er hatte gerne schöne Dinge um sich, strebte aber nicht nach Höherem und hatte immer darauf geachtet, im Rahmen seiner finanziellen Möglichkeiten zu bleiben. Sandy konnte wunderbar sparen, und er amüsierte sich immer, wenn sie im Januar die Weihnachtskarten im Angebot kaufte.

Andererseits leisteten sie sich gerne kleine *Belohnungen*, wie sie es nannte. Als sie noch in einem Reisebüro arbeitete und Sonderpreise bekam, hatte sie sogar zweimal genug gespart, um ihnen jeweils vierzehn Tage Auslandsurlaub zu spendieren.

Doch auch mit Sparen und Überstunden würde er sich nie auch nur im Entferntesten ein Haus wie das leisten können, vor dem sie nun standen.

»Kennst du den Film *Der große Gatsby*?«, fragte Branson. »Den von Jack Clayton mit Robert Redford und Mia Farrow?«

Grace nickte, er erinnerte sich vage.

»Genauso sah das Haus aus.«

Er hatte Recht. Eine schnurgerade, von Bäumen gesäumte Auffahrt, die in einen runden Parkplatz mit Zierteich mündete, dahinter ein ansehnliches weißes Herrenhaus im Palladio-Stil.

Grace nickte. Aus dem Augenwinkel heraus bemerkte er, wie die Türen des Volvos aufgingen. »Jetzt wird's schwierig«, sagte er leise.

Amanda Donnington, eine sympathische, rundliche Frau Anfang dreißig und Vanessa Ritchie, ein dünner Rotschopf, zwei Jahre älter und auch härter, kamen in eleganter, dezenter Zivilkleidung auf sie zu.

»Wir können unmöglich zu viert reingehen, Roy«, gab Vanessa zu bedenken. »Das wird zu viel.«

»Ich gehe mit Glenn vor, setze ihn in Kenntnis und rufe euch an, wenn ihr übernehmen sollt.«

Amanda runzelte die Stirn, Vanessa schüttelte den Kopf. »Du weißt, es sollte eigentlich andersherum laufen.«

»Ja, aber diesmal möchte ich es so probieren.«

»*Probieren*?«, fragte sie wütend. »Das ist doch kein Experiment, das ist grundfalsch.«

»Grundfalsch ist, wenn ein Vater erfahren muss, dass auf irgendeinem Scheißfeld Körperteile seiner Tochter gefunden wurden, so wichtige Kleinigkeiten wie der Kopf allerdings fehlen und sie einen Käfer im Rektum stecken hatte. Das ist grundfalsch.«

Die Familienbetreuerin tippte sich an die Brust. »Wir sind dafür ausgebildet, wir kennen uns mit Gefühlen wie Trauer und Verlust aus.«

Grace schaute sie nacheinander an. »Ich weiß über eure Ausbildung Bescheid. Ich kenne euch, habe mit euch zusammengearbeitet und respektiere euch, aber hierbei geht es jetzt nicht um eure Fähigkeiten. Letztlich müssen wir eine Ermittlung führen, und diesmal habe ich meine Gründe, die Nachricht selbst zu überbringen. Und als leitender Ermittler stelle ich hier die Regeln auf, verstanden? Ich will keine beleidigten Gesichter sehen, ich will Kooperation. Ist das klar?«

Die beiden Frauen nickten, schienen sich aber immer noch nicht wohl in ihrer Haut zu fühlen.

»Weißt du schon, wie viel du dem Vater sagen willst?«, fragte Vanessa Ritchie bissig.

»Nein, ich verlasse mich auf mein Gefühl. Ich informiere euch, bevor ihr reinkommt, okay?«

Amanda Donnington antwortete mit einem halbherzigen, versöhnlichen Lächeln. DC Ritchie zuckte mit den Schultern, als wollte sie sagen, du bist der Chef.

Grace nickte, worauf Branson klingelte. Kurz darauf schwangen die Stahltore ruckend auf. Sie fuhren zum Haus, wo Grace zwischen zwei Wagen parkte, einem eher schäbigen 7er BMW und einem uralten Subaru-Kombi.

An der Haustür erwartete sie ein distinguiert wirkender Mann Mitte fünfzig. Sein dunkles Haar war an den Schläfen silbern meliert, und er trug ein weißes Businesshemd mit goldenen Manschettenknöpfen, Anzughose und schwarze Slipper. In der Hand hielt er ein Mobiltelefon.

»Detective Superintendent Grace?«, fragte er mit Oberschichtakzent, wobei seine Stimme allerdings ein wenig nuschelnd klang. Er betrachtete die Beamten unsicher. Seine blaugrauen Augen blickten traurig.

»Mr. Derek Stretton?«, fragte Grace. Aus Höflichkeit zeigten er und Branson ihre Dienstmarken vor.

Derek Stretton bat sie herein. »Wie war die Fahrt?«

»Danke, gut. Es war ein günstiger Zeitpunkt.«

»Furchtbare Straße, warum die bloß keine Autobahn draus machen. Janie braucht immer Stunden, bis sie hier ist.«

Beim Eintreten bemerkte Grace, wie spärlich das Haus eingerichtet war. In der Eingangshalle standen ein schöner großer Intarsientisch, eine Doppelkommode und antike Stühle, aber es gab keine Teppiche mehr, und an den Wänden waren helle Umrisse zu erkennen, wo bis vor kurzem noch Bilder gehangen hatten.

Derek Stretton führte sie in ein ähnlich kahles Wohnzimmer, in dem zwei Sofas auf nackten Dielen standen, dazwischen ein Gartentisch aus Kunststoff. Er war bemüht, die Lage zu erklären. Er deutete auf die rechteckigen Flecken an den Wänden, manche davon noch mit kleinen Lampen und Drähten versehen. »Musste mich leider vom Familiensilber trennen. Hatte ein paar schlechte Investitionen ...«

Verstehe, dachte Grace. Vermutlich versteigert. Stretton sah sehr mitgenommen aus, und nun musste er ihm auch noch die katastrophale Nachricht überbringen.

»Meine Haushälterin ist nicht …« Er fuchtelte hilflos mit den Armen. »Hm, möchten Sie Tee? Kaffee?«

Grace fühlte sich wie ausgedörrt. »Tee, bitte, mit Milch, ohne Zucker.«

»Das gleiche, bitte«, sagte Branson.

Als Stretton gegangen war, trat Grace vor eins der wenigen verbliebenen Möbelstücke, einen eleganten Beistelltisch mit gerahmten Fotos.

Einige ältere Leute, wahrscheinlich die Großeltern. Ein etwas jüngerer Derek Stretton mit einer attraktiven Frau im gleichen Alter. Daneben ein junges Mädchen, vermutlich Janie Stretton. Auf dem Foto mochte sie siebzehn oder achtzehn sein, trug ein Abendkleid aus schwarzem Samt, die blonden Haare hochgesteckt und mit zwei Diamantspangen geschmückt, dazu ein silbernes Halsband. Sie besaß eine gewisse Ähnlichkeit mit Gwyneth Paltrow und lächelte selbstbewusst in die Kamera, als wollte sie sagen: *Ich weiß, ich sehe toll aus.*

Daneben war eine jüngere Janie beim Skilaufen, lila Anorak, Designer-Sonnenbrille, cooler Gesichtsausdruck.

Grace sah auf die Uhr. Halb zwölf. Er hatte sich von der Pressekonferenz weggestohlen und es Dennis Ponds überlassen, der Meute mitzuteilen, dass sie nun den Namen des Opfers kannten und ihn in etwa einer halben Stunde bekannt geben würden, sowie die Angehörigen benachrichtigt worden waren. Danach sollte Ponds ihr Foto so weit wie möglich verbreiten, um Zeugen für ihre letzten Stunden zu finden, und es in der nächsten Folge von *Crimewatch* unterbringen, die am kommenden Mittwoch gesendet wurde, falls sie bis dahin keine Fortschritte erzielt hatten.

Branson trat zum Kamin, auf dessen Sims einige Geburtstagskarten standen. Grace kam ihm nach. Auf einer war ein stolz aussehender Mann in Anzug und Fliege zu sehen und darunter standen die Worte *FÜR EINEN GANZ BESONDEREN VATER!*

Er klappte sie auf. »*Für meinen liebsten Daddy. Mit ganz, ganz, ganz viel Liebe, deine J. XXXXX.*«

Grace stellte die Karte zurück und trat an ein hohes Erkerfenster, von dem aus man auf den Hamble River blickte. Branson kam zu ihm, und sie schauten beide auf einen Wald aus Masten und

Takelage hinunter, der zu einem Jachthafen am Ende des Grundstücks gehörte.

»Boote sind nicht mein Ding«, meinte Branson. »Hab mich auf dem Wasser nie richtig wohl gefühlt.«

»Obwohl du am Meer lebst?«

»Na ja, nicht direkt am Meer.«

Dann klingelte sein Handy.

»DC Branson. Ach, hallo, ja ich bin mit Roy in der Nähe von Southampton. Müssten gegen zwei wieder in Brighton sein. Besprechung um halb sieben, Anweisung von Roy, okay? Ja. Haben wir die zusätzlichen Leute bekommen? Bis jetzt nur einen? Wen denn? Scheiße, du machst wohl Witze! Nicht zu fassen, dass sie uns den Kerl angedreht haben. Roy wird ganz schön stinkig sein. Wir fahren von hier aus direkt in ihre Wohnung; Roy will, dass jemand in ihre Kanzlei fährt und mit dem Chef und den Kollegen redet. Okay, halb sieben. Bis dann.«

Branson steckte das Handy wieder ein. »Das war Bella. Wir haben nur einen Mann bekommen. Rate mal wen.«

»Spuck's aus.«

»Norman Potting.«

Grace stöhnte. »Wird Zeit, dass er in Pension geht; er muss älter als Gott sein.«

»Die Damen waren auch nicht gerade begeistert.«

Detective Sergeant Norman Potting war Mitte fünfzig, ein Polizist der alten Schule, ganz und gar nicht politisch korrekt, ungeschliffen und nicht im Geringsten an einer Beförderung interessiert. Er hatte größere Verantwortung stets gescheut, wollte aber mit fünfundfünfzig nicht in Pension gehen, wie es bei einem Sergeant üblich gewesen wäre. Er hatte seinen Dienst verlängert, um weiter das zu tun, was er am besten konnte und als *Buddeln und Bohren* bezeichnete. Methodische Nachforschungen, das tiefe Eintauchen unter die Oberfläche eines Verbrechens, bis er auf eine verborgene Schicht stieß, die einen Fund versprach.

Immerhin konnte man Norman Potting zugute halten, dass er solide und zuverlässig arbeitete und Ergebnisse lieferte. Dabei verströmte er jedoch tödliche Langeweile und besaß die Gabe, sich bei jedem unbeliebt zu machen.

113

»Ich dachte, der hängt jetzt auf Dauer mit dem Antiterrorismus-trupp in Gatwick rum«, sagte Grace.

»Offenbar hatten die auch genug von ihm. Konnten seine Witze vermutlich nicht mehr hören«, meinte Branson.

»Und Bella sagt, er stinkt nach Pfeifenrauch. Sie und Emma-Jane weigern sich, neben ihm zu sitzen.«

»Die armen Dinger.«

In diesem Augenblick kam Derek Stretton mit einem Tablett herein, auf dem drei Porzellantassen und ein Milchkännchen standen. Er stellte es auf den Gartentisch, bot ihnen einen Platz auf dem einen Sofa an und setzte sich gegenüber. »Sie sagten am Telefon, Sie hätten Neuigkeiten über Janie?«, fragte er Grace erwartungsvoll.

Hätte er doch nur die beiden Familienbetreuerinnen vorgeschickt.

25

TOM HATTE DEN GANZEN MORGEN nichts geschafft. Er saß vor einem Haufen unbeantworteter Mails, die sich auf dem Bildschirm stauten – immerhin funktionierte der Rechner wieder –, er hatte einige Anrufe erledigt wie auch eine Preisliste für Rolex Oyster Uhren studiert, ansonsten aber nur nachgedacht.

Sein Gehirn rotierte, brachte aber nichts Brauchbares zustande.

Ihn beschäftigte der Anruf von Chris, bei dem eingebrochen worden war.

Im Grunde scheint nur eins zu fehlen ... die beschissene CD-ROM.

Andererseits kannte er die Wohnung von Chris, in der dieser auch sein Büro hatte und in der ein unglaubliches Chaos herrschte. Kein Problem, dort eine CD-ROM zu verlieren, die lagen überall zu Dutzenden herum.

Und doch: Hatte sich jemand die CD-ROM zurückgeholt? Hatte Chris Webb versucht, sie abzuspielen, und damit Alarm geschlagen?

Wäre die Sache erledigt, wenn der Besitzer – vermutlich der Vollidiot aus dem Zug – die CD-ROM wieder bekäme?

Würde er ihn heute Abend erneut im Zug sehen? Doch das bezweifelte Tom, da er seit Jahren pendelte und dem Mann nie zuvor begegnet war. Außerdem war er sich nicht sicher, was er ihm überhaupt sagen würde, oder ob er sich gar nicht trauen würde, den Mund aufzumachen.

Auch hatte er Kellie immer noch nichts von der Geschichte erzählt. Lieber Augen zu und durch. Es hatte ja keine Anrufe mehr gegeben, die Warnung war angekommen.

Und wie.

26

»MR STRETTON, DER VERMIETER hat uns gestern in die Wohnung Ihrer Tochter gelassen und uns erlaubt, einige Gegenstände mitzunehmen, um DNA-Proben zu entnehmen. Wir haben Haare aus einer Bürste im Badezimmer und einen Kaugummi aus einem Mülleimer entfernt«, erklärte Grace.

Derek Stretton hielt seine Tasse hoch, ohne zu trinken, und betrachtete ihn misstrauisch.

»Wir haben die Proben ans Polizeilabor in Huntington geschickt und heute Morgen die Ergebnisse erhalten. Die DNA aus dem Kaugummi und den Haaren stammt von derselben Person, und es gibt eine hundertprozentige Übereinstimmung mit der Leiche, die wir am Mittwoch gefunden haben. Das lässt leider nur den Schluss zu, dass die Ermordete Ihre Tochter Janie ist, Sir.«

Lange Stille, und Grace dachte schon, Derek Stretton werde den Kopf nach hinten werfen und lauthals lachen. Doch dann begann seine Tasse auf der Untertasse zu klirren, immer lauter, bis er sich vorbeugte und sie abstellte.

»Ich – verstehe.«

Er schaute von Grace zu Branson, dann sank er langsam wie ein Klappstuhl in sich zusammen. »Sie ist alles, was ich habe. Bitte sagen Sie, dass es nicht stimmt. Sie kommt doch heute – ich habe Geburtstag – wir wollten essen gehen. Oh, Gott. Ich – ich …«

Grace schaute stur geradeaus, wich Bransons Blick aus und wünschte sehnlichst, dass es sich um einen Irrtum handeln möge. Aber es gab nichts zu sagen, das den Schmerz des Mannes hätte lindern können.

»Vor drei Jahren habe ich meine Frau – ihre Mutter – verloren. Sie hatte Krebs. Und jetzt verliere ich Janie. Ich …«

Grace ließ ihm ein wenig Zeit und fragte dann: »Wie war sie als Tochter, Sir? Standen Sie sich nahe?«

Nach langem Schweigen antwortete Derek Stretton: »Zwischen Vater und Tochter besteht wohl immer eine besondere Bindung. So habe ich es jedenfalls erlebt.«

»War sie ein liebevoller Mensch?«

»Sehr. Hat nie meinen Geburtstag vergessen oder den Vatertag. Sie ist – ist einfach eine perfekte …«

Grace stand auf. »Haben Sie ein neueres Foto von ihr? Ich würde es gern so schnell wie möglich in Umlauf bringen.«

Derek Stretton nickte trostlos.

»Dürften wir uns ihr Zimmer anschauen?«

»Soll ich mitkommen oder …?«

»Es geht schon so«, meinte Grace sanft.

»Erster Stock, an der Treppe rechts. Die zweite Tür auf der rechten Seite.«

Es war das Zimmer eines ordentlichen, methodischen jungen Mädchens. Stofftiere waren säuberlich auf Kissen aufgereiht. An der Wand hing ein Poster von U2. Auf der Kommode lag eine Muschelsammlung. Bücherregale mit Kinderbüchern, Mädchenabenteuern und einigen Justizthrillern von Scott Turow, John Grisham und anderen US-Autoren. Pantoffeln auf dem Boden und ein altmodischer Morgenmantel an der Rückseite der Tür.

Grace und Branson öffneten alle Schubladen, durchwühlten die Wäsche, suchten zwischen T-Shirts, Blusen, Pullovern, fanden aber nichts, das irgendwelche Rückschlüsse auf den brutalen Mörder zuließ.

Dann klappte Grace ein samtbezogenes Schmuckkästchen auf. Darin lagen filigrane Amethyst-Ohrringe, ein silbernes Armband, eine goldene Halskette und ein Ring mit Wappen. Er schloss den Deckel und behielt das Kästchen in der Hand. Nach einer Viertelstunde gingen sie wieder hinunter. Derek Stretton hatte sich weder von der Stelle gerührt noch seinen Tee getrunken. Grace zeigte ihm den Inhalt des Kästchens. »Mr. Stretton, gehört das alles Ihrer Tochter?«

Er nickte.

»Dürfte ich mir etwas davon ausleihen? Etwas, das sie vor kurzem getragen hat?« Er achtete nicht auf Glenn Bransons verwunderten Blick.

»Am besten den Siegelring«, antwortete Stretton, »das ist unser Familienwappen. In letzter Zeit hat sie ihn dauernd getragen.«

Grace holte einen kleinen Plastikbeutel aus der Tasche, hob den Ring mit einem Taschentuch hoch und legte ihn sorgfältig in den Beutel.

»Mr. Stretton, haben Sie irgendeine Ahnung, wer einen Grund gehabt haben könnte, Ihrer Tochter zu schaden?«

»Nein«, flüsterte er.

Grace setzte sich wieder hin und stützte das Kinn auf die Hand. »Hatte sie einen Freund?«

»Niemand besonderen«, sagte Derek Stretton.

»Es ist wichtig.«

Er schien um Fassung zu ringen. »Sie war ein gut aussehendes Mädchen mit einem wunderbaren Charakter. Natürlich hatte sie viele Verehrer. Aber sie nahm das Jurastudium sehr ernst und wollte sich nicht davon ablenken lassen.«

»Wo studierte sie?«

»Zuerst hier an der Southampton University und dann drei Jahre an der Guildford Law School. Zurzeit absolviert sie ein zweijähriges Referendariat in einer Kanzlei in Brighton. Danach geht sie – wäre sie – wäre sie noch ein Jahr nach Guildford gegangen.«

»Und Sie haben sie finanziell unterstützt?«

»So gut ich konnte. Die letzten Monate waren ein bisschen knapp. Ich ...«

Grace nickte mitfühlend. »Kehren wir zu den Freunden zurück, Sir. Wissen Sie, wie ihr letzter Freund hieß?«

Derek Stretton schien in der kurzen Zeit, seit er die Nachricht erhalten hatte, rapide gealtert zu sein. »Justin Remington, mit dem hat sie sich vor etwa einem Jahr öfter getroffen. Äußerst charmanter Junge. War auch ein paar Mal hier. Immobilienmakler in London. Ich mochte ihn ganz gern, aber er war ihr wohl nicht klug genug.« Er lächelte abwesend. »Sie hat – hatte einen bemerkenswerten Verstand. Mit neun Jahren hat sie mich beim Scrabble geschlagen.«

»Können Sie mir sagen, wo ich diesen Justin Remington finde?« Stretton dachte angestrengt nach. »Er stand auf Real Tennis. Ich glaube, das ist ein seltenes Hobby, er hat wohl in London gespielt. Im Queens Tennis Club, soweit ich weiß.«

Roy Grace merkte, dass sie von ihm nicht viel erfahren würden. »Können Sie jemanden anrufen? Verwandte oder Freunde, die sich um Sie kümmern können?«

»Meine Schwester Lucy«, sagte Derek Stretton leise. »Sie wohnt in der Nähe. Ich rufe sie an. Sie wird am Boden zerstört sein.«

»Rufen Sie doch an, solange wir hier sind«, drängte Branson sanft.

Sie zogen sich diskret in die andere Zimmerecke zurück, während er telefonierte. Grace hörte ihn schluchzen, dann verließ er für eine Weile den Raum. Schließlich kehrte er mit einem braunen Umschlag zurück. »Ich habe ein paar Fotos von Janie für Sie zusammengestellt. Die hätte ich aber gern zurück.«

»Selbstverständlich«, versicherte ihm Grace, wohl wissend, dass der arme Mann vermutlich diverse Telefonate würde führen müssen, bevor er sie zurückbekam, denn solche Dinge gingen im System gern verloren.

»Lucy ist unterwegs. Sie kommt in einer halben Stunde her.«

»Sollen wir solange warten?«, fragte Grace.

»Nein, es geht schon. Ich muss jetzt nachdenken. Ich – darf ich – Janie sehen?«

Grace schaute zu Branson. »Das halte ich nicht für ratsam, Sir.«

»Ich möchte Sie nur noch einmal sehen, um mich von ihr zu verabschieden.« Er ergriff entschlossen Grace' Hand.

Offenbar war es noch nicht über die Medien bis zu Derek Stretton durchgedrungen, dass ihr Kopf nach wie vor fehlte, aber dies war auch nicht der geeignete Moment, um es ihm zu sagen. Das überließ er lieber den Familienbetreuerinnen. Vanessa Ritchie und Amanda Donnington sollten ruhig für ihr Geld arbeiten, immerhin war ihre Ausbildung nicht gerade billig gewesen.

»Gleich werden zwei Ermittlerinnen von der Familienabteilung kommen. Sie werden Ihnen weiterhelfen.«

»Danke, das wäre mir sehr wichtig.« Er lachte traurig. »Wissen Sie, ich – ich habe nie mit Janie über den Tod gesprochen. Keine Ahnung, ob sie eingeäschert oder beerdigt werden möchte.« Dann fügte er zusammenhanglos hinzu: »Und die Katze natürlich.« Er kratzte sich am Kopf. »Bins, sie hat Bins immer hergebracht, wenn sie verreiste. Ich weiß nicht – alles ist so …«

»Die beiden werden Ihnen mit allem helfen, sie sind speziell dafür ausgebildet.«

»Ich bin doch nie auf die Idee gekommen, dass sie sterben könnte.«

Grace und Branson gingen in unbehaglichem Schweigen zum Auto.

27

VOR DER TÜR DES HAUSES in Kemp Town, in dem Janie Stretton gewohnt hatte, stand ein Polizist mit Klemmbrett und registrierte alle Personen, die das Gebäude betraten oder verließen. Im Gegensatz zur verblichenen Pracht ihres Elternhauses wirkte die Straße mit den heruntergekommenen Reihenhäusern, dem bunten Schilderwald der Makler, den überquellenden Mülltonnen und Kleinwagen wie eine echte Studentengegend.

Im 19. Jahrhundert hatte Kemp Town auf Brighton hinuntergeblickt, eine schicke Regency-Enklave mit eleganten Häusern, erbaut auf einem Hügel, der von einer Rennbahn gekrönt wurde und eine wunderbare Sicht auf den Kanal bot. Doch in der zweiten Hälfte des letzten Jahrhunderts hatte man die Grenzen durch neue Baugebiete aufgeweicht, und mit den Sozialwohnungen und Hochhäusern entstand hier das gleiche schäbige Bild wie im benachbarten Brighton.

Am Ende der Straße stand der auffällige Sondereinsatzwagen der Soko. Grace quetschte seinen Alfa in eine Parklücke, nahm seine Tasche und zog mit Branson los.

Es war kurz vor drei, und er hatte Magendrücken, weil er auf dem Rückweg von Derek Stretton zwei Krabbensandwiches, einen Mars-Riegel und eine Cola verschlungen hatte. Erstaunlich, dass er nach der schlimmen Begegnung überhaupt Appetit verspürt hatte und dann auch noch so gierig über das Essen hergefallen war – als wollte er sich selbst bestätigen, dass er noch lebte. Aber sein Magen rächte sich.

Vom Kanal her wehte ein böiger, salziger Wind, der Himmel war bedeckt. Über ihnen kreisten krächzende Möwen, ein Maklerschild klapperte im Wind. Diese Gegend hatte er schon immer gemocht. Sie lag nah am Meer und besaß schöne alte Reihenvillen. Wenn man die Augen schloss, sich die Schilder und Sprechanlagen wegdachte und die Häuser in leuchtendem Weiß vorstellte, meinte man, reiche Londoner im Sonntagsstaat aus der Tür treten zu sehen. Vielleicht wollten sie gerade einen Badekarren aufsuchen oder in ein elegantes Café schlendern, über die Promenade bummeln oder die Annehmlichkeiten der Stadt genießen.

Wie sehr sich die Stadt seit seiner Kindheit verändert hatte. Er konnte sich daran erinnern, wie die Pensionsbesitzerinnen diese Straßen beherrschten. Die Immobilienspekulanten hatten die Häuser in Appartements und billige Studentenbuden aufgeteilt, die ihre Schläger schickten, sobald jemand mit der Miete in Verzug geriet. Ging etwas kaputt, konnte man von Glück sagen, wenn es repariert wurde.

Bisweilen fragte er sich, wie das Leben damals gewesen sein mochte, worauf ihm unweigerlich sein Vater einfiel, der ihm erzählt hatte, wie die Zahnärzte zu seiner Zeit den Bohrer per Fußpedal antrieben. Und er war trotz aller Nachteile der modernen Zeit auf einmal froh, im 21. Jahrhundert zu leben.

»Ich wüsste gern, was du gerade denkst«, sagte Glenn Branson.

»Ich mag diese Gegend.«

Branson schaute ihn überrascht an. »Ehrlich? Ich finde sie eher schmuddelig.«

»Du hast eben keinen Sinn für Schönheit.«

»Diese Gegend erinnert mich immer an den Film *Brighton Rock* mit Dickie Attenborough als Pinkie.«

»Ja, den kenne ich auch. Und hab den Roman gelesen«, trumpfte Grace auf.

»Gab's da auch ein Buch zu?«, fragte Branson überrascht.

»Herrgott, aus welcher Höhle bist du denn gekrochen? Graham Greene, einer seiner berühmtesten Romane. Irgendwann in den vierziger Jahren erschienen.«

»Das erklärt vieles, Oldtimer. Ist eben deine Generation.«

»Hört, hört! Machst einen auf Filmexperte, aber tief im Herzen bist du ein Banause.«

Branson blieb stehen und deutete auf ein mit Brettern vernageltes Fenster, die vom Salz zerfressene Farbe drum herum und den bröckelnden Putz. »Was soll daran bitte schön sein?«

»Die Architektur. Die Seele des Ortes.«

»Na ja, ich hab mal in einem Nachtklub gleich um die Ecke gearbeitet und nie ein Fitzelchen Seele entdecken können. Nur einen Haufen Hirnis auf Dope.«

Sie erreichten den Polizisten vor der Haustür und zeigten ihre Marken vor.

»Sie müssen in den zweiten Stock«, erklärte er hilfsbereit. »Treppenhaus und Zugänge wurden überprüft, man hat nichts von forensischer Bedeutung gefunden.« Er redet, als hätte er hier das Sagen, dachte Grace belustigt.

Der Hausflur sah aus wie in den meisten billigen Mietshäusern. Verschlissener Teppichboden, Werbesendungen, verblasster Anstrich und abblätternde Tapete, Kohlgeruch, ein abgeschlossenes Fahrrad im Gang, die schmale, steile Treppe.

Der Türrahmen war mit einem blau-gelb-weiß gestreiften Absperrband versehen. Grace und Branson holten ihre Schutzanzüge aus den Taschen und zogen sie samt Handschuhen, Überschuhen und Kapuzen an. Dann klopfte Branson an die Tür.

Kurz darauf öffnete Joe Tindall, der genauso gekleidet war wie sie. Wenn Grace die Erkennungsdienstler bei der Arbeit sah, fühlte er sich stets an Filme erinnert, in denen Geheimdienstleute nach einer Invasion Außerirdischer das Schlachtfeld aufräumten. Und er kam einfach nicht über die Totalverwandlung seines Kollegen hinweg.

»Mensch, Roy, wir treffen uns aber auch immer an besonders netten Orten, was?«

»Ich verwöhne mein Team eben gerne«, entgegnete er grinsend.

»Hab ich auch schon gemerkt.«

Sie betraten eine kleine Diele, und Tindall schloss die Tür hinter ihnen. Eine zweite weiß verhüllte Gestalt kniete auf allen vieren und inspizierte die Sockelleisten. Daneben stand ein abgeschraubter Heizkörper. Wenn der Erkennungsdienst fertig war, würden alle Heizkörper abgenommen, sämtliche Dielenbretter hochgestemmt und sogar Teile der Tapete entfernt worden sein.

»Schon was Interessantes dabei?«, fragte Grace und warf einen Blick auf die Katze, die zu ihm aufschaute.

Tindall bedachte ihn mit einem seltsamen Blick. »Kommt drauf an, was du interessant findest. Blutflecken auf einem Schlafzimmerteppich, Blutspritzer an Wand und Decke. Autoschlüssel für den Mini draußen – den haben wir in einen Transporter gepackt, weil ich nicht will, dass ihn jemand fährt und kontaminiert.«

»Gute Idee.« Also war Janie Stretton nicht mit dem Auto zu ihrem Mörder gefahren. Er kniete sich hin und streichelte die Katze. »Wir suchen jemanden, der dich zu deinem Opa bringt«, sagte er.

Wieder der seltsame Blick von Tindall. »Kommt mal mit.«

»Du musst Bins sein«, sagte Grace zu der Katze.

Sie miaute.

»Hat ihn jemand gefüttert?«

»In der Küche steht so ein automatisches Ding.«

Roy Grace ging dem Erkennungsdienstler hinterher. Janie Strettons Wohnung unterschied sich beträchtlich von dem restlichen schäbigen Gebäude; sie war geräumig, praktisch und geschmackvoll eingerichtet. In Diele und Wohnzimmer waren die glänzenden Holzböden mit weißen Teppichen bedeckt, alle Vorhänge und Polsterbezüge waren ebenfalls weiß, die Möbel glänzend schwarz bis auf die sechs Plexiglasstühle am Esstisch. An den Wänden hingen Schwarz-Weiß-Fotos, darunter einige ziemlich erotische Akte.

In einem Erker stand ein kleiner, wacklig aussehender Schreibtisch, darauf ein Sony-Laptop und eine Kombination aus Telefon und Anrufbeantworter, dessen Anzeige blinkte.

Es gab eine winzige Küche, ein ebenso winziges Gästezimmer

und ein geräumiges Schlafzimmer, das sehr feminin wirkte. In der Luft hing der Hauch eines Parfums, das Grace sehr mochte. Seltsam, die Bewohnerin war tot, doch diese Spur von ihr war geblieben. Das Zimmer war mit weißem Teppichboden ausgelegt. In der Mitte prangte ein großer Fleck von etwa sechzig Zentimetern Durchmesser, drum herum viele kleinere Sprenkel.

Durch eine offene Tür sah Grace in ein Badezimmer. Er ging vorsichtig um die Blutflecke herum und schaute hinein.

Seine Augen registrierten alles, während ein weiterer Erkennungsdienstler sämtliche Oberflächen auf Fingerabdrücke untersuchte. Er musterte die Truhe aus Zedernholz am Fußende des schmalen Doppelbetts, die verstreuten Kissen auf dem Bett, den hohen antiken Standspiegel, die geschlossenen Jalousien, die beiden eingeschalteten Nachttischlampen, den Spiegelschrank gegenüber vom Bett. Er begutachtete die Blutspritzer an der Wand.

Bins glitt herein und rieb sich an seinem Bein. Wieder streichelte er geistesabwesend die Katze. Als Tindall unvermittelt aufblickte, folgte Grace seinem Blick. An der Decke über dem Bett hing ein Spiegel.

»Bisschen ungewöhnlich, oder?«, fragte Tindall.

»Kann man so sagen.«

»Vielleicht hatte sie Rückenprobleme und konnte sich nur im Liegen schminken«, meinte Grace augenzwinkernd.

»Da wäre noch was«, fügte der Erkennungsdienstler hinzu und öffnete eine Schublade der Kommode.

Grace und Branson schauten hinein. Verblüfft erblickten sie eine Sammlung von Gerätschaften, die problemlos in ein Sadomaso-Verlies gepasst hätten.

Ohne den Inhalt zu berühren, registrierte Grace eine Peitsche, Handschellen, eine Gesichtsmaske aus Gummi, verschiedene Fesselungsutensilien einschließlich eines Hundehalsbands mit Dornen, das vermutlich nicht für Hunde gedacht war, eine Rolle Klebeband, einen Rohrstock und diverse Vibratoren.

Grace pfiff durch die Zähne. »Ich glaube, du hast ihre Spielzeugkiste gefunden.«

»Na ja, wenn es sie angemacht hat.«

Grace kniete sich und schaute genauer hin. »Sonst noch was?«

»In ihrem Nachttisch haben wir etwa zwanzig aktuelle Pornohefte gefunden. Die von der harten Sorte.«

»Ist diese Scheiße etwa *normal*?«, fragte Branson.

»Bei Männern habe ich schon oft Pornohefte gefunden, bei Frauen dagegen seltener«, meinte Tindall.

Grace ging noch einmal allein durch die Wohnung, wollte ein Gespür für sie bekommen. Und je länger er umherging, desto ungemütlicher kam sie ihm vor.

Er erinnerte sich, dass Le Corbusier gesagt hatte, das Haus sei eine *Maschine zum Wohnen*. Und genau so kam ihm diese Wohnung vor. Makellos sauber. Im Bad duftete ein neuer Lufterfrischer, das Waschbecken glänzte, alle Toilettenartikel bis auf elektrische Zahnbürste und Zahnpasta waren in Schränken verstaut. Für eine Studentenwohnung war es hier unglaublich sauber.

Im Geiste verglich er dieses Schlafzimmer mit dem in Janie Strettons Elternhaus, mit Postern an der Wand, Kuscheltieren, Muschelsammlung und Büchern. Dort bekam man wenigstens einen Eindruck von dem Menschen, der sie gewesen war, hier nicht.

Grace ging wieder ins Wohnzimmer und drückte mit einem Taschentuch die Wiederwahltaste am Telefon. Es klingelte ein paar Mal, dann meldete sich der Anrufbeantworter der Kanzlei, in der Janie gearbeitet hatte. Danach wählte er 1471, um den letzten Anrufer zu identifizieren, doch die Nummer wurde unterdrückt. Als Nächstes hörte er die Anrufe ab. Die Katze hatte sich wieder neben ihn gesellt, doch er bemerkte sie gar nicht, weil er das gerahmte Foto von Janie neben dem Anrufbeantworter betrachtete. Darauf trug sie ein langes Abendkleid und schien vor dem Opernhaus von Glyndebourne zu stehen. Interessant, dass alle Fotos von ihr ziemlich gestellt wirkten. Der Anrufbeantworter surrte leise, dann erklang eine nichts sagende Frauenstimme:

»Ach, hallo, Janie, hier spricht Susan, die Sekretärin von Mr. Broom. Es ist jetzt Mittwoch, Viertel nach elf. Mr. Broom hat Sie heute um acht Uhr erwartet, um die Besprechung vorzubereiten. Rufen Sie doch bitte zurück.«

Grace machte sich Notizen.

Zwei Stunden später war eine ähnliche Nachricht aufgezeichnet worden. Und um halb vier nachmittags hatte eine andere Frau, die jünger klang, aufs Band gesprochen:

»Hi, Janie, hier ist Verity. Hab mir Sorgen gemacht, weil du heute nicht aufgetaucht bist. Alles okay mit dir? Vielleicht komme ich später auf dem Heimweg bei dir vorbei. Ruf mich an oder schick eine SMS.«

Eine Stunde später die nächste Nachricht von einer Frau, die sich übertrieben munter anhörte: »Hi, Janie, hier ist Claire. Ich hab was für dich, ruf bitte zurück.«

Dann Derek Stretton:

»Hallo, Liebes, ich hab deine Geburtstagskarte bekommen. Du bist so lieb. Ich freu mich schon auf Freitag, hab einen Tisch in deinem Lieblingsrestaurant bestellt. Du kannst Meeresfrüchte essen, bis sie dir zu den Ohren rauskommen. Ruf mich an, wenn du Zeit hast. Alles Liebe, Daddy!«

Danach ertönte eine ziemlich grobe Männerstimme. »Hallo, Miss Stretton, ich heiße Darren und rufe von Beneficial an. Wären Sie an einem Angebot für eine Hausratversicherung interessiert? Ich melde mich nochmal.«

Als Nächstes wieder die muntere Claire, diesmal ein wenig besorgt. »Hi, Janie, hier ist nochmal Claire. Vielleicht hast du meine letzte Nachricht ja nicht bekommen, ich versuch's auf dem Handy. Es geht nämlich um heute Abend.«

Grace runzelte die Stirn. Um welchen Abend? Etwa Mittwoch? Als sie schon vierundzwanzig Stunden tot war?

Am Donnerstag hatte die Kanzlei noch mehrfach angerufen. Wieder einmal Claire, die sich nun zunehmend verärgert anhörte. Und ein ängstlicher Vater.

»Janie, Liebes, die Kanzlei hat bei mir angerufen. Sie sagen, du bist seit Dienstag nicht im Büro gewesen, sie machen sich große Sorgen. Alles in Ordnung mit dir? Bitte ruf mich an. Alles Liebe, Daddy.«

Grace spulte zur ersten Nachricht der kecken Claire zurück.

Hi, Janie, hier ist Claire. Ich hab was für dich, ruf bitte zurück.

Da war etwas an dieser Nachricht, doch er konnte es nicht benennen. Leider schien der Apparat keine Rufnummern zu registrieren.

»Glenn, du hast mehr Ahnung von Technik als ich. Kannst du mir ihre Adressdatei im Laptop suchen?«

Der Detective Sergeant klappte den Computer auf. »Kommt drauf an, ob sie ein braves Mädchen war oder nicht. Ob wir ein Passwort – nein – na super! Kein Passwort!«

Er zog sich den Stuhl heran. »Ein bestimmter Name?«

»Claire.«

»Claire was?«

»Einfach nur Claire.«

Nachdem er auf der Tastatur herumgetippt hatte, schaute Branson hoch. »Es gibt nur eine.«

»Mit Adresse?«

»Nur eine Nummer.«

»Wähl sie mal.«

Branson reichte ihm den Hörer. Es klingelte ein paar Mal, dann meldete sich eine barsche Männerstimme.

»Ja, hallo?«

»Ich würde gern mit Claire sprechen.«

»Sie ist auf einer anderen Leitung – wer sind Sie?«

Grace überlegte rasch. Sie hatten auf dem Weg hierher Janies Foto in der Soko-Zentrale abgegeben. Es würde noch einige Stunden dauern, bis es in den Medien zirkulierte, sodass niemand außer Polizei und Janies Familie wissen konnte, dass sie tot war. »Ich rufe im Namen von Janie Stretton an.«

»Moment, sie kommt sofort.«

Grace hörte einige Takte von Vivaldis *Frühling*, dann erklang die Stimme von Claire. »Hallo?«, fragte sie ein wenig misstrauisch.

»Ja, hallo, ich melde mich wegen einer Nachricht, die Sie am Mittwochnachmittag für Janie Stretton hinterlassen haben.«

»Wer genau sind Sie bitte?« Das klang mittlerweile sehr misstrauisch.

»Detective Superintendent Grace von der Kripo Sussex.«

Eingehängt.

Sofort drückte er die Wiederwahl. Es klingelte mehrfach, bis der Anrufbeantworter ansprang. »Bedauere, im Moment kann niemand Ihren Anruf …«

»Scheiße!« Grace hängte ein, holte sein Funkgerät heraus, wählte

Bella an, gab ihr die Nummer durch und bat sie um die dazugehörige Adresse. Dann rief er Eleanor an und bat sie, für Viertel nach drei eine Pressekonferenz anzusetzen. Er wollte die Öffentlichkeit so umfassend wie möglich informieren, bevor er ins Wochenende startete.

Während er wartete, ging er in seinem Taschencomputer die Mails durch.

Fünf Minuten später meldete sich Bella zurück und nannte ihm eine Adresse am Bahnhof Hove, der bei vernünftiger Fahrt zehn Minuten und mit Blaulicht und Sirene etwa neunzig Sekunden entfernt lag. Die Rufnummer gehörte zu einer Firma namens BCE-247 Ltd., was ihm überhaupt nichts sagte.

Er wandte sich an Branson: »Pack den Computer ein, wir müssen los. Ich mag es ganz und gar nicht, wenn Leute mitten im Gespräch einhängen.«

28

GRACE SCHNALLTE SICH AN, wies Branson auf seinen Gurt hin und trat das Gaspedal des Alfa durch. Er fuhr, so schnell es ging, hatte die Scheinwerfer eingeschaltet, hupte laut und wünschte sich, er säße in einem Streifenwagen mit Blaulicht und Sirene.

Nachdem er die dritte rote Ampel überfahren hatte, dachte er nur noch, *wenn ich jetzt einen Unfall baue, kann ich mir gleich eine Wohnung in Newcastle suchen.*

Die Anschrift, die Bella ihm genannt hatte, befand sich in einer Einkaufsstraße, die vom Bahnhof aus nach Süden verlief. Grace kurvte mit quietschenden Reifen nach links in ein schmales Sträßchen und dann nochmal nach links.

Eine Frau im Hosenanzug eilte aus einer Tür, die zwischen einem Fliesenhandel und einem Zeitschriftenladen lag. Um die dreißig, gute Figur, rote Stachelfrisur und unscheinbares Gesicht mit zu viel Make-up. Sie hatte eine große Aktentasche aus Leder bei sich.

Noch bevor der Alfa ganz zum Stehen kam, schoss Grace hinaus, rannte über die Straße und rief:»Claire?«

Sie drehte sich überrascht um.

Er zeigte seinen Ausweis.»Bisschen früh, um Feierabend zu machen, was?«

Ihre Augen schossen hin und her, als suchte sie nach einem Fluchtweg.»Ich – ich wollte mir nur ein Sandwich holen.« Sie sprach mit derbem Ostlondoner Dialekt.

»Wir haben eben miteinander telefoniert – die Verbindung wurde wohl unterbrochen.«

»Ach ja?«

»Sicher, und da dachte ich, ich komme lieber mal persönlich vorbei. Sie wissen ja, wie Telefone sind.«

Sie musterte ihn argwöhnisch und ohne die Spur eines Lächelns. »Was dagegen, wenn wir uns kurz in Ihrem Büro unterhalten?«, fragte Grace und sah aus dem Augenwinkel, wie Branson auf sie zusteuerte.

Allmählich geriet sie in Panik.»Ich – also – ich muss zuerst mit meinem Geschäftspartner sprechen …«

»Sie haben die Wahl. Entweder wir erledigen es auf die nette Tour, oder ich werde unangenehm. Bei der netten Tour gehen wir in Ihr Büro, trinken eine Tasse Tee und plaudern gemütlich. Unangenehm heißt, mein Partner kommt mit einem Durchsuchungsbefehl und sechs Kollegen zurück, die Ihr Büro bis auf die Dielenbretter auseinander nehmen.«

»Worum geht es eigentlich?«

»Sie meinen, es geht um mehr, als dass Sie eben einfach eingehängt haben?«

Sie errötete und wusste nicht, was sie sagen sollte. Er wartete, bis ein Bus mit aufheulendem Motor vorbeigefahren war.»Ich kann Ihnen genau sagen, worum es geht. Janie Stretton ist tot.«

Die Frau schlug unwillkürlich die Hand vor den Mund.»Janie?«

Es war Zeit, die Schraube anzuziehen.»Sie wurde am Dienstagabend von einem Irren mit einem Messer abgeschlachtet. Haben Sie von dem kopflosen Torso gehört, den man am Mittwoch in Peacehaven entdeckt hat?«

Die Frau wurde totenbleich, sodass sich ihr Make-up noch greller abhob. Sie nickte und tippte mit den Fingerspitzen gegen die Lippen.

»Wir haben heute herausgefunden, dass es sich um Janie Stretton handelt. Sind Sie jetzt bereit, mit mir zu reden?«

Das Büro der BCE-247 Ltd. lag im zweiten Stock mit Blick auf die Straße, dazu gehörte noch eine kleine Küche. Abgesehen von der lila Wandfarbe, die sich furchtbar mit dem erbsensuppengrünen Teppich biss, hatte man kaum Mühe auf die Inneneinrichtung verwendet.

Drei schlichte alte Schreibtische, drei abgenutzte Drehsessel, vier hohe Aktenschränke aus grauem Metall. Alle Möbel sahen aus, als stammten sie aus einem Second-Hand-Laden. Dazu gab es noch einen billigen CD-Spieler und einen ebenso billigen Fernseher. Allerdings standen auf jedem Schreibtisch ein hochklassiger PC und ein modernes Telefon. Eins davon klingelte gerade, doch Claire achtete nicht darauf. Sie schien unter Schock zu stehen.

Branson und Grace saßen in Kunstledersesseln vor Claires Schreibtisch. Sie hatte sie mit Teebechern versorgt. Grace hatte sein Notizbuch herausgeholt, konzentrierte sich aber mehr auf ihre Augen.

»Ihr voller Name?«

Die Augen schossen nach links. Zur Gedächtnisseite.

»Claire Porter.«

»Ist das Ihre Firma?«

»Sie gehört mir und meinem Partner.«

»Und der heißt?«

Wieder nach links. Vermutlich würde sie ihn bei den Namen kaum anlügen, woraus er schließen konnte, dass sie immer dann die Wahrheit sagte, wenn ihre Augen in diese Richtung wanderten. Schossen sie nach rechts, konnte er mit einer Lüge rechnen.

»Barry Mason.«

»BCE-247 Ltd. – Barry and Claire Enterprises?«, fragte er.

Sie schüttelte den Kopf. »Sie sind nah dran.«

Er streckte einladend die Arme aus. »Dann sagen Sie es uns bitte.«

Ihre Augen zuckten wild nach rechts. Sie suchte nach einer überzeugenden Lüge.

Plötzlich begrub sie das Gesicht in den Händen. »Scheiße, ich kann es nicht fassen. Janie war so ein nettes Mädchen, ich hab sie wirklich gemocht.«

»Sie haben ihr am Mittwochnachmittag um fünf Uhr eine Nachricht hinterlassen. Sie sagten …«, er las aus seinem Notizbuch ab, »*ich hab was für dich, ruf bitte zurück.* Worum ging es dabei?«

Sie schaute hoch, ihre Augen wanderten wieder nach rechts.

Branson mischte sich ein und gab den sanften Gegenpart zu Grace. »Claire, Sie können es uns ruhig sagen. Falls Sie etwas zu verbergen haben, sollten Sie lieber jetzt damit herausrücken.«

Er schien ins Schwarze getroffen zu haben. Sie sah sich panisch um. »Gott, Barry bringt mich um. Es steht für ›Barry and Claire Escorts 24 Stunden – sieben Tage die Woche‹.«

Grace schaute sie verblüfft an. »Ein Begleitservice? Janie war eine Nutte?«

»Wir vermitteln Begleiterinnen an allein stehende Herren«, sagte sie abwehrend. »An Leute, die sich abends mal mit einer Frau treffen möchten. Das sind keine Nutten.«

»Ganz harmlos?«

»Für uns schon.«

»Claire, das habe ich alles schon mal gehört. Und falls der Klient mit der jungen Dame ein privates Arrangement treffen möchte, ist das nicht Ihr Problem, richtig?«

Sie schwieg eine Weile. »Ich glaube, ich sollte meinen Anwalt anrufen.«

»An Ihrem schmutzigen kleinen Unternehmen bin ich nicht interessiert. Aber wenn Sie Ihren Anwalt anrufen, nehme ich den Laden hier auseinander. Mir geht es nur darum, Janies Mörder zu finden. Wenn Sie mir dabei helfen, rühre ich Ihre Firma nicht an. Haben wir uns verstanden?«

Sie verzog das Gesicht und nickte unwillig.

»Wie viel berechnen Sie den Freiern?«

»Sechzig Pfund pro Stunde.«

»Und wie hoch ist Ihr Anteil dabei?«

»Vierzig Prozent.«

»Irgendwelche Prämien?«

»Die Mädchen dürfen das Trinkgeld behalten.«

»Gut. Mit wem war Janie am Dienstagabend verabredet?«

Sie tippte auf ihre Tastatur und sagte dann. »Mit Anton.«

»Anton wer?«

»Weiß ich nicht.«

»Kennen Sie die Namen der Freier etwa nicht?«

»Nur, wenn sie sie freiwillig nennen.«

»Und wie viele von denen tun das?«

»Gar nicht mal so wenige. Natürlich weiß ich nicht, ob die Namen stimmen oder erfunden sind.«

Grace spürte, wie Zorn in ihm aufstieg. »Sie nehmen die Mädchen also unter Vertrag und schicken sie zu Verabredungen mit fremden Männern, wofür Sie eine fette Provision kassieren. Und dann machen Sie sich nicht mal die Mühe, deren Namen herauszufinden?«

Wieder eine Pause. »Beim ersten Treffen schließen wir uns mit den Mädchen kurz. Wir rufen sie nach zehn Minuten an. Es gibt Kodewörter; falls es ihnen nicht gefällt, schicken wir unsere Sicherheitsleute hin. Es war aber bereits ihre vierte Verabredung mit Anton, darum habe ich mir auch keine Sorgen gemacht.«

»Und es machte Ihnen auch keine Sorgen, dass sie noch so jung war, eine Studentin?«

»Wir haben viele Studentinnen in unserer Kartei. Sie finden es praktisch, um sich etwas dazuzuverdienen. Dank Tony Blair verlassen die meisten Studenten die Uni mit Darlehen, die sie jahrelang abzahlen müssen. Der Begleitservice bietet eine Alternative. Es ist ein schönes Gefühl, die Mädchen zu unterstützen.«

»Gewiss doch«, meinte Grace sarkastisch, »und bei all dem Geld, das Janie Ihnen einbrachte, haben Sie sich nicht weiter für die Treffen mit Anton interessiert. Wie viele Mädchen haben Sie in Ihrer Kartei?«

»Etwa dreißig. Und zehn Männer.«

»Mit Fotos?«

»Ja.«

»Ich möchte mal die von Janie sehen.«

Sie holte einen Ordner aus einem Aktenschrank und nahm ein Foto in Zellophanhülle heraus.

Es hatte nicht die geringste Ähnlichkeit mit den Bildern, die er im Haus ihres Vaters und in ihrer Wohnung gesehen hatte. Eine völlig andere Janie, eine Königin der Nacht.

Sie lag in verführerischer Pose auf einem Leopardenfell, in superknappen Leder-Hotpants, die schwarze Spitzenbluse bis zum Nabel aufgeknöpft, die Brüste fast gänzlich entblößt.

Er reichte das Foto an Branson weiter. »Reine Begleiterinnen«, sagte er spöttisch. »Für gesellschaftliche Anlässe, nehme ich an.«

»Sicher doch.«

»Claire, ich bin nicht so blöd, wie ich aussehe. Sie ging auf den Strich, oder?«

»Wenn ja, dann ohne unser Wissen.«

»Wo werben Sie?«

»In Zeitschriften und im Internet.«

Grace nickte. »Und woher bekommen Sie Ihre Klienten?«

»Das ist unterschiedlich, aber es läuft viel über Mundpropaganda.«

»In welchen Zeitschriften?«

Claire zögerte. »Kontaktmagazine, Tourismusbroschüren, Lokalzeitungen, ein oder zwei Fachzeitschriften.«

»Fachzeitschriften?«

Nach erneutem Zögern sagte sie: »Hauptsächlich für Fetischisten, Leute, die auf Gummi, Fesselspiele und so was stehen.«

»Und so was?«

Achselzucken.

»Lässt sich irgendwie feststellen, wie dieser Anton an Ihre Nummer geraten ist?«

Sie schaute in den Ordner und zog eine Karteikarte heraus. »6. Mai. Anton. Starker europäischer Akzent, habe ich daneben geschrieben. Er sagte, er habe die Anzeige aus *The List*.«

Grace kannte den Namen, es war ein lokales Anzeigenblatt.

Das Telefon klingelte. Sie versuchte blinzelnd, die Karteikarte zu entziffern. »Er wollte Fotos von den Mädchen sehen, also habe ich ihn auf die Website verwiesen. Etwa eine halbe Stunde später rief er wieder an und sagte, er wolle sich mit Janie treffen. Ich habe seine Nummer hier!«

Grace setzte sich abrupt auf, genau wie Branson. »Tatsächlich?«

»Ich notiere mir aus Sicherheitsgründen immer eine Rückruf-nummer, unter der die Klienten zu erreichen sind.«

»Dürfte ich die bitte haben?«

Er schrieb sie mit und wählte sie umgehend auf seinem Mobiltelefon. Kein Anschluss unter dieser Nummer. »Verdammt!«

»Können Sie uns sonst noch was über diesen Anton erzählen?«

»Leider nicht. Meinen Sie, er hat – er könnte derjenige gewesen sein …?«

»Wenn er sie nicht ermordet hat, war er immerhin einer der Letzten, die Janie lebend gesehen haben. Rufen die Mädchen nach den Treffen an?«

»Manchmal, je nach Uhrzeit.«

»Also hat sie am Dienstag nach ihrer Verabredung mit Anton nicht angerufen?«

»Nein.«

»Und Sie wollten ihr für Mittwoch ein weiteres Treffen vermit-teln?«

Sie schaute in ihre Unterlagen. »Ja.«

Grace nickte. »Wir überprüfen ihn vorsichtshalber.«

»Sie werden hoffentlich diskret vorgehen.«

»Ich setze meinen diskretesten Mann darauf an.« Roy Grace grinste in sich hinein. Norman Potting wäre der richtige Mann für die Aufgabe. Der DS war so diskret wie ein Elefant auf Rollschu-hen in einem Porzellanladen.

29

UM VIER UHR wurde es in Toms Büro allmählich leer. Typisch Frei-tag, dachte er. Draußen war es schön sonnig, die Wettervorhersage klang viel versprechend. Nacheinander hatten seine Mitarbeiter ihre Schreibtische aufgeräumt, sich fröhlich verabschiedet und wa-ren zur Tür hinaus verschwunden.

Er beneidete sie um ihre sorglosen Wochenenden und konnte sich kaum erinnern, wann er sich zuletzt richtig entspannt und nicht an die Arbeit gedacht hatte. Wann er nicht am Computer gesessen, über einer Aufstellung der Einnahmen und Ausgaben gebrütet oder Kellie ängstlich über die Schulter gelinst hatte, wenn sie mit der Tastatur vor dem Fernseher hockte.

Sein Fenster war trotz des Verkehrslärms leicht gekippt, und er spürte die angenehm milde Luft. Vielleicht könnte er an diesem Wochenende ein wenig abschalten, sofern die dunkle Wolke, die über ihm hing, es zuließ. Gut, dass Kellie einen Job gefunden hatte – sie verdiente zwar nicht die Welt, aber die Folgen ihrer Kauforgien würden damit etwas gemildert. Hoffentlich wurde sie dadurch nicht ermutigt, noch mehr auszugeben.

Um Viertel nach vier warf er den Griffel hin. Wenn er jetzt aufbrach, schaffte er noch den Zug um 16.36 Uhr, mit dem er rechtzeitig zum geplanten Grillabend zu Hause wäre, bei dem sie das neue Monstergerät ausprobieren wollten.

Bei dem Gedanken daran schüttelte er den Kopf. Wahnsinn. Und doch war er neugierig, wie das Ding aussehen würde. Was musste ein Grill bieten, um diesen astronomischen Preis zu rechtfertigen?

Zur Abwechslung gönnte er sich ein Taxi zum Bahnhof, schnappte sich noch einen *Evening Standard* und sprintete, ohne auf das Wechselgeld zu warten, auf den Bahnsteig. Er sprang in den Zug, als dieser gerade anrollte.

Entschlossen drängte er sich durch sämtliche Abteile und hielt Ausschau nach dem Vollidioten mit der CD-ROM.

Keine Spur.

Mittlerweile lief ihm der Schweiß herunter. Er fand einen der wenigen freien Plätze, holte Laptop und High-Speed-Internetkarte heraus, packte Tasche und Jacke auf die Ablage, legte den Computer auf die Knie und warf einen Blick in die Zeitung.

DREISSIG TOTE BEI BOMBENANSCHLAG IM IRAK!

Er las den Artikel durch und hatte ein schlechtes Gewissen, weil es ihn gar nicht mehr berührte. So etwas schien andauernd zu passieren, und er war sich nie richtig darüber klar geworden, was er vom Irakkrieg halten sollte. Bush oder Blair waren ihm herzlich egal, und er bezweifelte stark, dass die Welt durch die Invasion sicherer geworden war. Wenn er seine schlafenden Kinder betrachtete und spürte, dass er für ihre Sicherheit verantwortlich war, kam er sich angesichts der Weltpolitik furchtbar hilflos vor.

Er blätterte weiter. Plötzlich traf ihn etwas wie eine unsichtbare Faust direkt in den Magen.

Vor sich sah er das Foto einer jungen Frau, darüber eine grausige Schlagzeile, die die gesamte Breite der Seite 3 einnahm:

KOPFLOSER TORSO IDENTIFIZIERT!

Ihr Gesicht.

Wieder erinnerte es ihn ein wenig an Gwyneth Paltrow.

Das war sie. Hundertprozentig.

Seine Augen wanderten zu dem Text unter dem Foto.

Wie die Sussex Police heute bestätigte, handelt es sich bei der schwer verstümmelten Frauenleiche, die am Mittwoch auf einem Acker in Peacehaven, East Sussex, gefunden wurde, um die vermisste Jurastudentin Janie Stretton, 23.

Der leitende Ermittler der Kripo Sussex, Detective Superintendent Roy Grace, erklärte: »Dies ist einer der brutalsten Morde, die ich in zwanzig Jahren Polizeiarbeit zu bearbeiten habe. Janie Stretton war eine fleißige und beliebte Studentin. Wir tun alles, um ihren Mörder zu fassen.«

Derek Stretton, Janies verzweifelter Vater, gab in seinem drei Millionen Pfund teuren Anwesen am River Hamble bei Southampton die folgende Erklärung ab: »Janie war die wunderbarste Tochter, die sich ein Vater nur wünschen kann, und sie war mir eine große Stütze, als ihre Mutter starb. Ich hoffe, die Polizei findet rasch ihren Mörder, bevor er ein weiteres unschuldiges Leben zerstört.«

Toms Augen schossen wieder zu Janies Gesicht. Und die Drohung, die er erhalten hatte, brannte sich wie Feuer in sein Gehirn.

Einen Moment lang musterte er nervös seine Mitreisenden, doch niemand schien ihn zu beachten. Der Jugendliche gegenüber hörte Musik über seinen iPod, laute Beats, ein aufreizendes Schnarren, das das Rattern des Zuges übertönte. Einige Leute lasen Zeitung, eine Frau war in eine abgenutzte Ausgabe von *Sakrileg* vertieft, ein Mann im Nadelstreifenanzug arbeitete am Laptop.

Tom schaute auf das Foto. Hatte er sich vielleicht geirrt? Aber nein, *das war sie.*

Was nun?

30

UM HALB SIEBEN saßen Roy Grace, Glenn Branson und die anderen Mitglieder des Ermittlungsteams, darunter auch der Neuzugang Detective Sergeant Norman Potting, am rechteckigen Tisch des Besprechungszimmers. Es befand sich genau gegenüber der Soko-Zentrale 1, von der aus die Soko Nightingale operierte.

Norman Pottings Kleider stanken nach Pfeifenrauch. Der altgediente Polizist trug einen braunen Anzug, der mit Sicherheit zwanzig Jahre alt war; ein weißes Hemd, das aussah, als hätte er es im betrunkenen Zustand gebügelt; eine grüne Golfklubkrawatte mit Essensspuren und derbe schwarze Schuhe. Sein schmales Gesicht war von geplatzten Äderchen durchzogen, die Zähne waren gelb vom Nikotin, und er kämmte das schüttere Haar quer über den Kopf, um die Glatze zu verbergen. Er hatte drei Ehen hinter sich und trat selbstsicher und großspurig auf.

Grace hieß ihn offiziell willkommen, mied dabei aber die Blicke seiner Kollegen.

»Freu mich, im Team zu sein«, sagte Potting mit seiner tiefen, rauen Stimme, der man anhörte, dass er aus Devon stammte. »Vor allem angesichts der reizenden jungen Damen.« Worauf er Bella und Emma-Jane aufdringlich zuzwinkerte.

Grace stöhnte innerlich. Um sieben musste er weg und wenn es nur für ein paar Stunden war. Er schaute auf die Unterlagen, die Bella und Eleanor zusammengestellt hatten. »Freitag, 3. Juni, halb sieben«, las er vor. »Zweite Besprechung der Soko Nightingale, Ermittlung der Todesumstände einer zunächst unbekannten Person, inzwischen identifiziert als Jane – Rufname Janie – Susan Amanda Stretton, Autopsie am Tag zwei nach Auffinden der sterblichen Überreste. Ich fasse den Vorfall zunächst zusammen.«

Grace rekapitulierte die Ereignisse, die zur Entdeckung der Leichenteile geführt hatten, und den Fund des Käfers bei der Autopsie. An dieser Stelle unterbrach ihn Norman Potting.

»Roy, stand in der Zeitung nicht mal was über Hollywood-Stars, die sich Rennmäuse in den Hintern stecken?«

»Danke, Norman, aber ich glaube, das ist hier nicht relevant.«

»Sie ahnen ja gar nicht, wie viele von diesen Schauspielern Warme sind.«

»*Danke*, Norman«, sagte Grace nachdrücklich. Er wollte gerade fortfahren und von Janie Strettons Doppelleben berichten, als Glenn Branson die Hand hob.

»Du hast mir im Auto von der symbolischen Bedeutung des Skarabäus erzählt. Ich glaube, das sollte das Team auch wissen.«

»Ja, dazu wollte ich noch kommen. Kurz gesagt, in der altägyptischen Mythologie wurde der Skarabäus unter dem Namen Khepri verehrt, was wörtlich übersetzt ›der ins Leben kam‹ oder ›der aus der Erde kam‹ bedeutet. Die Ägypter verehrten die Sonne und fühlten sich durch den Skarabäus, der eine Mistkugel vor sich herrollt, an den Sonnengott Ra erinnert, der die Sonne jeden Tag von Osten nach Westen über den Himmel wandern ließ. Folglich wurde der Skarabäus zu einem wichtigen Symbol für Schöpfung, Auferstehung und ewiges Leben.«

»Diese Ägypter waren schon schlaue Burschen«, kommentierte Norman Potting ungefragt. »Verdammt, wie haben die bloß die Pyramiden zustande gebracht? Nicht dass ich den Burschen über den Weg traue, Bimbos sind immer verdächtig.«

Grace warf Branson einen gequälten Blick zu, funkelte Potting an und fragte sich, wie dieser Mann so lange bei der Polizei überlebt hatte, ohne sich wegen sexueller Belästigung oder rassistischer Äußerungen verantworten zu müssen. »Norman, diese Ausdrücke kann ich nicht akzeptieren und werde sie in meinen Besprechungen keinesfalls dulden.«

Potting wollte etwas sagen, überlegte es sich noch einmal und schaute dümmlich in seine Unterlagen.

»Haben Sie schon Anhaltspunkte, ob diese symbolische Bedeutung für uns wichtig ist?«, erkundigte sich Nick Nicholas.

»Bislang nicht. Ich hoffe, ihr mit eurem Genie werdet es herausfinden.« Grace grinste ihm zu und fuhr fort mit dem Bericht über Janie Strettons Doppelleben. Und dass sie den Namen des ersten Verdächtigen hatten. *Anton.*

Es war bereits klar, dass die Rufnummer, die Anton Claire vom Begleitservice genannt hatte, zu einem nicht näher zu identifizierenden Prepaid-Handy gehörte.

»*Maßnahmen.* Die East Downs Division hat uns massiv mit Personal unterstützt. Wir haben die Gegend durchsucht, in der am Mittwochmorgen Torso und Gliedmaßen gefunden wurden, und diese Suche in den vergangenen achtundvierzig Stunden ausgeweitet. Ich habe die Taucheinheit der Sussex Police hinzugezogen, die alle örtlichen Flüsse, Seen und Wasserreservoirs überprüfen wird. Außerdem habe ich eine weitere Helikoptersuche beantragt.«

Er ging die Überschriften durch. *Besprechungszyklus.* Jeweils eine Besprechung um halb neun und um halb sieben. Das Holmes-Computerteam war seit Mittwoch im Einsatz. Er las die Liste mit der Überschrift *Ermittlungsstrategien* vor, zu der auch der Punkt Kommunikation/Medien gehörte, und betonte die Notwendigkeit, die Entdeckung des Käfers zunächst unter Verschluss zu halten. Man arbeite daran, den Fall in der nächsten Ausgabe von *Crimewatch* unterzubringen.

Dann hob Emma-Jane die Hand. »Geben wir bekannt, dass Janie Stretton heimlich als Prostituierte gearbeitet hat?«

Genau darüber hatte Grace auch schon nachgegrübelt. Er dachte an Derek Stretton, dessen Leben ohnehin zerstört war. Was würde dieser neuerliche Schlag für den armen Mann bedeuten? Hatte es überhaupt Sinn, es öffentlich zu machen? Würde sich jemand, der Janies Dienste in Anspruch genommen hatte, mit Informationen vorwagen? Unwahrscheinlich, aber nicht ganz ausgeschlossen.

Verdammt schwierige Entscheidung. Das Interesse der Medien wäre enorm. Natürlich könnte es dazu führen, dass sich ein Zeuge meldete, ein Kellner oder Barkeeper, der Janie und diesen Anton zusammen gesehen hatte.

»Im Augenblick sind zwei Familienbetreuerinnen bei Janies Vater, DC Donnington und DC Ritchie. Ich werde zunächst mit den beiden sprechen, bin aber für eine Bekanntgabe, falls die beiden keine allzu großen Bedenken haben«, sagte er schließlich zu Emma-Jane.

Als Nächstes kam der Punkt *Gerichtsmedizinische Untersuchung*. Abgesehen von dem Käfer habe es keine großen Überraschungen gegeben. Erstaunlich war allerdings, dass keinerlei Anzeichen für einen sexuellen Missbrauch vorlagen. Er schaute in den Bericht von Dr. Theobald, verzichtete aber darauf, die detaillierten Ausführungen vorzutragen. Janie war an diversen Stichverletzungen durch eine lange, dünne Klinge gestorben. *Und die Entfernung des Kopfes hat ihre Überlebenschancen nicht gerade verbessert,* dachte er. »Im Augenblick konzentriere ich mich vor allem auf diesen Käfer. Weiß jemand von anderen Morden, bei denen ebenfalls ein Käfer am Tatort entdeckt wurde?«

»Im April fand man eine Frau im Wimbledon Common«, meldete sich Nick. »Sechsundzwanzig Jahre alt, ebenfalls ohne Kopf. Sie trug ein silbernes Armband, das keiner ihrer Angehörigen kannte. Ich habe mir ein Foto mailen lassen. Hier bitte.« Er reichte es Grace. »Auch in diesem Fall gab es keine Anzeichen für eine Sexualstraftat. Und er ist nach wie vor ungelöst.«

Grace starrte auf den winzigen silbernen Käfer, der an dem Armband hing. Eindeutig ein Skarabäus. »Gute Arbeit. Sonst noch was?«

»Bisher hat nur die Met reagiert.«

Grace betrachtete das Foto. »Ich hab so ein Gefühl, dass es noch mehr werden. Können wir die Akte dazu bekommen?«

Nick schaute in seine Notizen. »Der leitende Ermittler ist ein Detective Inspector Dickinson. Er hat angeboten, sich mit einem von uns zu treffen.«

»Ungewöhnlich kooperativ für die Londoner Polizei«, meinte Grace bissig. Die Metropolitan Police neigte dazu, sich für das Nonplusultra zu halten, gab sich arrogant und arbeitete ungern mit Provinzbeamten zusammen. »Kannst du für morgen früh ein Treffen arrangieren?«

»Eigentlich sollte ich bei einem Freundschaftsspiel für die Kripo antreten, aber gut.«

»Wir haben Juni, da spielt man Kricket, nicht Fußball«, meinte Grace tadelnd. »Ich musste einem Vater mitteilen, dass jemand seine Tochter abgeschlachtet hat. Ich glaube, es würde ihn nicht sonderlich freuen, wenn sich die Ermittlungen wegen eines blöden Fußballspiels verzögerten.«

Der Detective Constable errötete. »Nein, Roy – Sir.«

Am Ende fasste Grace noch einmal alles zusammen. »Wir haben jetzt den Tatort, an dem der Mord an Janie Stretton verübt wurde. Bella und Nick haben sämtliche Nachbarn befragt, und wir werden dort weiter ermitteln. Ich sehe momentan die folgenden Alternativen:

Entweder ist es die Einzeltat eines kranken Täters, oder aber wir haben es mit einem Serienmörder zu tun, der eine Botschaft hinterlässt. Wir warten auf weitere Informationen der Met, ob am anderen Tatort ebenfalls ein Käfer gefunden wurde, womöglich existiert eine Verbindung. Unser Täter könnte somit mindestens zwei junge Frauen getötet haben, und wir müssen davon ausgehen, dass er erneut zuschlägt.«

Dann wandte er sich an sein Team und bat um die neuesten Ergebnisse.

Potting erklärte, er habe den Nachmittag in der Kanzlei verbracht, in der Janie Stretton ihr Referendariat absolvierte. Er habe mit dem Chef, einem Martin Broom, gesprochen, dem Grace einmal in einem besonders üblen Scheidungsfall vor Gericht begegnet war, und mit mehreren ihrer Kollegen. Sie galt als beliebt, fleißig und gewissenhaft.

Ob wir alle unsere dunkle Seite haben?, fragte sich Grace. »Ich habe eine weitere Kraft angefordert«, sagte er. »Und ich möchte, dass jemand aus der Abteilung Computerkriminalität Janies Laptop genauestens durchkämmt.« Er wandte sich an DC Boutwood. »Emma-Jane, tut mir Leid, Ihnen so etwas aufs Auge zu drücken, aber ich brauche jemanden, der sich alle Filme der Überwachungskameras anschaut, die am Dienstagabend in der Gegend von Brighton aufgenommen wurden. Sie können sich Unterstützung holen. Wir suchen nach dieser jungen Frau.« Er tippte auf das Foto von Janie, das an die Presse gegangen war. »An diesem Abend hatte sie ihr viertes Treffen mit einem Mann namens Anton oder wie immer er in Wirklichkeit heißen mag. Irgendjemand muss sie gesehen haben.« Dann wandte er sich an DC Nicholas.

»Nick, Sie stellen ein Team aus Spezialisten und Polizisten zusammen, das mit diesem Foto sämtliche Restaurants, Bars und Kneipen in Brighton and Hove abklappern soll. Okay?«

Nicholas nickte.

»Bella, Janie Strettons Vater hat mir erzählt, ihr letzter Freund habe Justin Remington geheißen, hat in London mit Immobilien zu tun. Finden Sie heraus, was er uns zu sagen hat.«

Sie nickte.

»Emma-Jane, wie ist es mit den Insektenhändlern gelaufen?«

»Ich habe insgesamt sechzehn in Großbritannien ermittelt. Manche verkaufen nur übers Internet, aber es gibt auch sieben Züchter. Einer in Bromley hört sich viel versprechend an. Bei ihm hat ein Mann mit osteuropäischem Akzent vor zehn Tagen einen Skarabäus bestellt.«

»Wunderbar! Und?«

»Ich habe einen Termin für morgen.«

»Ich fahre mit.«

Grace schaute auf seine Notizen. »Norman, wir haben den Anrufbeantworter aus der Wohnung des Opfers mitgenommen. Ich lasse ihn von der Technikabteilung untersuchen. Sie überprüfen bitte eventuelle Ergebnisse.«

»Tolle Weiber?«

»Lassen Sie sich überraschen.«

»Prima Sache, dieser Begleitservice, wenn sie solche Prachtmädel wie Janie Stretton in der Kartei haben.«

Grace beachtete ihn nicht weiter. »Morgen früh um halb neun hier. Tut mir Leid, wenn ich euch das Wochenende verderbe.«

Bei diesen Worten mied er vor allem Glenn Bransons Blick. Glenns Frau hatte allmählich die Nase voll von den zahllosen Überstunden ihres Mannes, doch das gehörte eben dazu. Wenn man sich für die Polizei entschied, wurde man von Vater Staat bezahlt und musste ihm dafür sein Privatleben opfern.

Na gut, vielleicht stand es nicht im Vertrag, aber die Realität sah so aus. Wer ein Privatleben wollte, der war definitiv im falschen Beruf gelandet.

31

IN BRIGHTON WAR ES WINDIGER als in London, aber warm genug, um draußen zu sitzen.

Aus dem CD-Spieler, der in den Grill integriert war, dröhnte *Girls Aloud*, und eine digitale Lightshow blitzte rhythmisch dazu. Jessica und Kellie tanzten wild auf der Wiese und amüsierten sich prächtig.

Max inspizierte den Grill und begegnete ihm so ehrfürchtig, als wäre ein fremdes Raumschiff im Garten gelandet. Genauso sah der Grill aber auch aus.

Er war zweieinhalb Meter breit, futuristisch geschwungen und bestand aus Edelstahl, mattiertem Aluminium und einer Art schwarzem Marmor. Dazu gehörten ausgesprochen bequeme ausklappbare Stühle. Er erinnerte eher an die Bar eines hypermodernen Londoner Hotels, in dem sich Tom schon mal mit Klienten traf, als an eine Vorrichtung zum Grillen von Würstchen.

»Wozu ist das da, Daddy?«, fragte Max und deutete auf eine Digitalanzeige.

Tom stellte sein Glas Rosé ab und blätterte in der Bedienungsanleitung, die den Umfang eines Londoner Telefonbuchs hatte. »Ich glaube, es misst die Temperatur innen im Fleisch.«

Max klappte den Mund auf und zu und schien sichtlich beeindruckt. Dann runzelte er die Stirn. »Und wie merkt es das?«

Tom öffnete eine Klappe und zeigte ihm einen Spieß. »Im Spieß ist ein Sensor, der die Innentemperatur misst. Wie ein Thermometer.«

»Wow!« Max' Augen leuchteten auf, doch dann wurde er wieder nachdenklich und trat ein paar Schritte zurück. »Bisschen groß, oder?«

»Bisschen.«

»Mami hat gesagt, wir ziehen vielleicht bald um, dann haben wir einen größeren Garten, wo er besser reinpasst.«

»Hat sie das gesagt?«

»Ja, genau so. Spielst du Lastwagenrennen mit mir?«

»Ich muss jetzt grillen, wir wollen doch gleich essen. Hast du denn keinen Hunger?«

Max verzog den Mund. Er überdachte jede Frage gründlich, so einfach sie auch sein mochte. Das gefiel Tom, er nahm es als ein Zeichen von Intelligenz. Bislang schien der Junge den Leichtsinn seiner Mutter nicht geerbt zu haben.

»Hm, ja, kann sein, dass ich gleich Hunger kriege.«

»Ehrlich?« Tom streichelte ihm zärtlich den Kopf.

Max wich aus. »Du machst meine Frisur kaputt!«

»Meinst du?«

Er nickte feierlich.

»Für mich sieht sie aus wie ein Vogelnest.«

Max wirkte noch feierlicher. »Ich glaube, du bist betrunken.«

Tom sah ihn entsetzt an. »Ich? Betrunken?«

»Das ist dein drittes Glas.«

»Hast du etwa mitgezählt?«

»In der Schule haben sie uns erklärt, dass es nicht gut ist, wenn einer zu viel Wein trinkt.«

Nun war Tom richtig entsetzt. Schickte der Staat die Kinder jetzt schon los, um die Trinkgewohnheiten ihrer Eltern auszuspionieren? »Wer hat das gesagt, Max?«

»Eine Frau.«

»Eine Lehrerin?«

Er schüttelte den Kopf. »Eine Ökotologin.«

Tom roch den köstlichen Grillduft, der von den Nachbarn herüberwehte. Ihm selbst war es noch nicht gelungen, auch nur das Gas einzuschalten. »Eine *Ökotologin*?«

»Sie hat erzählt, welches Essen gut ist.«

»Ach so, du meinst eine Ökotrophologin?«

Max dachte nach und nickte dann. »Können wir noch eben Lastwagenrennen spielen? Nur ein ganz kleines bisschen?«

Schließlich hatte Tom den Knopf zum Ein- und Ausschalten gefunden. Laut Bedienungsanleitung sollte man den Grill einschalten und zwanzig Minuten abwarten. Kellie und Jessica waren völlig ins Tanzen vertieft, also gab er nach.

»Aber nur ein Spiel.«

»Versprich mir, dass du nicht gewinnst.«

»Das wäre aber nicht fair, oder?«, meinte Tom und folgte ihm nach drinnen. »Außerdem verliere ich auch so immer gegen dich.«

Max musste kichern und rannte vor seinem Vater die Treppe hinauf.

Tom warf in der Küche einen Blick auf den Fernseher und füllte sein Weinglas nach. Falls Kellie nicht an der Flasche gewesen war, hatte Max sich geirrt; es war nicht Toms drittes, sondern sein viertes Glas gewesen. Die Flasche war leer. Am Montag würde er den Rektor anrufen und fragen, was zum Teufel er sich dabei dachte, wenn er Kinder ermutigte, die Trinkgewohnheiten ihrer Eltern zu kontrollieren.

»Du kannst jede Farbe außer Grün haben, Daddy«, rief Max aus seinem Zimmer. »Das nehme ich nämlich, okay?«

»Alles klar!«

Das erste Rennen gewann Max ohne Mühe, denn Tom konnte sich einfach nicht auf Fernsteuerung und Rennstrecke konzentrieren. Er baute in der ersten Kurve des zweiten Rennens einen Unfall und kam bei nächster Gelegenheit erneut von der Fahrbahn ab, sodass Reifen und Strohballen nur so flogen. Zuletzt überschlug er sich und landete auf der Tribüne.

Seit er das Foto von Janie Stretton im *Evening Standard* und dann in den Sechs-Uhr-Nachrichten gesehen hatte, war er wie betäubt umhergelaufen.

Er konnte nicht länger ignorieren, was geschehen war. Andererseits fürchtete er die Drohung der E-Mail, die seinen Computer lahm gelegt hatte. Diese Leute meinten es ernst.

Besaß er denn überhaupt nützliche Informationen, die der Polizei helfen würden? Er hatte nur einige wenige Minuten eines Films gesehen, in dem die junge Frau von einer Gestalt mit Kapuze erstochen wurde.

Durfte er seine Familie derart in Gefahr bringen?

Er zermarterte sich das Hirn. Und kam doch jedes Mal zu dem Schluss, dass seine Beobachtungen der Polizei durchaus helfen würden. Warum sonst hatte man ihn bedroht?

Er musste unbedingt mit Kellie darüber sprechen. Aber würde sie auch glauben, dass er die CD-ROM völlig arglos in seinen Computer eingelegt hatte?

Wenn sie nun dagegen war, dass er zur Polizei ging? Würde er dann trotzdem auf sein Gewissen hören?

Helden waren für ihn immer jene Menschen gewesen, die offen für ihre Überzeugungen eintraten.

Er betrachtete Max, der mit wachen Augen auf den Bildschirm blickte und dessen geschickte Finger über die Fernsteuerung huschten, während sein Laster über die Rennbahn sauste. Die Musik von draußen wurde leiser, er hörte Jessica fröhlich lachen.

Es ging doch auch um sie.

Hatte er denn das Recht, ihr Leben in Gefahr zu bringen, nur weil er seinen Prinzipien treu bleiben wollte? Was hätte sein Vater in dieser Lage getan?

In solchen Augenblicken fehlte er ihm. Hätte er ihn doch nur um Rat fragen können.

Sein Vater war ein anständiger Mann gewesen, der als Vertreter für eine deutsche Firma gearbeitet hatte, die Reinigungsbürsten für die Industrie herstellte. Ein großer, sanfter Mann, der als Küster in der anglikanischen Kirche diente. Er ging jeden Sonntag seines Lebens zur Messe, und als Dank trennte ihm im Alter von vierundvierzig Jahren die Heckklappe eines Milchlasters auf der M1 den Kopf ab.

Sein Vater hätte ihn aus christlicher Sicht beraten können, aus der Sicht eines verantwortungsbewussten Bürgers, der der Polizei gewiss melden würde, was er gesehen hatte. Doch Tom hatte den Glauben seines Vaters nie teilen können.

Er beschloss, Kellie zu fragen. Sie war klug. An ihr Wort würde er sich halten.

32

DAS MIT UNGELENKER HAND geschriebene Plakat, welches mit Klebeband an der Tür befestigt war, verkündete: *BRENT MAC-KENZIE – DER WELTBERÜHMTE HELLSEHER. NUR HEUTE ABEND!* Darüber klebte ein neongelber Streifen: *LEIDER AUSVERKAUFT!*

Von außen wirkte das Gebäude nicht sonderlich viel versprechend. Grace hatte einen größeren Rahmen erwartet, doch das ganzheitliche Zentrum Brighton schien nur aus einem kleinen Eckladen zu bestehen, der in schrillem Rosa gestrichen war.

An der Tür stand eine Frau, die eine schwarze Tunika über grauen Leggings trug und die Eintrittskarten entwertete. Grace hatte seine bereits vor mehreren Wochen gekauft.

Er war nervös und spürte ein beunruhigendes Kribbeln, das ihn um sein übliches Selbstvertrauen brachte. So war es immer, bevor er ein Medium oder einen Hellseher traf. Die gespannte Erwartung. Die tief sitzende Hoffnung, dass es diesmal anders wäre, dass man ihm diesmal nach so langen Jahren endlich einen Hinweis liefern würde.

Eine Botschaft, einen Ort, irgendein Zeichen.

Etwas, das ihm sagen würde, dass Sandy noch lebte. Das war das Allerwichtigste. Gewiss, es würden viele weitere Fragen folgen, doch zuerst einmal brauchte er diese eine grundlegende Information.

Vielleicht bekam er sie ja heute.

Er folgte drei plappernden Mädchen die schmale Treppe hinauf. Sie sahen aus wie Schwestern. Er kam an einer unlackierten Tür vorbei, auf der *RUHE BITTE, THERAPIE LÄUFT* zu lesen stand, und betrat ein Zimmer, in das man etwa zwanzig zusammengewürfelte Plastikstühle gequetscht hatte. Blaue Jalousien, Blumentöpfe in Regalen, ein Kunstdruck mit einer provenzalischen Landschaft an der Wand.

Die meisten Plätze waren bereits besetzt. Zwei junge Mädchen mit ihrer Mutter, einer puddinggesichtigen Dame in schlabbrigem Stricktop, die den Tränen nahe schien. Daneben eine langhaarige Erdmutter um die siebzig, die ein geblümtes Oberteil, einen Jeansrock und eine Brille von der Größe einer Tauchermaske trug.

Grace setzte sich neben zwei Männer Ende zwanzig. Einer war stark übergewichtig und starrte Kaugummi kauend geradeaus. Der andere war zwar viel dünner, schwitzte aber übermäßig und hielt eine Dose Pepsi wie eine Trophäe in der Hand.

Ein weiteres Mutter-Tochter-Paar betrat den Raum und nahm auf den beiden freien Stühlen links von ihm Platz. Die Tochter hatte sich mächtig aufgetakelt und roch nach einem Parfum, das

Grace an Toilettenreiniger erinnerte. Die Mutter hatte sich ähnlich herausgeputzt und sah aus wie ein am Computer erstelltes, künstlich gealtertes Bild der Tochter. Grace kannte diese Technik, die man häufig bei der Suche nach Vermissten einsetzte. Vor einem Jahr hatte er ein Foto von Sandy behandeln lassen und war vollkommen erschüttert gewesen, wie sehr sich ein Mensch in nur acht Jahren verändern konnte.

Erwartungsvolle Spannung lag in der Luft. Grace schaute in die Gesichter der Fremden und fragte sich, aus welchen Gründen sie hier sein mochten. Vermutlich hatten sie kürzlich einen Menschen verloren, manche mochten auch verlorene Seelen sein, die sich einfach nach geistiger Führung sehnten. Und sie alle hatten zehn Pfund bezahlt, um sich von einem Wildfremden ohne medizinische oder psychologische Vorbildung Dinge erzählen zu lassen, die ihr Leben verändern konnten.

Brent Mackenzie würde natürlich behaupten, dass die Geister durch ihn sprachen. Grace kannte das alles zur Genüge.

Und doch kam er immer wieder.

Es war wie eine Droge. Noch ein Schuss, dann wollte er aufhören. Doch er würde natürlich nie aufhören, nicht bevor er die Wahrheit über Sandys Verschwinden erfahren hatte.

Roy Grace wusste, dass er seinen Ruf aufs Spiel setzte, indem er sich mit Medien und Hellsehern abgab; andererseits war er bei weitem nicht der einzige britische Polizeibeamte, der so etwas tat. Und ungeachtet aller zynischen Stimmen glaubte er fest an übernatürliche Kräfte. Er konnte nicht anders, denn er selbst hatte als Kind mehrfach zwei Geister gesehen.

Damals hatte er jeden Sommer seine Tante und seinen Onkel besucht, die in Bembridge auf der Isle of Wight lebten. Aus dem eleganten Stadthaus gegenüber pflegten ihm zwei reizende alte Damen von einem Erkerfenster im obersten Stock zuzuwinken. Erst Jahre später fand er zufällig heraus, dass das Haus seit über dreißig Jahren leer stand.

Die beiden winkenden Damen hatten 1947 Selbstmord begangen. Und er hatte sich das alles keineswegs eingebildet, denn andere Leute – darunter Onkel und Tante – hatten sie ebenfalls gesehen.

Im Publikum war es jetzt still; ein Handy kündigte piepsend eine SMS an, worauf die Erdmutter in ihrer Makramee-Tasche wühlte und mit schamrotem Gesicht das Telefon ausschaltete.

Dann schlenderte der Hellseher herein. Er sah aus wie ein Mann, der im Pub das Pissoir sucht. Um die vierzig, groß, orangenes Schlabber-T-Shirt, Perlenkette, rehbraune Hose und glänzend weiße Turnschuhe. Kurz rasiertes Haar, Dreitagebart, Boxernase und ansehnlicher Bierbauch. Einen Moment lang schien er gar nicht zu bemerken, dass er einen überfüllten Raum betreten hatte, denn jetzt richtete Brent Mackenzie den Blick auf die Jalousien und begann zu sprechen. Seine Stimme klang dünn, viel zu hoch für einen Mann seiner Statur, dabei aber würdevoll. »Heute Abend arbeite ich nicht mit meinem Gedächtnis. Ich möchte für Sie alle mein Bestes geben. Heute Abend habe ich für jeden von Ihnen eine Botschaft, das verspreche ich.«

Grace sah sich um und blickte in ein Meer schweigender, hingerissener Gesichter.

»Meine erste Botschaft ist für eine Dame namens Brenda bestimmt.« Er drehte sich um. Die puddinggesichtige Mutter hob die Hand.

»Brenda, Liebes, da sind Sie ja! Ist es richtig, wenn ich sage, dass in Ihrem Leben eine Veränderung ansteht?«

Die Frau überlegte kurz und nickte dann begeistert.

»Genau das sagen mir auch die Geister. Eine große Veränderung, nicht wahr?«

Sie schaute nacheinander ihre Töchter an. Beide runzelten die Stirn. »Nein«, antwortete sie mit Blick auf den Hellseher.

Unbehagliche Stille. Mackenzie fuhr fort: »Wie ich höre, ist diese Veränderung einschneidender, als Sie glauben. Aber keine Sorge, Sie tun das Richtige.« Er nickte beruhigend, schloss die Augen und trat einen Schritt zurück.

Ein typischer Trick, um das, was nicht zutraf, entsprechend anzupassen. Grace fühlte sich nicht wohl in seiner Haut.

»Ich habe eine Botschaft für eine Margaret«, sagte Brent Mackenzie und öffnete die Augen. Eine mausgraue Frau Ende dreißig hob die Hand.

»Sagt Ihnen der Name Ivy etwas?«

Die Frau schüttelte den Kopf.

»Na gut. Und was ist mit Irland?«

Erneutes Kopfschütteln.

»Die Geister sind sich sehr sicher, was Irland angeht. Ich glaube, Sie werden bald dorthin fahren, auch wenn es Ihnen noch nicht bewusst ist. Die Rede ist von Cork. Jemand in Cork wird Ihr Leben verändern.«

Sie schaute ihn ausdruckslos an.

»Ich komme später noch einmal auf Sie zurück, Margaret«, sagte der Hellseher. »Man hat mich unterbrochen – in der Geisterwelt geht es mitunter ziemlich grob zu. Sie werden ungeduldig, wenn sie für jemanden eine Botschaft haben. Hier kommt eine für Roy.«

Grace fuhr zusammen, als hätte er den Finger in die Steckdose gehalten. Brent Mackenzie kam mit funkelndem Blick auf ihn zu. Er spürte, wie er rot wurde und die Fassung verlor. Als der Hellseher vor ihm stehen blieb, kam er sich auf einmal sehr klein vor.

»Bei mir ist ein Herr, der Ihr Vater sein könnte. Er zeigt mir ein Abzeichen, das er getragen hat. Hat das etwas zu bedeuten?«

Kann sein, dachte Grace, *aber von mir bekommst du keinen Hinweis. Ich bezahle dich, damit du mir etwas sagst.*

Er schaute ihn ungerührt an.

»Er zeigt mir seinen Helm. Ich glaube, er war Polizist, bevor er starb. Ist er tot?«

Grace nickte zögernd.

»Er sagt, er sei sehr stolz auf Sie, aber Sie machten eine schwere Zeit durch. Jemand steht Ihrer Karriere im Weg. Er zeigt mir eine Frau mit kurzem blonden Haar. Heißt sie zufällig Vespa, so wie der Motorroller?«

Grace war wie gebannt. *Alison Vosper?* Er wollte unbedingt mit dem Mann sprechen, ihm den Namen Sandy nennen, doch ihm fehlte der Mut. Außerdem wollte er Brent Mackenzie nicht in die Hände spielen. Würde er ihm etwas über Sandy verraten können, hatte sein Vater vielleicht eine Botschaft, die sie betraf?

»Ihr Vater zeigt mir etwas, Roy. Ein kleines Insekt. Sieht wie ein Käfer aus. Er ist erregt wegen dieses Käfers. Ich höre ihn sehr undeutlich …« Der Hellseher legte die Hände an den Kopf, wandte sich ab und schaute dann wieder nach vorn. »Tut mir Leid, ich verliere ihn. Er sagte, er könne etwas retten.«

Grace fand endlich den Mut, sich zu äußern. »Was genau kann er retten?«

»Tut mir Leid, Roy, ich habe ihn verloren.« Das Medium schaute jemand anderen an. »Ich habe eine Nachricht für Bernie.«

Grace hörte kaum noch hin. Zwei Treffer, sein Vater und der Käfer. *Er sagte, er könne etwas retten.*

Am Ende der Sitzung würde er sich den Hellseher schnappen, so müde er auch sein mochte, und ihn ausquetschen.

Was hatte der Mann gemeint? Was zum Teufel konnte er retten? Seine Karriere? Ein Menschenleben?

Zu seinem Erstaunen erwartete ihn Brent Mackenzie in einem langen Anorak schon unten an der Treppe.

»Roy, nicht wahr?«

Er nickte.

»Es ist nicht meine Art, aber könnten wir unter vier Augen miteinander sprechen?«

»Sicher doch.«

Grace folgte ihm in ein winziges Behandlungszimmer mit Schreibtisch, Stühlen und weißen Kerzen. Der Hellseher schloss die Tür und wirkte in dem engen Raum noch größer als zuvor. Er setzte sich nicht.

»Es tut mir Leid, dass die Sitzung so unbefriedigend verlaufen ist. Aber ich wollte vor den Leuten nicht zu viel sagen, manche Dinge sind eben vertraulich. Es kommt nicht oft vor, aber bei Ihnen habe ich ein wirklich schlechtes Gefühl aufgenommen. Ich rede von diesem Käfer, den ich gesehen habe, der geht mir einfach nicht aus dem Kopf. Er sah aus wie einer aus diesen altägyptischen Schriften.«

Grace schaute zu ihm hoch. »Ein Skarabäus?«

»Genau den meine ich.«

»Ich kann nicht darüber sprechen, es hat mit meiner Arbeit zu tun.«

»Sie sind bei der Polizei, nicht wahr?«

»Merkt man das?«

Der Hellseher lächelte. »Ich war selber zehn Jahre dabei. Kripo Manchester.«

»Ehrlich?«

»Ja, ist eine lange Geschichte. Die hebe ich mir für nächstes Mal auf. Die Sache ist die, Kollege, Sie befinden sich in echter Gefahr. Hat mit diesem Skarabäus zu tun. Passen Sie gut auf sich auf.«

33

BIS TOM ENDLICH BEGRIFFEN HATTE, wie man den Grill anzündete, war für die Kinder schon Schlafenszeit. Und als er ihre Würstchen und Burger gegrillt hatte, schlief Jessica schon tief und fest, und Max quengelte nur noch herum.

Er selbst hatte zu viel Rosé getrunken und musste noch das Angebot über fünfundzwanzig Rolex Oyster mit dem in einem Microdot gravierten Logo fertig stellen und an Ron Spacks mailen. Der DVD-Gigant hatte bestätigt, dass es ihm ernst sei mit dem Auftrag, und Tom hatte das Angebot für diesen Abend zugesagt. Er hatte eine legale Bezugsquelle aufgetan, die Spacks einen Sonderpreis einräumen und ihm selbst an die 75 000 Pfund Profit einbringen würde. Das wäre nicht nur ein tolles Geschäft, sondern auch ein Riesenschub für seine Firma und sein Privatleben.

Er schaute liebevoll zu Kellie, die vor dem Fernseher hockte und zusah, wie Jonathan Ross einen Rockstar interviewte, dessen Namen er noch nie gehört hatte. Lady wartete wie üblich mit der Leine in der Schnauze vor der Tür.

Tom schleppte sich die Treppe hinauf und klammerte sich ans Geländer, als bestiege er den Mount Everest.

Schweren Herzens ging er ins Arbeitszimmer, um die Zahlen für Ron Spacks fertig zu stellen.

Nachdem er sie überprüft hatte, las er die Mail noch einmal sorgfältig durch und schickte sie ab. Er ging nach unten, wo Jonathan Ross sich inzwischen über Dödelgrößen ausließ. Kellie schlief tief und fest, das leere Weinglas auf dem Boden, neben sich auf dem Sofa eine angebrochene Schachtel Cadbury-Schokolade.

Nachdem sie die Kinder zu Bett gebracht hatten, hatte er ihr von der Website, der nachfolgenden E-Mail und dem Zeitungsfoto von Janie Stretton erzählt.

Sie hatten zusammen die Nachrichten gesehen, in denen über die arme junge Frau berichtet wurde. Grausige Aufnahmen von der polizeilichen Suchaktion in Peacehaven und der Aufruf eines Detective Superintendent Roy Grace von der Kripo Brighton, dass sich jeder, der zur Aufklärung beitragen könne, unbedingt melden solle.

Kellie hatte ihn wirklich überrascht. Er glaubte, dass ihr die Sicherheit ihrer Familie über alles gehen würde, vor allem, nachdem sie von der bedrohlichen E-Mail erfahren hatte.

Doch sie hatte ihre Entscheidung nach wenigen Minuten getroffen. »Stell dir vor, es wäre Jessica als junge Frau. Stell dir vor, wir wären die Eltern und hofften auf Gerechtigkeit. Und du wärst ein Zeuge, vielleicht sogar der einzige Zeuge. Der Mörder könnte nur dann gefasst werden, wenn du dich meldest. Und nur du könntest weitere Morde verhindern. Stell dir vor, Jessica würde von jemandem ermordet, der nur deswegen nicht verhaftet wird, weil ein Zeuge sich nicht getraut hat, zur Polizei zu gehen.«

Tom holte aus der Küche eine Flasche seines bevorzugten Bowmore Whisky und schenkte sich großzügig ein. Er hatte sich fest vorgenommen, Kellies Entscheidung zu akzeptieren.

Allerdings hatte er damit gerechnet, dass ihr die Sicherheit der Familie wichtiger sein würde, selbst wenn das hieße, untätig zu bleiben. Stattdessen beharrte sie darauf, er müsse ungeachtet der Konsequenzen zur Polizei gehen.

Er setzte sich auf einen Küchenhocker und betrachtete sich in der Fensterscheibe. Ein gebeugter Mann, der sein Glas an die Lippen hob und trank, das Glas wieder abstellte.

Ein Mann, der völlig verzweifelt wirkte.

Tom trank den Whisky aus und ging ins Wohnzimmer, um Kellie zu wecken. Sie mussten noch einmal miteinander reden.

Das Gespräch zog sich bis in die Nacht, und Tom legte sich irgendwann erschöpft ins Bett, war um drei Uhr aber immer noch wach. Und um vier. Warf sich hin und her. Mit ausgedörrtem Mund und rasenden Kopfschmerzen.

Heute Nacht waren sie noch sicher. Heute Nacht musste er sich, nicht um irgendwelche Drohungen kümmern. Kellie war der Meinung, die Polizei werde schon für ihre Sicherheit sorgen. Tom hingegen hatte da so seine Zweifel.

Der Morgen dämmerte. Um fünf hörte er das Zischen von Reifen, ein Jaulen, scheppernde Flaschen. Noch eine Stunde, dann würden sich die Kinder rühren und ins Schlafzimmer stürmen. Es war Samstag, normalerweise sein Lieblingstag.

Kellie hatte gesagt, er könne die Polizei um Diskretion bitten. Wie sollte denn überhaupt jemand herausfinden, dass er es war, der mit der Kripo gesprochen hatte?

»Alles okay, Schatz?«, fragte sie unvermittelt.

»Ich bin noch wach, hab kein Auge zugetan.«

»Ich auch nicht.«

Er drückte ihre Hand. Sie drückte zurück. »Ich liebe dich«, sagte er.

»Ich dich auch.« Und dann: »Hast du dich entschieden?«

Er schwieg einen Moment. »Ja«, sagte er leise.

34

ROY GRACE VERBRACHTE EBENFALLS eine schlaflose Nacht. In seinem Kopf rotierten diverse Dinge, die er für die Soko Nachtigall überprüfen musste, wie auch die Worte von Brent Mackenzie.

Die Sache ist die, Kollege, Sie befinden sich in echter Gefahr. Hat mit diesem Skarabäus zu tun. Passen Sie gut auf sich auf.

Was hatte der Hellseher damit gemeint? Vielleicht war es nur eine Ahnung der Unruhe gewesen, die der Skarabäus in Grace ausgelöst hatte.

Dann kehrten seine Gedanken wieder zu Janie Stretton zurück. Er verdrängte die Erinnerung an ihren verzweifelten Vater, er war mit der Zeit womöglich abgehärteter geworden, als ihm lieb war.

Dennoch war es die einzige Möglichkeit, solche Dinge zu verarbeiten. Er dachte an das, was man ihr angetan hatte. Worin lag der Sinn, ihren Kopf mitzunehmen, aber eine Hand zurückzulassen? Es musste doch eine Botschaft dahinter stecken. Aber an wen? Die Polizei? Oder war der Kopf eine Art perverser Trophäe gewesen?

Und wozu der Skarabäus?

Wollte der Mörder – oder die Mörderin – besonders intellektuell wirken?

Als Nächstes kam ihm Alison Vospers Warnung in den Sinn, die von seiner letzten Chance gesprochen hatte. Wenn er seine Stelle behalten und in Brighton bleiben wollte, musste er Janies Mörder finden und durfte sich dabei keine Fehltritte leisten, keine Schlagzeilen über Polizisten, die sich mit Okkultismus abgaben, und Verdächtige, die bei Verfolgungsjagden umkamen.

Er musste alles und jeden mit Samthandschuhen anfassen. Auf dem Wasser zu wandeln wäre vermutlich leichter.

Um sechs Uhr früh hatte Grace genug vom morgendlichen Vogelchor, den scheppernden Milchflaschen, dem fernen Hundegebell und dem ganzen Mist in seinem Kopf.

Roy schob die Bettdecke weg, setzte sich einen Augenblick auf die Bettkante und rieb die schmerzenden Augen. Er hatte höchstens eine halbe Stunde geschlafen, wenn überhaupt. Und war an diesem Abend verabredet. Was ganz, ganz wichtig war.

Auch deswegen hatte er so wenig geschlafen. Er war aufgeregt wie ein blöder Teenager! Aber er konnte nicht anders, er wusste nicht mehr, wann er sich zuletzt so gefühlt hatte.

Er trat ans Fenster, lüpfte den Vorhang und schaute hinaus. Der Himmel war wie eine makellose blaue Leinwand, es würde ein schöner Tag werden.

Samstagmorgen. Er erinnerte sich an seine früheren Morgenläufe, von denen er Sandy immer die *Daily Mail* und ein Mandelcroissant aus der Bäckerei in der Church Road mitgebracht hatte.

Er zog den Vorhang ganz zurück, Sonnenschein flutete herein. Und zum ersten Mal seit vielen Jahren konnte er das Zimmer in einem neuen Licht betrachten.

Er sah das Schlafzimmer einer Frau, das in verschiedenen Rosa-

154

tönen gehalten war. Eine viktorianische Frisierkommode aus Mahagoni (ein Schnäppchen von einem Stand auf dem Markt in der Gardner Street), auf der sich lauter weiblicher Krimskrams befand: Haarbürsten, Kämme, Schminkutensilien und Parfumflaschen. Ein gerahmtes Foto von Sandy im Abendkleid und ihm selbst mit schwarzer Krawatte, wie sie neben dem Kapitän der *SS Black Watch* standen. Es war ihre einzige Kreuzfahrt gewesen.

Neben dem Bett die Pantöffelchen mit den Pompons. Das Nachthemd an einem Haken. Was würde eine andere Frau empfinden, wenn sie in dieses Zimmer käme, dachte er plötzlich.

Was würde Cleo denken?

Er hatte es sich nie eingestanden, doch in diesem Haus schien die Zeit stillzustehen. Alles war noch genau so wie an jenem Tag, an dem sich Sandy buchstäblich in Luft aufgelöst hatte.

Er ging nach unten in die Küche und überlegte, ob er zuerst einen Tee trinken oder laufen sollte. Sein Goldfisch zog wie immer seine Runden im Kugelglas.

»Tag, Marlon!«, sagte Grace munter. »Bisschen Frühsport? Hast du Hunger?«

Marlon öffnete und schloss das Maul. Ein eher schweigsamer Typ.

Er füllte den Wasserkessel, zog einen Stuhl heran und setzte sich an den Küchentisch. Dann schaute er sich auch in diesem Raum nach Spuren von Sandy um. Bis auf den silberfarbenen Kühlschrank war fast alles in Rot gehalten. Backofen und Spülmaschine, die Griffe an den weißen Schränken, Herd, Türknäufe, alles rot. Selbst der Küchentisch war rot-weiß. Sandys Geschmack. Damals war es die Modefarbe schlechthin gewesen, inzwischen wirkte es aber ein wenig antiquiert, und die Keramikoberflächen waren angeschlagen. Manche Türen hingen schief in den Scharnieren. Die lackierten Flächen waren zerkratzt und schmutzig.

Er wusste, dass er in einer Wohnung besser aufgehoben wäre. Das Haus war für ihn, Marlon und Sandys Geist einfach zu groß.

Grace öffnete den Schrank unter der Spüle und holte eine Rolle mit schwarzen Müllbeuteln heraus. Er riss einen ab, griff nach einem Foto von sich und Sandy und schaute es einen Moment an. Ein Fremder hatte es mit Grace' Kamera in den Flitterwochen geschossen. Oben auf dem Vesuv. Sandy und er waren verschwitzt vom Aufstieg, hinter ihnen erkannte man den Krater mit seinen tief hängenden grauen Wolken.

Er legte das Foto in den Müllbeutel, hielt dann aber inne, als erwarte er einen Blitzschlag.

Nichts geschah.

Dann überlegte er es sich doch noch einmal, holte das Foto wieder aus dem Müllbeutel und stellte es zurück ins Regal. Es würde komisch aussehen, wenn er gar keine Fotos hätte.

Im Schlafzimmer warf er Sandys Haarbürste in den Müllbeutel, dazu alle Gegenstände von der Frisierkommode und aus dem Bad. Den Müllbeutel stellte er in das überzählige Zimmer, das sie als Abstellraum genutzt hatten, gleich neben einen leeren Koffer.

Danach zog er Shorts, ein ärmelloses Trikot und Turnschuhe an, steckte einen gefalteten Fünf-Pfund-Schein ein und lief los.

Seine Strecke führte ihn den Kingsway hinunter, eine breite vierspurige Straße, die an der Küste von Hove entlang verlief. Nach einigen hundert Metern begannen die Wohnkomplexe und Hotels, manche modern, andere noch im viktorianischen oder Regency-Stil erbaut, die sich an der gesamten Promenade entlangzogen. Gegenüber lagen zwei kleine Bootsteiche, ein Spielplatz, Rasenflächen, die Strandhütten und der Kiesstrand. Ein Stück weiter östlich sah man die Überreste des alten West Pier.

Die Straßen waren verlassen, und Grace kam sich vor, als gehörte ihm die Stadt ganz allein. An den Wochenenden lief er gerne früh. Jetzt herrschte Ebbe, die Sonne stand schon hoch am Himmel. Weit draußen stakste ein Mann mit einem Metalldetektor durchs Watt. Ein Containerschiff schien reglos am Horizont zu verharren.

Ein Fahrzeug der Straßenreinigung fuhr langsam heran, die Bürsten rotierten und sammelten die Abfälle der letzten Nacht ein, Fastfood-Verpackungen, Coladosen, Zigarettenkippen und vereinzelte Injektionsnadeln.

Grace blieb mitten auf der Promenade stehen, nicht weit entfernt von einem Stadtstreicher, der auf einer Bank schlief, und begann mit seinen Dehnübungen. Er atmete tief ein und roch den vertrauten Geruch vom Meer, eine Mischung aus Salz, Rost und Teer,

156

alten Seilen und fauligem Fisch, den die Pensionswirtinnen von Brighton in ihren Werbeprospekten früher gern als *Ozon* bezeichnet hatten.

Dann startete er seinen Zehn-Kilometer-Lauf zum Jachthafen und wieder zurück. Auf dem letzten Stück lief er immer durch die Church Road in Hove, eine geschäftige Einkaufsstraße, wo er in einem Lebensmittelladen Milch, eine Zeitung und irgendeine Illustrierte kaufte, um sich noch ein paar Anregungen für sein Abendoutfit zu holen.

Vor der Ladentür blieb er schwitzend stehen, erfrischt und erschöpft zugleich nach der schlaflosen Nacht. Er machte erneut seine Dehnübungen und begab sich in die Presseecke, wo ihm sofort die Schlagzeile des *Argus* ins Gesicht sprang.

RÄTSELHAFTER SKARABÄUS-MORD AN JURASTUDENTIN.

Wütend riss er eine Zeitung aus dem Ständer und entdeckte das Foto von Janie Stretton, das er gestern freigegeben hatte. Darunter befand sich die kleinere Aufnahme eines Skarabäus-Käfers.

Die Kripo Sussex wollte gestern nicht bestätigen, dass ein seltener Skarabäus-Käfer, der nicht auf den Britischen Inseln vorkommt, einen wertvollen Hinweis auf Janie Strettons Mörder liefern könnte. Für nähere Erläuterungen stand der leitende Ermittler Detective Superintendent Roy Grace leider nicht zur Verfügung …

Grace starrte auf die Seite und wurde immer wütender. *Nicht zur Verfügung?* Niemand hatte ihn um irgendeine Bestätigung gebeten. Und er hatte strikte Anweisung gegeben, der Presse nichts von der Entdeckung des Käfers zu sagen.

Wie zum Teufel war das bloß durchgesickert?

35

GRACE DUSCHTE UND ASS rasch eine Schüssel Müsli. Dann zog er, obwohl es Samstag war, einen dunklen Anzug mit weißem Hemd und dezenter Krawatte an – er wusste nicht, was der Tag bringen und wem er begegnen würde – und traf in übelster Laune in der Soko-Zentrale ein, bereit, den Nächstbesten bei lebendigem Leib zu rösten.

Das ganze Team erwartete ihn, und ihrem Gesichtsausdruck nach zu urteilen hatten seine Leute die Schlagzeile im *Argus* ebenfalls gelesen.

Er knallte die Zeitung auf den Schreibtisch und sagte statt einer Begrüßung: »Okay, wer ist für diese Scheiße verantwortlich?«

Glenn Branson, Nick Nicholas, Bella Moy, Emma-Jane Boutwood und Norman Potting schauten ihn ungerührt an.

Grace richtete einen anklagenden Blick auf Norman Potting. »Irgendeine Idee, Norman?«

»Der Artikel stammt von diesem Kevin Spinella«, knurrte der mit seiner tiefen Stimme. »Der Kerl macht doch immer Probleme, oder?«

Plötzlich merkte Grace, dass er in seiner Wut gar nicht auf den Verfasser geachtet hatte. Er war schlicht und einfach übermüdet, die schlaflose Nacht hatte ihn mitgenommen. Normalerweise half ein langer Dauerlauf, doch im Augenblick sehnte er sich nur nach einem starken Kaffee. Und es duftete verführerisch aus mehreren Tassen.

Kevin Spinella war neu bei der Zeitung, ein junger, bissiger Kriminalreporter, der versuchte, sich einen Ruf auf Kosten der Sussex Police zu erwerben. Grace und seine Kollegen waren schon öfter mit ihm aneinander geraten.

»Gut, Norman, Sie werden heute als Erstes diesen Mistkerl aufstöbern und herausfinden, woher er die Story hat.«

Der Detective Sergeant schnitt eine Grimasse und nippte an seinem Kaffee. »Vermutlich wird er sagen, dass er seine Quellen schützen muss«, sagte er aufreizend glatt.

Grace musste sich beherrschen, um den Mann nicht anzuschreien. Denn er wusste natürlich insgeheim, dass Potting Recht hatte.

»Roy, das Problem besteht darin, dass hundert Leute für die Suche herangezogen wurden. Jeder von ihnen kann geredet haben. Oder einer von der Spurensicherung. Oder aus dem Leichenschauhaus«, meinte Branson.

Was ebenfalls stimmte, das war einer der Nachteile bei personalintensiven Ermittlungen wie dieser. Alle waren neugierig, das lag einfach in der menschlichen Natur. Und es reichte aus, wenn einer unvorsichtig war, schon machten geheime Informationen die Runde.

Der Schaden war immens.

Er konzentrierte sich auf die Liste, die Bella Moy und Eleanor vorbereitet hatten und die während der Ermittlungen zweimal täglich aktualisiert wurde. Norman Potting riss ihn aus seinen Gedanken.

»Roy, vielleicht können wir diesem Spinella was anhängen.«

»Zum Beispiel?«

»Na ja, ich hab gehört, er soll ein warmer Bruder sein. Sie wissen schon, vom anderen Ufer.«

Grace ahnte Schlimmes. »Sie meinen, er ist schwul?«

»Eben das.«

Er schaute Potting streng an. Der Mann lebte wirklich hinter dem Mond. »Und wie genau sollte uns das helfen?«

Potting zog eine Bruyèrepfeife mit zerkautem Stiel aus der Anzugtasche und betrachtete sie mit geschürzten Lippen. »Ich frage mich, was der Herausgeber des *Argus*, der Volkes Stimme in Brighton and Hove vertritt, wohl davon hält, dass einer seiner Leute eine Tunte ist.«

Grace traute seinen Ohren nicht. »Norman, Brighton and Hove hat eine der größten schwulen Gemeinden in ganz Großbritannien. Ich glaube, er hätte nichts dagegen, wenn die gesamte Redaktion schwul wäre.«

Potting zwinkerte Emma-Jane vertraulich zu, in seinem Mundwinkel schimmerte ein Speicheltropfen. Er zeigte mit dem Daumen auf sich selbst: »Keine Sorge, Süße, zum Glück gibt es hier noch ein paar echte Männer. Sie müssen nur zugreifen.«

»Tu ich auch, wenn ich einen finde.«

»Norman, Ihre Ausdrucksweise ist völlig inakzeptabel«, sagte Grace. »Ich möchte Sie nach der Besprechung umgehend in meinem Büro sehen.« Dann wandte er sich wieder an sein Team. »Gut, E-J und ich haben um elf einen Termin auf der Insektenfarm in Bromley. Norman, Sie kümmern sich um Spinella und die Überprüfung des Anrufbeantworters.«

Er ging die Aufgaben aller Teammitglieder durch. Wenn alles gut ging, blieb am Nachmittag eine Stunde Zeit, um sich mit Glenn zu einem Einkaufsbummel zu treffen.

Er hatte ein etwas schlechtes Gewissen, weil er sich nicht ausschließlich auf den Fall Janie Stretton konzentrieren konnte, doch hatte er nach den furchtbaren letzten Jahren auch ein bisschen privates Glück verdient.

Sofort zog die Erinnerung an Sandy wie eine dunkle Wolke auf. Sie war immer präsent, hielt sich still im Hintergrund, und doch war ihm, als müsste er bei allem ihre Erlaubnis einholen. Er dachte schuldbewusst an die Dinge, die er erst vor wenigen Stunden in den schwarzen Müllbeutel geworfen hatte, und das nur für den Fall, dass er Cleo Morey mit nach Hause bringen würde.

Oder wollte er einfach mit der Vergangenheit aufräumen und Platz für die Zukunft schaffen?

Wenn er zur Abwechslung einmal Zeit hatte, würde er zu einem Makler gehen und das Haus zum Verkauf anbieten, Schluss, aus. Ihm war, als hätte jemand eine ungeheure Last von seinen Schultern genommen.

Glenn Bransons Telefon klingelte. Grace nickte auffordernd.

»Soko-Zentrale, DS Branson am Apparat. Was kann ich für Sie tun?«

»Wissen Sie, warum die meisten Männer vor ihren Frauen sterben?«, fragte Norman Potting völlig unvermittelt.

Grace wappnete sich für den nächsten Fauxpas.

»Weil es der letzte Ausweg ist«, sagte er und erntete nichts als Kopfschütteln.

Alle Frauen stöhnten auf. Glenn Branson drückte den Hörer an den Kopf und hielt sich das andere Ohr zu, weil er nichts verstehen konnte.

Potting schien seinen Witz als Einziger lustig zu finden und gackerte vor sich hin.

»Danke, Norman«, sagte Grace.

»Ich hab noch mehr davon auf Lager.«

»Darauf möchte ich wetten. Aber es ist Viertel vor neun am Samstagmorgen. Vielleicht können Sie noch ein paar zum Besten geben, wenn wir den Mörder gefasst haben.«

»Gute Idee«, sagte Potting nachdenklich, »das hat was für sich.«

Grace schaute ihn fassungslos an. Manchmal wusste er nicht, ob der Typ aalglatt oder einfach nur blöd war. Seine Erfahrung sagte ihm, dass vermutlich beides zutraf.

Branson, der diesmal eine teuer aussehende kragenlose Lederjacke zu einem schwarzen T-Shirt trug, kritzelte eine Nummer hin. »Zehn Minuten, ich rufe zurück. Keine Sorge, nein, auf jeden Fall, danke.«

Alle schauten ihn schweigend an. »Eine mögliche Spur«, meinte er. »Brauchbar?«

»Der Mann hat aus einer Telefonzelle angerufen, weil er sich nicht traute, von zu Hause aus zu telefonieren. Er war besorgt wegen eines Wagens, der ein Stück weiter parkte. Den will er zuerst überprüfen. Ich soll ihn in genau zehn Minuten zurückrufen.« Branson sah auf seine Uhr, ein massives Rechteck aus Edelstahl, die er bis zum Erbrechen herumzeigte. Es war eine russische Taucheruhr, die er in einem Szeneladen erstanden hatte und die als größte Armbanduhr der Welt galt. Grace hatte schon Standuhren mit kleinerem Zifferblatt gesehen.

Seitdem der Mord am Mittwoch bekannt geworden war, hatten sich bereits an die zweihundertfünfzig Leute gemeldet. Man war allen Anrufen nachgegangen, doch nur ein winziger Prozentsatz war zu gebrauchen. Nachdem der *Argus* über den Skarabäus berichtet hatte, würden die überregionalen Blätter die Story vermutlich aufnehmen, die Zahl der Anrufe in die Höhe treiben und der Polizei noch viel mehr Arbeit bescheren, weil sie die Durchgeknallten aussortieren musste.

»Zeitverschwendung oder brauchbar?«, fragte Grace.

»Er sagte, er habe womöglich den Mord an Janie Stretton mit angesehen.«

36

GRACE STEUERTE DEN NEUTRALEN MONDEO, neben sich Emma-Jane Boutwood in einem schicken dunkelblauen Kostüm. Sie hielt einen braunen Umschlag auf dem Schoß und darauf eine Wegbeschreibung, die sie aus dem Internet ausgedruckt hatte.

Normalerweise hätte Roy Grace die einstündige Fahrt genutzt, um sein junges Teammitglied besser kennen zu lernen, doch an diesem Morgen war er mit den Gedanken ganz woanders und sprach nur wenig. E-J erzählte ein wenig von sich selbst, dass ihr Vater eine Werbeagentur in Eastbourne besaß und ihr jüngerer Bruder vor einigen Jahren einen Hirntumor überstanden hatte. Es reichte ihm, um den Menschen hinter der ehrgeizigen Nachwuchspolizistin zu erkennen, der er täglich im Büro begegnete. Er gab jedoch wenig von sich preis, worauf sie ebenfalls in Schweigen verfiel.

Sie fuhren auf der M25, die den Großraum London ringförmig umgab, konstant 120. Grace schätzte diese Autobahn nicht sonderlich, weil sie regelmäßig so verstopft war, dass manche sie als den größten Parkplatz der Welt bezeichneten, doch an diesem Samstagmorgen konnte der Verkehr ungehindert fließen. Das Wetter wurde schlechter, der Himmel färbte sich bedrohlich schwarz. Einzelne Regentropfen spritzten auf die Scheibe, doch es lohnte sich noch nicht, die Wischer einzuschalten. Zudem bemerkte Grace sie kaum, weil er in Gedanken ganz und gar auf den Fall konzentriert war.

Janie Stretton war irgendwann am Dienstagabend ermordet worden, und heute war schon Samstag. Sie hatten bisher weder den Kopf gefunden noch ein Motiv oder einen Verdächtigen ermittelt.

Es gab nicht einen einzigen verdammten Hinweis.

Und am Montag würde der unerträglich arrogante Cassian Pewe von der Met zu ihnen stoßen und den gleichen Rang bekleiden wie er selbst. Zweifellos wartete Alison Vosper nur auf seinen nächsten Fehler, damit sie ihm den Fall entziehen und ihn durch Pewe mit seinem goldblonden Haar, den blauen Engelsaugen und der Stimme, die wie ein Zahnarztbohrer klang, ersetzen konnte.

Alison Vosper würde darauf drängen, dass ihr Protegé – denn als das betrachtete ihn Grace – sich schnell bewährte. Und was konnte es dafür Besseres geben als einen Fall wie diesen, der viel Aufmerksamkeit erregte und bei dem die Ermittlungen bislang ins Leere gelaufen waren?

Was ihn an dem Mord am meisten beunruhigte, war die äußerste Brutalität, mit der der Täter vorgegangen sein musste. Er hatte wie im Wahn gehandelt, und doch gab es keinerlei Anzeichen für einen sexuellen Übergriff. Hatten sie es mit einem völlig Irren wie Peter Sutcliffe zu tun, dem so genannten Yorkshire Ripper? Einem Mann, dem göttliche Stimmen befohlen hatten, Prostituierte zu töten?

Oder hatte Janie Stretton sich Feinde gemacht?

Ihr letzter Freund Justin Remington war zwar potenziell verdächtig, doch nach dem zu urteilen, was Janies Vater gesagt hatte, schien die Idee weit hergeholt. Bella Moy besaß eine gute Menschenkenntnis, und Grace würde sich sicherer fühlen, wenn sie mit Remington gesprochen und sich eine Meinung gebildet hatte. Falls ihr etwas spanisch vorkam, würde er den Mann noch einmal persönlich befragen. Sollte aber Justin Remington, wie Grace insgeheim vermutete, nicht der Mörder gewesen sein, wer dann? Was war sein Motiv? Und würde er erneut zuschlagen?

Nach der Begegnung mit Brent Mackenzie gestern Abend hatte er noch Fish und Chips und eine eingelegte Zwiebel gekauft und war damit in die fast verlassene Soko-Zentrale gegangen. Er hatte das Essen mit einem bitteren Tee aus dem Automaten heruntergespült und war dabei noch einmal die Unterlagen des Falls durchgegangen, die Hannah Loxley, die Schreibkraft, für ihn zusammengestellt hatte.

Er hatte lange dort gesessen, das Foto von Janie Stretton betrachtet und dann die beiden großen Tafeln. An einer hing eine Vermessungskarte von Peacehaven, auf der die beiden Orte, an denen man die Hand und die übrigen Körperteile gefunden hatte, rot eingekreist waren. Auch gab es Fotos von der Leiche am Fundort und bei der Autopsie, auf denen auch der Käfer im Rektum zu sehen war. Die Bilder zogen vor seinem inneren Auge vorbei, und plötzlich wurde er von Ekel geschüttelt.

Janie, was ist am Dienstagabend nur mit dir passiert? Und wer war Anton? Hat Anton dir das angetan?

Seine Gedanken kehrten zu Derek Stretton zurück. Mehr als 95 Prozent aller Mordopfer in Großbritannien wurden von Angehörigen oder Bekannten getötet. Hatten er und Glenn Branson gestern etwas übersehen, als sie Janies Vater aufsuchten? Hatte er etwas gesagt, das den Schluss zuließ, er habe seine eigene Tochter abgeschlachtet? Nichts war unmöglich, das hatte Grace in den vielen Jahren bei der Polizei gelernt, aber Stretton hatte aufrichtig gewirkt, erschüttert und verzweifelt. Er sah einfach nicht aus wie ein Mann, der seine Tochter umgebracht hatte.

Das Funkgerät erwachte knisternd zum Leben. Sie waren außerhalb des Sendebereichs von Sussex und hörten jetzt den Polizeifunk von Bromley, in dem ein Wagen für einen Verkehrsunfall angefordert wurde. Emma-Jane drehte die Lautstärke herunter. »Wir sind fast da. Am nächsten Kreisverkehr geradeaus und dann die zweite links.«

Plötzlich öffneten sich die Schleusen des Himmels, Regen prasselte wie Hagel auf Motorhaube und Dach des Ford. Grace schaltete die Scheibenwischer ein, zuerst langsam, dann schneller. Sie verschmierten den Regen zu einem trüben Film, bevor die Sicht besser wurde.

»Kommen Sie gut mit Insekten klar?«, fragte Grace.

E-J verzog das Gesicht. »Eigentlich nicht. Und Sie?«

»Bin nicht gerade scharf drauf«, gestand er.

Er bog links ab in eine Straße mit Doppelhäusern aus den dreißiger Jahren, die ihn ein wenig an die Straße erinnerte, in der er wohnte. Es folgten eine Reihe von Geschäften und ein kleines Gewerbegebiet, hinter dem die Straße unter einer Eisenbahnbrücke verschwand.

»Wir sind da«, sagte E-J.

Grace suchte nach einem Parkplatz vor den Geschäften: einer Bäckerei, einer Apotheke und einem Kramladen mit alten Stühlen, einem Spielzeugauto, einem Kiefernholztisch und anderen so genannten Antiquitäten, die auf dem Bürgersteig ausgestellt waren. Daneben befanden sich eine ärztliche Gemeinschaftspraxis, ein Laden für Sportpokale und eine Art Tierhandlung, in deren Fenster kleine, leere Käfige standen. Darüber ein Schild: ERRIDGE AND ROBINSON – IMPORT UND VERKAUF.

Sie parkten in der Nähe und liefen durch den Regen zum Haus, wobei sich Emma-Jane den braunen Umschlag über den Kopf hielt. Die Tür schwang mit einem lauten Klingelton auf.

Der Gestank traf sie unvermittelt, stark säuerlich und nur unzureichend vom Geruch des Sägemehls überdeckt. Sie standen in einem dämmrigen Raum, in dem sich Käfige vom Boden bis zur Decke stapelten. Überall brannten ultraviolette Leuchten und gaben den Blick auf krabbelnde Insekten frei. Grace schaute in einen Käfig und entdeckte ein Paar zuckender brauner Fühler. Ein sehr großer Käfer, zu groß und zu nah für seinen Geschmack. Er wich zurück, wischte sich das Regenwasser aus dem Gesicht und schaute Emma-Jane stirnrunzelnd an.

Dann entdeckte er die Spinne, besser gesagt ein gelb-schwarz behaartes Bein, dem ein weiteres und dann noch ein Bein folgten; sie schoss blitzschnell durch den Käfig. Eine Spinne von ungeheuren Ausmaßen, die mit ausgestreckten Beinen gut und gerne einen Pizzateller gefüllt hätte.

Emma-Jane schaute ebenfalls hin und schien sich gleichfalls nicht wohl zu fühlen. Je länger Grace sich umsah, desto mehr winzige Augen und zuckende Fühler entdeckte er. Und der Gestank ließ ihn beinahe würgen.

Eine Tür ging auf, aus der ein kleiner, dünner Mann auftauchte. Er trug einen braunen Overall und ein weißes, bis oben zugeknöpftes Hemd. Seine wachsamen Augen blickten unter buschigen Brauen hervor, die zwei dicken Raupen ähnelten. »Sie wünschen?«, fragte er mit schriller Stimme, die eindeutig feindselig klang.

»Sind Sie George Erridge?«

Seine Antwort kam sehr zögerlich. »Ja-a.«

»Detective Constable Boutwood«, stellte sich Emma-Jane vor, »wir haben gestern miteinander telefoniert. Dies ist Detective Superintendent Grace von der Kripo Brighton.«

Grace zeigte seinen Ausweis, den der Mann Wort für Wort zu lesen schien, wobei seine Augenbrauen seltsam zuckten. »Ja, gut.« Dann schaute er die Beamten erwartungsvoll an.

E-J holte ein Farbfoto aus dem Umschlag und reichte es ihm.

»Wir suchen nach jemandem, der einen Kunden in England mit diesem Tier beliefert haben könnte.«

George Erridge warf nur einen flüchtigen Blick auf das Foto und sagte sofort: »*Copris lunaris.*«

»Sie importieren tropische Insekten?«, erkundigte sich Grace.

Der Mann wirkte beleidigt. »Nicht nur tropische, auch europäische, asiatische, australische Insekten, eigentlich aus aller Welt.«

»Könnte es sein, dass der Skarabäus hier von Ihnen stammt?«

»Gewöhnlich habe ich einige auf Lager. Möchten Sie sie sehen?«

Grace war versucht, sofort abzulehnen, sagte aber pflichtbewusst: »Danke, gern.«

Der Mann führte sie in einen Schuppen von gut dreißig Metern Länge. Wie im Laden stapelten sich die Käfige bis unter die Decke, und es roch noch schlimmer, saurer und stechender. Die Beleuchtung war ähnlich trüb.

»Das ist der Schabenraum«, erklärte Erridge mit einem Anflug von Stolz. »Die liefern wir häufig als Versuchstiere an die Pharmaindustrie.«

Grace hatte Küchenschaben immer verabscheut und spähte nun schaudernd in einen Käfig, in dem sich etwa zwanzig der braunen Krabbler tummelten.

»Eines der widerstandsfähigsten Tiere auf dem Planeten«, sagte der Mann. »Wenn man einer Schabe den Kopf abtrennt, kann sie noch bis zu fünfzehn Tage leben. Sie kehrt immer zur ursprünglichen Futterquelle zurück, kann aber keine Nahrung mehr aufnehmen.«

»Igitt.« Emma-Jane musste schlucken.

»Das wusste ich nicht«, sagte Grace. *Aber danke für die Information*, hätte er beinahe hinzugefügt.

»Sie würden sogar einen nuklearen Holocaust überleben. Ihre Evolution war schon vor mehreren hunderttausend Jahren abgeschlossen. Was man von Menschen nicht gerade behaupten kann.«

Grace verzichtete auf einen Kommentar und folgte ihm in einen noch längeren Schuppen. Auf halbem Weg blieb Erridge stehen und deutete auf einen kleinen Käfig. »Bitte schön, *Copris lunaris.*«

Roy musste genau hinschauen, bevor er einen der Käfer mit dem auffälligen Muster entdeckte.

»Warum genau interessieren Sie sich für diese Käfer, wenn ich fragen darf?«

Grace war versucht, es ihm zu sagen. »Nur so viel: Wir haben ein Exemplar an einem Tatort gefunden und hätten von Ihnen gern eine Liste aller Kunden, denen Sie in letzter Zeit solche Käfer verkauft haben.«

George Erridge schwieg, doch seine Augenbrauen zuckten wild. »In letzter Zeit hatte ich nur einen Kunden, sie sind nicht sonderlich gefragt. Ein paar Sammler und Museen, das war's schon.«

»Wer war dieser Kunde?«

Erridge stieß die Hände in die Taschen und drückte die Zunge von innen gegen die Unterlippe. »Hm, komischer Typ, klang irgendwie osteuropäisch. Er rief mich vor etwa zwei Wochen an und fragte ausdrücklich nach *Copris lunaris*. Er wollte sechs davon bestellen.«

»Sechs?«, fragte Grace entsetzt und dachte sofort: *Noch fünf Morde wie dieser?*

»Ja.«

»Lebendig oder tot?«

Erridge schaute ihn argwöhnisch an. »Natürlich lebendig.«

»Wen beliefern Sie gewöhnlich?«

»Wie gesagt, die Pharmaindustrie, naturgeschichtliche Museen, Privatsammler, Filmgesellschaften, hab letztens sogar eine Tarantel an die BBC geliefert. Ich verrate Ihnen ein Geschäftsgeheimnis: Insekten sind viel leichter zu kontrollieren als andere Tiere. Will man eine gehorsame Schabe, legt man sie vier Stunden in den Kühlschrank. Braucht man eine aggressive Schabe, gibt man sie ein paar Minuten lang bei schwacher Hitze in die Bratpfanne.«

»Ich werd's mir merken«, sagte Grace.

»Ja, das sollten Sie«, erwiderte Erridge völlig ernst. »Sie leiden nicht, ihr Schmerzempfinden ist völlig anders als unseres.«

»Haben die ein Glück.«

»In der Tat.«

»Was können Sie uns sonst noch über diesen Mann sagen?«

»Nichts, ich führe nur bei Stammkunden Buch«, meinte Erridge abwehrend.

»Also hatten Sie vorher noch nie mit dem Mann zu tun?«

»Nein.«

»Aber Sie sind ihm persönlich begegnet?«

»Nein. Er rief an, ob ich sie hätte, und sagte, er wolle jemanden vorbeischicken, um sie abzuholen. Ein Taxifahrer kam vorbei und bezahlte in bar.«

»Ein örtliches Taxiunternehmen?«

»Weiß ich nicht, ich kann mir kein Taxi leisten.«

Grace' Handy klingelte und begann zu vibrieren. Er wandte sich mit einer Entschuldigung ab und meldete sich.

Es war Branson. »Hallo, Oldtimer, wie geht's?«

»Bin gerade beim Einkaufen. Für deinen Geburtstag. Was gibt's?«

»Du erinnerst dich an den Typen, der sich während der Besprechung gemeldet hat, dieser Paranoiker, den ich in der Telefonzelle anrufen musste?«

»Ja.«

»Er hat gesagt, er hätte den Mord in seinem Computer gesehen – auf einer CD-ROM, die er im Zug gefunden hat.«

»Lässt er uns an das Gerät ran?«

»Bin gerade auf dem Weg zu ihm.«

37

DER BLICK IN EINEN FREMDEN COMPUTER war wie ein Blick in eine fremde Seele, dachte Detective Sergeant Jon Rye immer, der Leiter der Abteilung Computerkriminalität, und er sprach aus Erfahrung. Er wusste nicht, wie viele Computer er in den letzten sieben Jahren geprüft hatte – vermutlich mehrere hundert, und heute hatte er es mit einem etwa ein Jahr alten Mac-Laptop mit 15-Zoll-Bildschirm zu tun.

Bislang hatten er und sein Team noch jedem Computer seine Geheimnisse entlockt. Einbrecher, Betrüger, Autoknacker, Phisher, Pädophile – alle glaubten, sie könnten ihre Spuren auf der Festplatte verwischen, aber es gab keine Möglichkeit, eine Festplatte wirklich zu löschen. Jon Rye verfügte über Software, mit der er alle erdenklichen gelöschten Daten wiederherstellen und jeden digitalen Fußabdruck aus jedem Winkel eines Computersystems herausfiltern konnte, so kompliziert oder gut versteckt er auch sein mochte.

In diesem Augenblick saß er an seinem Schreibtisch und würde gleich in die Seele eines Mannes namens Tom Bryce blicken. Ihm blieb nichts anderes übrig, als das Wochenende durchzuarbeiten, weil der Mann ein potenzieller Zeuge war und seinen Laptop am Montag bei der Arbeit brauchte.

Jon Rye prahlte zu Recht damit, dass er nach einer Stunde vor einem fremden PC mehr über den Besitzer wisse als dessen eigene Ehefrau. Denn die Computer, die er auf den Tisch bekam, gehörten in den allermeisten Fällen Männern.

Die Abteilung Computerkriminalität befand sich im Erdgeschoss von Sussex House und unterschied sich auf den ersten Blick kaum von anderen Abteilungen. Es gab ein Großraumbüro mit zahlreichen Arbeitsplätzen; an manchen befanden sich große Server, auf anderen Tischen lagen die Eingeweide zerlegter Computer.

An der Wand hing eine Uhr mit Bart Simpson, und an dem Tisch darunter saß Joe Moody, ein langer Typ mit Pferdeschwanz, der die Daten eines besonders blöden Haufens jugendlicher Vandalen registrierte, die sich dabei fotografiert hatten, wie sie einen gestohlenen Wagen abfackelten.

Ein Teil des Raums war zu einer Art Käfig abgetrennt. Darin war die Soko Glasgow untergebracht, die seit zwei Jahren in Sachen Kinderpornographie ermittelte und kurz davor stand, einen der größten Ringe in ganz Europa zu sprengen. Vier Leute, die Rye nun wirklich nicht um ihre Aufgabe beneidete, saßen in dem Käfig und schauten sich seit vierundzwanzig Monaten tagein, tagaus widerliche Aufnahmen von sexuellen Handlungen an Kindern an.

Auch Rye hatte oft mit Pädophilen zu tun, doch seinen Zorn hatte es nie gedämpft. Es gab wirklich kranke Hirne, und zwar viel zu viele.

Die Jalousien waren heruntergelassen, um den Mitarbeitern die Aussicht auf den Zellenblock zu ersparen, der im Regen noch deprimierender aussah. Immerhin war die Temperatur heute einigermaßen erträglich; im Sommer war es meist heiß und stickig, weil sich die Fenster nicht öffnen ließen.

Jon Rye war ein drahtiger Typ von achtunddreißig mit jugendlichem Boxergesicht, den es nicht weiter störte, dass er samstags arbeiten musste. Inzwischen war der freie Samstag zur Ausnahme geworden.

Jon hatte sich immer für Technik und elektronisches Spielzeug interessiert. Als der Einsatz von Computern vor etwa zehn Jahren förmlich explodierte, hatte er bald begriffen, welche kriminellen Möglichkeiten sich dort boten und wie schlecht die Polizei damals für die kommende Computerkriminalität gerüstet war. Er beschloss, dass dies für ihn der aussichtsreichste Weg innerhalb der Polizei sei, der ihm auch beste Chancen im zivilen Leben bot.

Er hatte es aufgegeben, seine Frau Nadine davon zu überzeugen, dass dieser verrückte Job nur vorübergehend sei, oder aber sie hatte es aufgegeben, ihm zuzuhören. Er warf einen Blick auf die anderen Mitglieder seines Teams und fragte sich, wer von ihnen wohl mit ähnlichen häuslichen Problemen zu kämpfen hatte.

Sie waren schlicht und einfach überlastet und mit den Computeruntersuchungen neun Monate im Rückstand; wie üblich lag es am Personalmangel. Vermutlich kümmerten sich die hohen Tiere lieber darum, die Polizei in einem guten Licht erscheinen zu lassen. Sie stellten Leute dafür ab, Einbrecher, Schläger und Drogenhändler zu fassen, was die Verbrechensstatistik aufpolierte, während seine Abteilung nach wie vor ein Schattendasein fristete.

Einige Leute aus seinem Team waren echte Freaks, die man von außen geholt hatte – direkt von der Universität oder aus den IT-Abteilungen der Industrie und Kommunalverwaltung. Hinter ihm saß Andy Gidney, der größte Freak von allen.

Er war achtundzwanzig und völlig durchgeknallt. Jämmerlich dünn, mit einem Teint, als hätte er noch nie einen Sonnenstrahl gesehen, einer Do-it-yourself-Frisur, Kleidung und Brille, die man selbst im Second-Hand-Laden kaum finden würde. Er war völlig antisozial und dennoch ein absolut brillanter Kopf, der mit Abstand klügste Kopf im ganzen Team. Er sprach sieben Sprachen fließend, darunter Russisch, und kein Passwort hatte ihm je widerstanden.

Im Grunde brauchten sie keine Passwörter, um in einen

Computer vorzudringen, weil die Software ihnen eine Hintertür öffnete, doch einige gezippte Dateien verursachten Probleme. Andy arbeitete seit einigen Tagen an einer besonders hartnäckigen Datei, die von einem Verdächtigen in einem großen Phishing-Skandal stammte, bei dem die Websites von Online-Banken geklont wurden. Doch Andy wollte nicht klein beigeben und die Maschine an eine spezielle Dekodiereinrichtung schicken.

Jon mochte Gidney nicht besonders, bewunderte aber dessen Ausdauer und Fähigkeiten. Er hatte längst begriffen, dass die Leute in dieser Abteilung nichts mit den üblichen Verkehrspolizisten gemein hatten, mit denen er zehn Jahre lang zusammengearbeitet hatte. Bei der Verkehrspolizei erlebte man entsetzliche Szenen und erschütternde Tragödien, doch die wirklich dunkle Seite der menschlichen Natur entdeckte man erst bei den Computerverbrechen.

Er trug den Computer in den verschlossenen Beweismittelraum, in dessen hölzernen Regalen sich die beschlagnahmten Computer stapelten. Jeder Rechner galt als potenzieller Tatort und war in einer Klarsichthülle verpackt und gekennzeichnet. Auf dem Boden standen große Mülleimer aus Plastik, die von weiterem Computerzubehör überquollen.

Rye stellte den Laptop von Tom Bryce auf einen Arbeitstisch, schraubte das Gehäuse auf und entfernte die Festplatte, die er an einen hohen, rechteckigen Stahlkasten mit Glasfront anschloss. Dieser enthielt das Programm *Fastbloc*, mit dem sich forensische Klone der Festplatte erstellen ließen und diese gleichzeitig mit einem Schreibschutz sicherten. So konnte die Festplatte unversehrt als Beweismittel erhalten werden.

Danach baute er den Computer wieder zusammen, trug ihn zurück an seinen Schreibtisch und schaltete ihn ein. Aus Gewohnheit gab er als ersten Suchbegriff *Buffy* ein. Keine Rückmeldung. Der zweite lautete *Star Trek*. Wieder nichts. Kein schlüssiger Beweis, aber immerhin ein Anhaltspunkt dafür, dass Tom Bryce vermutlich nicht pädophil war. Laut Statistik ihrer Abteilung waren neunzig Prozent der Pädophilen Fans von *Buffy – Im Bann der Dämonen* und *Star Trek*. Fand man in einem Computer Hinweise auf beide Serien, musste man zumindest die Augen offen halten.

Jon arbeitete rasch und methodisch. Er ging das Fotoalbum durch, in dem häufig eine attraktive Frau mit welligem blonden Haar, ein Junge und ein Mädchen zu sehen waren. Es waren Babyfotos dabei und aktuelle Bilder, auf denen das Mädchen etwa vier und der Junge so um die sieben zu sein schienen. Normale Familienfotos eben.

Dann ging er zu den Lesezeichen im Browser über, die ebenfalls keine Hinweise lieferten. Er überprüfte sämtliche Web-Adressen, die der Mann im vergangenen Jahr aufgerufen hatte. Dutzende von Pornoseiten, doch das war nicht weiter ungewöhnlich. Einige Lesbenseiten, aber ansonsten nichts, das irgendwie aus dem Rahmen fiel.

Plötzlich entdeckte er aber doch etwas. Zuerst tippte er auf Spuren eines Virus, merkte dann aber, dass es sich um den Quellcode für eine sich selbst installierende Spyware handelte. Der Aufbau kam ihm irgendwie bekannt vor. Er verfolgte den Code sorgfältig und ließ sich durch die Links leiten. Er stellte fest, dass jemand mit dieser Software erst kürzlich einen Benutzernamen und ein Passwort festgelegt hatte. Er gab beide ein, doch sie waren ungültig geworden, sodass er an dieser Stelle nicht weiterkam.

Er drehte sich um. Andy Gidney saß hinter ihm, iPod in die Ohren gestöpselt, während seine Finger mit dem Tempo und der Anmut eines Konzertpianisten über die Tasten glitten. Der Detective Sergeant stand auf und tippte seinem Kollegen auf die Schulter.

»Andy, ich brauche mal deine Hilfe. Kannst du ein paar Minuten rüberkommen und nach einem Passwort und einem Benutzernamen suchen, die mich durch eine Firewall bringen?«

Der Freak stand wortlos auf und setzte sich an Ryes Schreibtisch. Jon holte sich unterdessen einen Kaffee, und als er fünf Minuten später zurückkam, war Andy bereits wieder an seinem eigenen Tisch.

»Hast du's geschafft?«

»Herrgott, das Passwort besteht aus acht Ziffern«, sagte Gidney zu Rye, als spräche er mit einem Schwachsinnigen. »Das kann Tage dauern.«

Rye setzte sich hin, nahm den Plastikdeckel vom Becher und stellte diesen in sicherer Entfernung vom Computer ab. Er überprüfte noch einmal die Spuren der Spyware, dann plötzlich ging ihm ein Licht auf.

Er kannte das Programm!

Kurz darauf war er im Beweismittelraum und entfernte die Plastikhülle von einem Desktop-Computer, der erst vor wenigen Wochen hereingekommen war.

38

»KOMM SCHON! Mann, wir sind spät dran! Jessica, du verschwindest sofort ins Bett!« Tom Bryce brüllte seine Tochter an, die mittlerweile zum dritten oder vierten Mal im rosa Morgenmantel nach unten gelaufen kam.

Seine Nerven lagen bloß.

Von oben schrie Max: »Daddy!«

»Halt den Mund, Max, und geh schlafen!«

»Neeiiiin!«

Tom trug schon sein schwarzes Armani-Jackett, ein weißes Hemd, eine blaue Hose und Gucci-Slipper aus Wildleder. Er tigerte im Wohnzimmer auf und ab und kippte einen großen Wodka Martini. »Kellie! Was machst du da, verdammt nochmal? Und wo bleibt die blöde Babysitterin?«

»Sie muss jeden Augenblick kommen!«, rief sie zurück. »Bin gleich da.« Und dann: »Jessica, du kommst auf der Stelle rauf!«

»Daddy, ich mag Mandy aber nicht, warum kann Holly nicht kommen?«

»Holly hatte schon einen Termin«, erklärte Tom. »Okay? Mandy ist doch nett, warum kannst du sie nicht leiden?«

Jessica, die es ihrem Bruder nachtat und voller Stolz zwei Gummiarmbänder trug, eines rosa, eines gelb, ließ sich aufs Sofa fallen, griff zur Fernsteuerung und zappte durch die Programme. Tom entriss sie ihr und schaltete den Fernseher aus. »Nach oben, junge Dame!«

»Mandy telefoniert immer mit ihrem Freund.«

»Sie kann mit ihrem Handy machen, was sie will.«

Jessica schob das Haar zurück und sah ihn ganz erwachsen an. »Sie reden aber über Sex.«

»Jessica, erstens ist es unhöflich, fremde Telefonate zu belauschen, und zweitens solltest du im Bett liegen und schlafen, während sie auf euch aufpasst. Warum ist es dann so schlimm, wenn sie telefoniert?«

»Drum.«

Kellie kam die Treppe herunter. Sie sah hinreißend aus und verbreitete einen neuen Duft von Gucci, den Tom ihr vor kurzem geschenkt hatte, weil er ihn unglaublich sexy fand. Sie trug ein kurzes schwarzes Kleid mit tiefem Ausschnitt, das sich eng an den Körper schmiegte und eine Menge Bein enthüllte. Um den Hals hatte sie eine kurze silberne Kette.

Einfach perfekt für diesen Abend.

Ein neuer Kunde, den Tom unbedingt beeindrucken wollte, hatte sie zum Essen eingeladen.

Kellie schaute auf das Glas in seiner Hand. »Jetzt schon?«

»Ich trinke mir Mut an.«

Sie sah ihn missbilligend an. »Ich dachte, du fährst heute Abend, um Taxikosten zu sparen.« Sie wandte sich an Jessica. »Nach oben, aber schnell. Sonst gibt es morgen kein Fernsehen, und das meine ich ernst.«

Jessica sah schmollend von einem zum anderen, wollte etwas sagen, überlegte es sich aber und schlich aufreizend langsam aus dem Zimmer.

»Ich trinke nur ein Glas Wein und danach Wasser.«

»Schon gut, dann fahre ich eben wieder«, knurrte Kellie.

»Ich glaube, heute Abend haben wir es beide nötig.« Er ging auf sie zu, nahm sie in die Arme und küsste sie auf die Stirn. »Du siehst wunderbar aus.«

»Du auch. In weißen Hemden mag ich dich besonders.«

Tom liebkoste Kellies Ohr. »Am liebsten würde ich auf der Stelle mit dir ins Bett gehen.«

»Da musst du dich gedulden, ich ziehe mich nicht noch mal neu an.«

Es klingelte. Die Hundetür klapperte, und Lady stürmte bellend herein.

Tom trank im Wohnzimmer seinen Cocktail aus und spürte

schon den sanften Nebel, der seine Laune hob und ihm Selbstvertrauen schenkte.

Dann kam Mandy herein, bei deren Anblick ihm der Kiefer herunterklappte. Sie war die Tochter einer Frau, die Kellie vom Fitness-Training kannte, und war in den vergangenen drei Jahren öfter zum Babysitten gekommen. In dieser Zeit hatte er das junge Mädchen heranreifen sehen. Und heute Abend war sie, man konnte es nicht anders ausdrücken, purer Sex auf Beinen.

Sie war siebzehn oder achtzehn, klein, blond, ein Klon von Britney Spears mit toller Figur, die sie offen zeigte. Ihr Glitzertop war beinahe durchsichtig; der Minirock kürzer, als die Polizei erlaubte; die Stiefel reichten bis zum Oberschenkel. Sie war raffiniert geschminkt, und Tom bemerkte den Glitzerlack auf den Nägeln und das schicke Handy, das sie bei sich trug.

So ließen ihre Eltern sie zum Babysitten gehen? Die Vorstellung, Jessica könne irgendwann ähnlich aussehen, stieß ihm unangenehm auf.

»Guten Abend, Mr. Bryce«, sagte sie munter.

»Wie geht's, Mandy?«

»Ganz gut. Muss pauken, ich hab diesen Monat Prüfung.«

»Ist das dein Outfit fürs Pauken?«, fragte er grinsend.

Sie verstand den Witz nicht. »Ja, sicher.« Und dann: »Ich hab meine Fahrprüfung geschafft.«

»Super, meinen Glückwunsch.«

»Beim dritten Versuch. Meine Mum sagt, sie leiht mir mal ihren Wagen, sie hat einen brandneuen Toyota.«

»Das ist aber großzügig von ihr.« Noch etwas, worauf er sich nicht freuen würde, wenn Max und Jessica heranwuchsen.

Kellie kam ins Zimmer. »Wir sind gegen halb eins zurück, in Ordnung?«

»Klar doch, einen schönen Abend auch.«

Tom hob sein leeres Glas, warf einen lüsternen Blick auf das Mädchen und merkte, dass er ein wenig angetrunken war. Er musste vorsichtig sein. Mit einem Privatvermögen von über zweihundertfünfzig Millionen Pfund rangierte ihr Gastgeber Philip Angelides weit oben in der aktuellen *Reichenliste* der *Sunday Times*. Sein Geschäftsimperium umfasste eine Pharmafirma, die Generika herstellte, eine Kette von Autogeschäften und Reisebüros, eine Immobilienfirma, die Ferienhäuser in Spanien baute, und eine sehr erfolgreiche Sportagentur. Lauter Bereiche, in denen die Produkte von *BryceRight* gebraucht wurden.

Tom hatte ihn wie viele potenzielle Kunden im Golfklub kennen gelernt. Er besaß ein ansehnliches Haus, das etwa eine Stunde von Brighton entfernt auf dem Land lag. Die Einladung bedeutete eine Riesenchance, nur war Tom leider gar nicht in der Stimmung für einen geselligen Abend.

Seit er in die Kripozentrale im Gewerbegebiet Hollingsbury gefahren war und dem großen farbigen Detective Sergeant seine Geschichte erzählt hatte, zermarterte er sich das Hirn. DS Branson hatte seine Aussage sehr ernst genommen und ihm versichert, dass man sie absolut vertraulich behandeln werde. Dennoch war Tom ausgesprochen nervös gewesen, als Branson ihn bat, der Polizei seinen Laptop übers Wochenende zur Verfügung zu stellen, damit die Computerforensiker ihn prüfen konnten. Mit Bauchschmerzen hatte er ihn zu Hause geholt und Branson übergeben, wenngleich Kellie ihn darin bestärkte, dass er das Richtige tue.

Am Nachmittag hatte er beim Golf eine der fürchterlisten Partien seines Lebens abgeliefert, weil er mit den Gedanken ganz woanders war. Er hatte Angst, spürte eine tiefe Dunkelheit in seinem Inneren. Er musste ständig daran denken, dass er womöglich seine Frau und seine Kinder in Gefahr gebracht hatte.

Und den vielleicht schlimmsten Fehler seines Lebens begangen hatte.

39

»EINEN WODKA-TONIC BITTE«, sagte Cleo Morey.

Der Kellner schaute Roy Grace an.

»Ein Peroni.« Dann überlegte er sich aber, dass er etwas Stärkeres als Bier brauchte, selbst wenn er noch fahren musste. »Nein, lieber einen großen Glenfiddich mit Eis.«

Sie saßen weit hinten im »Latin in the Lanes«, einem Italiener in der Nähe der Strandpromenade. Es gab auch neuere und angesagtere Restaurants wie das »Hotel du Vin« oder originellere wie das »Blanche House«, in denen er mit Sandy nie gewesen war.

Warum also hatte er für diesen Abend ausgerechnet sein und Sandys Lieblingsrestaurant ausgewählt?

Er wusste es selbst nicht genau. Vielleicht weil es vertraut war, weil er sich hier auskannte. Oder wollte er sich noch ein Stück weiter von ihrem Geist lösen?

Er sah bekannte Gesichter unter den Angestellten, ein paar schienen auch ihn noch zu kennen und begrüßten ihn wie einen alten Freund. An diesem Samstagabend ging es lebhaft zu, und um neun Uhr waren alle Tische besetzt.

Es war später geworden, als Grace erwartet hatte, da sich die Halb-sieben-Besprechung hinzog, obwohl es nur eine einzige wichtige Entwicklung gegeben hatte.

Bella hatte Justin Remington, Janie Strettons Exfreund, aufgespürt, der erst an diesem Morgen von seiner Hochzeitsreise nach Thailand zurückgekehrt war. Sie war zu ihm gefahren, hatte die Visa in seinem Pass überprüft und war zu dem Schluss gelangt, dass sie ihn von der Liste der Verdächtigen streichen konnten.

Auch DC Nicholas, der mit einem Foto von Janie Stretton durch die Bars, Kneipen und Klubs von Brighton and Hove gezogen war, hatte bislang keine Hinweise geliefert. Fündig geworden war hingegen Jon Rye aus der Abteilung Computerkriminalität, der die erste echte Spur zu haben schien.

Er hatte den Computer des Zeugen, der morgens bei Branson angerufen hatte, einer forensischen Untersuchung unterzogen und war einem komplexen Routing gefolgt, das zu einem albanischen Server führte. Das gleiche Routing mit denselben IP-Adressen und Protokollen fand sich auch auf einem Rechner, der im Rahmen der Großfahndung nach einem Kinderpornoring beschlagnahmt worden war und den DS Rye erst kürzlich untersucht hatte. Der Besitzer, ein gewisser Reginald D'Eath, war bereits als Sexualstraftäter registriert und in der Vergangenheit wegen tätlichen sexuellen Angriffs und Handels mit Kinderpornographie verurteilt worden.

D'Eath trat nun als Kronzeuge in einem Fall von Kinderpornographie auf, der gegen ein russisches Syndikat vorbereitet wurde, das von Großbritannien aus operierte, und war im Rahmen des Zeugenschutzprogramms in einem Geheimversteck untergebracht. Grace hatte nach der Besprechung eine frustrierende Stunde am Telefon verbracht und versucht, eine übergenaue Polizeibeamtin zu überreden, ihn mit jemandem zu verbinden, von dem er die Adresse von Reggie D'Eath erfahren konnte. Schließlich musste er sich zähneknirschend damit zufrieden geben, dass man ihn am nächsten Morgen um zehn zurückrufen wollte.

Cleo schaute ihn über den Tisch mit dem polierten Besteck und den schimmernden Gläsern an. Einfach hinreißend. Ihr Haar glänzte im Kerzenschein, ihre Augen funkelten wie Eis im Sonnenlicht. Sie hatte ein Parfum aufgetragen, das ihn förmlich verrückt machte. Es überlagerte selbst die verführerischen Düfte von Olivenöl, gebratenem Knoblauch und brutzelndem Fisch, die aus der Küche herüberwehten. Er atmete es gierig ein.

In Wahrheit machte alles an ihr ihn verrückt. Die süße Stupsnase, die sinnlichen Lippen, das Grübchen im Kinn. Die elegante cremefarbene Jacke, das graue Seidenshirt, das Tuch mit Ozelotmuster, die riesigen und dennoch klassischen Silberohrringe. Sie trug drei Ringe: einen goldenen Siegelring, ein antikes Stück mit einem von Diamanten gefassten Rubin und einen modernen Silberring mit einem eckigen blassblauen Stein.

Die klassische englische Schönheit. Und sie saß ihm hier unmittelbar gegenüber! Die Schmetterlinge tanzten wild in seinem Bauch. Alle Kellner schauten zu ihr hin, ebenso viele Gäste. Sie war mit Abstand die schönste Frau im Lokal.

Es gab nur ein Problem. Grace wusste einfach nicht, was er sagen sollte.

Der totale Blackout.

Als hätte irgendein Freak die Festplatte in seinem Kopf gelöscht. Er lächelte, suchte nach einer Bemerkung, die nicht vollkommen schwachsinnig klingen würde, griff nach einem Päckchen Grissini und stieß dabei ein leeres Weinglas um. Es fiel auf Cleos Brotteller und zerbrach.

Er spürte, wie er rot wurde. Cleo half ihm, die größeren Scherben aufzusammeln, dann übernahm ein Kellner die Regie.

»Tut mir Leid«, sagte Grace.

»Angeblich bringt es Glück.«

»Aber nur bei griechischen Hochzeiten, oder?«

»Das sind Teller, die Gläser zertreten sie bei jüdischen Hochzeiten.«

Er liebte ihre Stimme, sie klang gebildet, samtweich und selbstsicher. Eine Stimme, die in eine fremde Welt gehörte. Eine Welt voller Privatschulen, Geld und Privilegien. Die feine Gesellschaft. Sie war einfach zu aristokratisch, um im Leichenschauhaus zu arbeiten. Allerdings war Janie Stretton ebenfalls recht aristokratisch gewesen und hatte dennoch für einen schmierigen Begleitservice gearbeitet.

Vielleicht sahen die Reichen nur aus, als wären sie anders. Scott Fitzgerald, den er sehr schätzte, hatte geschrieben, die Reichen seien anders. Wenn er sich nun geirrt hatte?

»Ich – ähm – ich finde deine Ringe sehr schön«, sagte er stockend. Etwas Besseres wollte ihm nicht einfallen.

Sie schien sich aufrichtig zu freuen und hielt ihre eleganten, sorgsam manikürten Hände vor sich. »Trägst du keine?« Dann errötete sie verschämt. »Tut mir Leid, ich wollte nicht indiskret sein.«

Grace schüttelte den Kopf. »Ich hab nie einen getragen.« Fast hätte er hinzugefügt: *als ich noch verheiratet war.* Aber nein, theoretisch gesehen war er nach wie vor verheiratet.

Die Getränke wurden serviert. Er hob sein Glas und stieß mit Cleo an. »Zum Wohl!« Ihr Lächeln machte ihm Mut.

»Du siehst gar nicht übel aus für jemanden, der aus dem Leichenschauhaus kommt.«

»Danke vielmals.« Sie trank und konterte: »Du siehst auch ganz cool aus – jedenfalls für einen Bullen.«

Grace grinste, doch überkamen ihn erneut Zweifel wegen seiner Kleidung. Glenn hatte darauf bestanden, ihn am Nachmittag zu Luigi's zu schleppen. Branson war Amok gelaufen, hatte die Klamotten wie ein durchgeknallter Schnäppchenjäger an sich gerissen und Grace in die Umkleidekabine und wieder heraus gezerrt.

Und jetzt trug er das Outfit, das Branson speziell für dieses Rendezvous ausgewählt hatte: einen ungefütterten Wildlederblouson von Jasper Conran; das teuerste schwarze T-Shirt, das er je besessen hatte; eine beige Hose von Dolce & Gabbana, einen sündhaft teuren Gürtel, braune Slipper und sogar neue gelbe Socken, die dem Ganzen laut Branson einen hippen Touch verliehen.

Damit besaß er nun eine neue Garderobe für praktisch jeden Zweck. Der Spaß hatte ihn zweieinhalbtausend Pfund gekostet, während er bisher nie mehr als hundert Pfund auf einmal für Kleidung ausgegeben hatte.

Egal, dachte er, in den letzten Jahren hatte er sich kaum etwas Neues geleistet. Und was ihm nicht gefiel, konnte er immer noch umtauschen.

»Für einen Bullen? Soll das ein Kompliment sein?«, fragte er mit verwirrtem Grinsen.

Sie lächelte und sah ihn forschend an. »Wenn du es so verstehen willst ...«

Er antwortete mit einem gewollt lässigen Achselzucken. »Hab ich so auf die Schnelle angezogen ...«

Sie starrte auf seine rechte Schulter. »Gehört das Preisschild zum Design?«

Seine Hand schoss zur Schulter, wo sie ein Stückchen Karton samt Kordel berührten. Unter Cleos belustigtem Blick tastete er unter dem Kragen herum und verfluchte seine eigene Nachlässigkeit. »Ja, gehört zum Design. Das ist der letzte Schrei – es gibt dem Teil so etwas Frisches.«

Sie lachte, er lachte mit. Seine Nervosität war verschwunden, und jetzt fielen ihm lauter Dinge ein, über die er mit dieser Frau reden wollte, doch sie kam ihm zuvor. Er fummelte noch am Preisschild, knüllte es zusammen und warf es in den Aschenbecher.

»Ich bin neugierig, Roy. Wegen deiner Frau, meine ich. Möchtest du darüber sprechen? Wenn ich aufdringlich bin, musst du es mir sagen.«

Er tastete zögernd nach seinen Zigaretten. Eigentlich hatte er aufgehört, doch ab und zu brauchte er eine. Jetzt zum Beispiel.

Ein Kellner brachte die Speisekarten. Grace legte seine achtlos weg, Cleo auch. »Nein, du bist nicht aufdringlich.« Er hob ein wenig hilflos die Hände, als wüsste er nicht, wie er anfangen sollte. »Ich habe immer offen darüber gesprochen, vielleicht zu offen. Ich möchte nur, dass die Leute es wissen, weil ich immer gehofft habe, dass jemandem etwas einfällt, wenn ich genug darüber rede.«

»Wie hieß sie?«

»Sandy.« Er bot Cleo eine Zigarette an, doch sie lehnte ab. Er schüttelte eine für sich heraus.

»Stimmt es, was die Leute sagen? Dass sie einfach verschwunden ist?«

»An meinem neunundzwanzigsten Geburtstag.« Er schwieg, als ihn der alte Schmerz überfiel.

Cleo wartete geduldig.

»Ich bin zur Arbeit gegangen. Abends wollten Freunde zum Essen kommen. Als ich wegging, war Sandy bester Laune, weil wir über den Sommerurlaub gesprochen hatten. Wir wollten an die oberitalienischen Seen fahren. Als ich vom Dienst kam, war sie nicht da.«

»Hatte sie ihre Sachen mitgenommen?«

»Handtasche und Auto waren weg.« Er zündete sich eine Zigarette mit dem Zippo an, das Sandy ihm geschenkt hatte, und trank einen Schluck Whisky. Es kam ihm falsch vor, bei einem Rendezvous über Sandy zu sprechen, und doch wollte er Cleo gegenüber ehrlich sein, ihr so viel wie möglich erzählen. Nicht nur über Sandy, sondern auch über sich selbst. Irgendwie gab sie ihm das Gefühl, dass er offen mit ihr sein konnte. Offener als mit irgendeinem anderen Menschen, den er kannte.

Er zog an seiner Zigarette und blies den Rauch aus. Rauchen tat so verdammt gut.

»Hat man Handtasche und Wagen gefunden?«, fragte Cleo stirnrunzelnd.

»Ihren Wagen fand man am nächsten Tag auf dem Parkplatz in Gatwick. Ihre Kreditkarten hatte sie dort aber nicht benutzt. Die letzten Transaktionen stammten vom Morgen ihres Verschwindens, an dem sie bei Boots für 7,50 Pfund und im Supermarkt für 16,42 Pfund eingekauft hat.«

»Und sie hat sonst gar nichts mitgenommen? Keine Klamotten?«

»Nichts.«

»Was ist mit den Überwachungskameras?«

»Damals gab es noch nicht so viele. Es fand sich nur eine Aufnahme von ihr bei Tesco, auf der wirkte sie ganz normal. Der Kassierer war ein alter Knabe mit Kennerblick, der noch mit ihr gescherzt hatte. Er sagte, an die Hübschen könne er sich immer erinnern, und sie habe überhaupt nicht angespannt ausgesehen.«

»Ich glaube nicht, dass eine Frau so einfach aus ihrem Leben verschwindet und alles zurücklässt. Außer …«, Cleo zögerte.

»Außer?«

Sie sah ihn offen an. »Außer sie läuft vor einem prügelnden Ehemann davon.« Sie lächelte und fügte sanft hinzu: »Aber du siehst nicht aus, als ob du Frauen verprügelst.«

»Ich glaube, ihre Eltern argwöhnen noch immer, dass ich sie im Keller vergraben habe.«

»Haben sie dich tatsächlich beschuldigt?«

»Nein, sie sind sehr nett, so etwas würden sie nicht tun. Aber ich lese es in ihren Gesichtern. Sie laden mich ab und zu sonntags zum Essen ein, um Kontakt zu halten, aber eigentlich wollen sie Neuigkeiten hören. Ich habe nie viel zu berichten, und sie schauen mich dann so seltsam an, als wollten sie sagen: *Wie lange kann er die Lügen über Sandy noch durchhalten?*«

»Das ist furchtbar.«

Grace schaute auf die funkelnden Ringe an Cleos Händen und dachte, welch guten Geschmack sie besaß. »Sie war ihr einziges Kind; ihr Verschwinden hat ihr Leben zerstört. Das kenne ich von meiner Arbeit. Die Menschen brauchen etwas, an dem sie sich festhalten, auf das sie ihre Gefühle richten können.« Er zog noch einmal an seiner Zigarette und drückte sie neben dem Preisschild im Aschenbecher aus. »So, genug von mir. Jetzt möchte ich etwas über dich erfahren. Erzähl mir von der anderen Cleo Morey.«

»Der *anderen* Cleo Morey?«

»Ich meine die, in die du dich verwandelst, wenn du das Leichenschauhaus verlässt.«

»Ich bin aber noch lange nicht fertig mit dir«, meinte sie scherzhaft.

Er sah, dass sie ebenfalls ausgetrunken hatte, und bestellte für beide noch einen Drink. »Tut mir Leid, aber jetzt schuldest du mir eine Antwort.«

Sie verzog das Gesicht, worauf er grinsen musste. »Ich möchte wissen, weshalb die schönste Frau der Welt den grauenvollsten Job der Welt hat.«

»Früher war ich Krankenschwester, hab meinen Abschluss an der Southampton University gemacht. Allerdings war ich keine besonders gute Krankenschwester, es fehlte mir wohl an Geduld. Dann verbrachte ich einige Wochen im Leichenschauhaus des städtischen Krankenhauses und fand – wie soll ich das beschreiben –, ich fand heraus, dass ich an diesem Ort etwas leisten konnte. Hast du mal was von Tschuang Tse gelesen?«

»Ich bin nur ein blöder Bulle aus dem finsteren Brighton. So was Abgehobenes lese ich nicht. Wer soll das sein?«

»Einer der taoistischen Philosophen Chinas.«

»Natürlich, wie konnte ich das vergessen.«

Sie steckte den Finger in das geschmolzene Eis in ihrem Glas und bespritzte ihn mit Wasser. »Tu nicht so dämlich.«

Er zuckte zusammen, als ihn ein Wassertropfen an der Stirn traf. »Ich tu gar nicht dämlich.«

»Und ob!«

»Na sag schon, was dieser Tschuang Tse geschrieben hat.«

»Die Raupe nennt es das Ende der Welt, der Meister nennt es Schmetterling.‹«

»Also verwandelst du deine Leichen in Schmetterlinge?«

»Wenn ich das nur könnte.«

Grace war völlig trunken von Cleos Gegenwart und dem Alkohol, weshalb ihm gar nicht aufgefallen war, dass alle anderen Gäste bereits gegangen waren und das Personal ungeduldig auf den Feierabend wartete.

Cleo wollte nach der Rechnung greifen, doch er kam ihr zuvor.

»Na gut, aber das nächste Essen geht auf mich.«

»Abgemacht.« Er warf seine Kreditkarte hin und hoffte, dass noch genügend Geld auf dem Konto war. Ein paar Minuten später wankten sie in den frischen Wind hinaus. Er hielt Cleo die Taxitür auf und stieg hinter ihr ein. Sein Kopf fuhr Karussell.

Er wusste nicht mehr, wie viel sie getrunken hatten. Zwei Flaschen Wein, später Sambuca. Und vor dem Essen auch schon. Er legte einen Arm auf die Rückenlehne, und Cleo kuschelte sich an ihn. »War schön«, murmelte er, »ich meine, ich …«

Dann presste sich ihr Mund auf seinen. Ihre Lippen waren so weich, so unglaublich weich. Ihre Zunge drängte hungrig gegen seine. Sekunden später, wie es schien, hielt das Taxi vor ihrer Wohnung im schicken North-Laines-Viertel mitten in der Stadt. Durch den Alkoholnebel erkannte er den Häuserblock, eine kürzlich umgebaute Fabrik, über die viel in den Medien berichtet worden war.

Er bat den Taxifahrer zu warten, während er Cleo zur Tür brachte. Auf einmal wusste er nicht weiter. Sie küssten sich wieder. Er hielt sie fest, schwankte ein wenig, fuhr durch ihr langes, weiches Haar, atmete ihr Parfum ein, trunken von der Nacht, Cleos Duft, ihrer Weichheit und Wärme.

Kurz darauf kam er mit einem Ruck zu sich. Er saß auf dem Rücksitz des Taxis, ein Piepsen kündigte eine SMS an. Scheiße, das bedeutet Arbeit, dachte er.

Er tippte ungeschickt auf den Tasten herum. Die Nachricht kam von Cleo und lautete schlicht und einfach: X.

40

KELLIE SASS STILL IM AUTO, während Tom den Audi Richtung Brighton steuerte. Der Schein der orangefarbenen Straßenlaternen zuckte über ihr Gesicht. Das Radio war leise gestellt, es lief der Song »We have all the time in the world« von Louis Armstrong, der Tom immer sehr anrührte. Er drehte das Radio etwas lauter, um wach zu bleiben. Es war ein Uhr fünfzehn.

Der Abend bei Philip Angelides war reibungslos verlaufen, wenn auch in ziemlich steifer Atmosphäre. Er und Kellie waren seit einigen Jahren Mitglied im National Trust und besuchten an Sonntagnachmittagen gern die Herrensitze auf dem Land. Manche dieser Anwesen waren kleiner als der elisabethanische Steinhaufen, in dem sie den heutigen Abend verbracht hatten.

Mit sechzehn Personen hatten sie um den antiken Esstisch gesessen und wurden von einer Schar Dienstboten mit gestärkten Westen bedient. Angelides nötigte alle Gäste, die Herkunft der Weine zu erraten, angefangen mit dem Land, danach folgten Rebsorte, Geschmacksrichtung, Winzer und Jahrgang.

Caro Angelides, die Frau des Tycoons, war so ziemlich die hochnäsigste Kuh, neben der Tom je gesessen hatte, und die Frau zu seiner Rechten war auch nicht viel besser. Das Gespräch drehte sich ausschließlich um Pferde, gesellschaftliche Ereignisse in Verbindung mit Pferden und die Jagd hoch zu Ross. Er konnte sich nicht erinnern, dass sie sich auch nur die Bohne für ihn als Person interessiert hätten.

Während der Mann, der rechts von Kellie saß, unablässig mit seiner überragenden Intelligenz prahlte, versuchte der linke Tischherr, ein schmierig wirkender Bankier, der zu viel trank, ihr unter den Rock zu greifen.

Alle Gäste außer ihnen waren ungeheuer reich und bewegten sich in völlig anderen gesellschaftlichen Kreisen. Sie beide hatten keine Ahnung von wirklich gutem Wein, und es ärgerte Tom, dass ihr Gastgeber sich über Kellies Unerfahrenheit lustig machte. Auch hatte er ihn nicht auf geschäftliche Themen ansprechen können. Als sie aufbrachen, fragte er sich ernsthaft, weshalb man sie überhaupt eingeladen hatte.

Andererseits hatte der Abend aber auch seine guten Seiten gehabt. Tom hatte sich nicht danebenbenommen und mit den beiden Frauen eben über Pferde geplaudert, obwohl er abgesehen von einer Stippvisite beim Grand National keinen blassen Schimmer von Pferden hatte. Immerhin hatte er geraten, dass der Rotwein aus Frankreich kam, ein purer Zufallstreffer.

»Was für schreckliche Leute«, sagte Kellie unvermittelt. »Da sind mir unsere Freunde aber lieber! Das sind wenigstens echte Menschen.«

»Ich glaube, er könnte mir geschäftlich nützen.«

Sie schwieg einen Moment und sagte dann unwillig: »Aber ein tolles Haus, einfach hinreißend.«

»Möchtest du in so einem Kasten wohnen?«

»Klar, warum nicht, wenn's die Dienstboten dazu gibt. Eines Tages haben wir auch so etwas, davon bin ich überzeugt.«

Tom drückte ihre Hand, sie drückte zurück. Er hielt sie fest, während sie schweigend weiterfuhren. Nach Hause in die Wirklichkeit.

Seine Entscheidung, zur Polizei zu gehen, lastete wie ein dunkler Schatten auf ihm. Natürlich hatte er das Richtige getan, ihm blieb ja keine Wahl. Wie hätte er mit dem schlechten Gewissen weiterleben sollen? Sie hatten gemeinsam so entschieden, als Mann und Frau, als Team.

Sie erreichten die Abzweigung. Er wechselte auf die linke Spur, folgte der scharfen Kurve, dann ging es bergauf bis zum Kreisverkehr.

Kurz darauf rollten sie ins Tal hinunter, bogen links in den Goldstone Crescent ein und scharf rechts in ihre Straße. Er parkte im Carport und stieg aus. Kellie blieb angeschnallt sitzen. Tom wartete. Sie rührte sich nicht. Er schaute zu den Wagen, die auf der gut beleuchteten Straße parkten. Musterte die Schatten. Wonach hielt er Ausschau? Nach einer plötzlichen Bewegung? Einer einsamen Gestalt im Auto?

Du drehst durch, sagte er sich und öffnete die Beifahrertür. »Home, sweet home.«

Keine Reaktion.

Er fragte sich schon, ob sie eingeschlafen war, doch sie starrte einfach nur vor sich hin.

»Hallo, Liebes?«

Sie schaute ihn seltsam an. »Ich weiß, wir sind zu Hause.«

Tom runzelte die Stirn. Wohl einer dieser Kellie-Momente. Sie kamen in letzter Zeit immer öfter. Er konnte sie nicht genau beschreiben, aber dann und wann schien seine Frau in eine fremde Welt abzutauchen. Als er sie zuletzt darauf angesprochen hatte, fauchte sie ihn an, sie brauche Zeit für sich, Zeit zum Nachdenken. Allerdings an den seltsamsten Orten und zu den unpassendsten Zeiten.

Schließlich löste sie den Gurt und stieg aus. Er schloss den Audi ab, öffnete die Haustür und ließ ihr höflich den Vortritt.

Der Fernseher dröhnte. Mein Gott, dachte er, die Kinder schliefen doch, hatte Mandy denn keinen Funken Verstand? Er sah sich um und entdeckte überrascht, dass Lady gar nicht auf ihn zustürmte.

Kellie steckte den Kopf in die Wohnzimmertür. »Hi, Mandy, wir sind wieder da. Hattest du einen schönen Abend? Stell bitte den Fernseher leiser.«

Die Antwort ging im Dröhnen des Fernsehers unter.

Tom ging ins Wohnzimmer. Er hatte wenig getrunken und brauchte einen steifen Absacker. Aber erst, wenn er Mandy nach Hause gebracht hatte. Es war ein Stück weit zu fahren, und er wollte kein Risiko eingehen.

Im Fernseher stand ein schreiender Teenager in einer regennassen Gasse, und plötzlich beugte sich ein drohender Schatten über sie. Mandy lümmelte auf dem Sofa, ein Teenie-Magazin neben sich auf dem Boden, dazu Bonbonpapiere und eine Dose Cola. Sie schaute so gebannt auf den Film, dass sie vergeblich nach der Fernbedienung tastete, die auf dem Boden lag.

Tom kniete sich hin, griff danach und stellte den Ton ab. »Alles okay, Mandy?«

Sie schaute ihn an, verwundert über die plötzliche Stille, und gähnte. »Klar, Mr. Bryce. Die Kinder waren ganz lieb, nur um Lady mache ich mir ein bisschen Sorgen.«

»Wieso?«, fragte Kellie.

Mandy setzte sich hin und zog die Schuhe an. »Sie benimmt sich irgendwie komisch. Normalerweise kommt sie immer zu mir, aber heute wollte sie gar nicht aus ihrem Korb raus.«

Tom und Kellie gingen in die Küche. Lady lag zusammengerollt im Korb und rührte sich nicht von der Stelle. Kellie bückte sich und streichelte ihren Kopf. »Lady, alles in Ordnung?«

Mandy kam in die Küche. »Sie hat vor einer Weile ziemlich viel getrunken.«

»Vielleicht der Magen«, meinte Tom und warf einen Blick auf die Reste einer hart gewordenen Pizza und einer Packung geschmolzenem Karamelleis, die auf der Arbeitsplatte lagen. Er streichelte die Schäferhündin und war plötzlich ungeheuer müde. »Hast du Bauchweh, Lady? Ist dir schlecht?«

Kellie stand auf. »Mal sehen, ob es ihr morgen früh besser geht, sonst müssen wir den Tierarzt anrufen.«

Tom malte sich düster die Rechnung aus, doch es ließ sich nicht ändern, der Hund gehörte zur Familie. »Gute Idee.«

Kellie bezahlte Mandy und sagte, sie werde sie selbst nach Hause bringen.

»Schon gut«, sagte Tom, »ich habe mich um all die guten Tropfen gebracht, dann kann ich auch fahren.«

»Ich habe auch nicht viel getrunken. Trink noch was und entspann dich.«

Das brauchte sie ihm nicht zweimal zu sagen.

Tom goss sich reichlich Armagnac ein, fläzte sich aufs Sofa und schaltete von dem Horrorfilm auf *Porridge*, eine gute alte Sitcom mit Ronnie Barker als Sträfling. Dann wechselte er zum American Football. Er hörte noch, wie die Haustür zuschlug und der Motor des Audi ansprang. Der erste Schluck rann ihm warm durch die Kehle.

Er ließ die Flüssigkeit nachdenklich im Glas kreisen und fragte sich, was der Unterschied zwischen einem Mann wie Philip Angelides und ihm selbst sein mochte. Welche Eigenschaften hatten ihm zu einem derart phänomenalen Erfolg verholfen, während er selbst nur Pech zu haben schien? War es reines Glück? Veranlagung? Rücksichtslosigkeit?

Kellie fuhr auf die Straße und den Berg hinunter, während sie sich mit Mandy unterhielt. Selbst wenn sie in den Rückspiegel geschaut hätte, wäre ihr der Wagen nicht aufgefallen, der ihr folgte.

Denn er war hundert Meter entfernt und fuhr ohne Licht.

41

ROY GRACE SASS IM RUCKELNDEN TAXI und starrte auf das Display seines Handys. Auf den einzelnen Buchstaben, der dort zu lesen war.

X.

Er sah ihn nur ziemlich verschwommen und war doch emotional völlig aufgewühlt. Straßenlaternen und Scheinwerfer huschten vorüber. Im knisternden Radio empörte sich ein Anrufer in einer

Talkshow über Tony Blair und das öffentliche Gesundheitswesen. Grace schaute auf die Uhr. Zehn nach eins.

Wie war der Abend verlaufen?

Er schmeckte Cleo noch auf seinen Lippen. Ihr Parfum hing in der Luft, in seinen Kleidern. Gott, war sie süß. Und er hatte noch immer einen Steifen. War schon mit einem Steifen aus dem Restaurant gegangen. Und wenn sie ihn nun in ihre Wohnung eingeladen hätte …?

Er kannte die Antwort.

Aber sie hatte es nicht getan.

Er holte tief Luft, roch diesmal aber nur den abgestandenen Plastikgeruch des Taxis.

»Vier Stunden Wartezeit, meine Mum hat Krebs, und die lassen sie vier Stunden mit kaputtem Kopf warten, bevor ein Arzt kommt!«, erklärte der Mann im Radio verbittert.

»Ekelhaft, was?«, meinte der Taxifahrer.

»Und wie«, stimmte Grace geistesabwesend zu und konzentrierte sich auf seine Handytastatur.

»Nette Lady, mit der Sie da unterwegs waren. Hab sie, glaub ich, erkannt. Bin ihr irgendwo schon mal begegnet.«

»Die meisten treffen sie erst, wenn sie tot sind.«

»Ehrlich?« Der Taxifahrer klang belustigt. »Muss wohl ein Engel sein.«

»Genau«, erwiderte Grace und tippte weiter. Schickte ein »XX« zurück.

Er war enttäuscht, als er wenige Minuten später zu Hause ankam und noch keine Antwort erhalten hatte.

42

TOM FUHR RUCKARTIG AUS DEM SCHLAF HOCH, in seinen Ohren dröhnte es, er musste sich erst orientieren. Auf dem Bildschirm rasten Motorräder umher, daher rührte wohl der Lärm.

Er sah sich nach der Fernbedienung um, entdeckte ein leeres

Brandyglas auf dem Teppich, und dann blitzte die Erinnerung auf. Er war eingeschlafen. Wie spät war es bloß?

Die Uhr am DVD-Spieler stand auf zehn nach vier. Das konnte unmöglich stimmen. Er sah auf seine Armbanduhr. Zwei Minuten nach vier.

Jetzt raste ein Pulk Motorräder heulend eine Gerade entlang, die er als Abschnitt der Silverstone-Rennstrecke erkannte. Vor einigen Jahren war er auf Einladung einer Firma dort gewesen und auch ein paar Mal beim Großen Preis von Großbritannien. Sie bremsten ab, schossen in eine Baumgruppe. Er schaltete aus und erhob sich langsam. Fühlte sich steif wie ein Brett.

Warum hatte Kellie ihn nicht geweckt, als sie zurückkam? Er wankte mit dem leeren Glas in die Küche und schleppte sich mit letzter Kraft nach oben.

Er schlich auf Zehenspitzen, um niemanden zu wecken, und öffnete die Schlafzimmertür. Sofort merkte er, dass etwas nicht stimmte.

Die Vorhänge waren geöffnet, graues Dämmerlicht fiel herein und auf das leere Bett.

Keine Kellie.

Schon war er hellwach.

Wenn die Kinder Albträume hatten, war sie gelegentlich zu ihnen ins Bett gekrochen. Er sah in beiden Kinderzimmern nach. Nichts.

Er verfluchte seine Dummheit, rannte nach unten und riss die Haustür auf. Kein Audi.

Vorsichtshalber ging er den Bürgersteig auf und ab und schaute in beide Richtungen, vielleicht war sie ja im Wagen eingeschlafen. Keine Spur.

Er sah wieder auf die Uhr und überschlug, wie lange er geschlafen hatte. Wann hatte sie die Babysitterin nach Hause gefahren? Gegen halb zwei. Also vor zweieinhalb Stunden. Es waren nur gute sechs Kilometer.

Eisige Angst stieg in ihm auf. Hatte Kellie einen Unfall gehabt? Hätte sich die Polizei dann nicht längst bei ihm gemeldet?

Oder hatte sie einen ihrer Kellie-Momente, saß irgendwo allein dort draußen? Aber sie würde doch wissen, dass er sich Sorgen machte.

Genau das war jedoch Teil ihres Problems; sie tat manchmal irrationale Dinge, ohne über die Folgen nachzudenken. Bisher hatte sie die Kinder nie wirklich in Gefahr gebracht, häufig aber handelte sie unbedacht. Wie damals, als sie bei Ebay eines ihrer zahllosen »Schnäppchen« ersteigert hatte – eine Woche auf einer Schönheitsfarm, und zwar genau in der Woche, in der er in Deutschland eine Messe besuchte. Was aus den Kindern werden sollte, daran hatte sie nicht gedacht. Sie brauche eben auch ab und zu ein wenig Freiraum, hatte sie ihm nachher erklärt.

Da war doch dieser Moment im Auto gewesen, als sie schweigend vor sich hin starrte. Tat sie das jetzt auch, nahm sie sich wieder mal ein wenig Freiraum? Er hätte es wenigstens gern gewusst.

Er griff zu dem schnurlosen Telefon und wählte ihre Handynummer. Sekunden später ertönte von unten ihr nerviger Klingelton. Er hängte ein.

Na super.

Tom setzte sich aufs Bett, um in Ruhe nachzudenken. Er liebte Kellie trotz ihrer Macken. Sicher, sie hatten ihre Differenzen, kamen in vieler Hinsicht aber auch wunderbar miteinander aus. Beim Abendessen hatte sie so toll ausgesehen, saß dort in diesem Haifischbecken und ließ sich dennoch nicht unterkriegen. Sie hatte den Abend mit erhobenem Kopf durchgestanden, eine gute Figur gemacht, nette Dinge über ihn gesagt, seine Firma im besten Licht dargestellt.

Dann dachte er an den Neid, der in ihrer Stimme mitgeschwungen hatte, als er sie auf der Rückfahrt gefragt hatte, ob sie gern wie die Angelides wohnen würde.

Klar, warum nicht, wenn's die Dienstboten dazu gibt. Eines Tages haben wir auch so etwas, davon bin ich überzeugt.

Er hatte nicht den Mut gefunden, ihr zu sagen, dass sie ihr Haus womöglich bald verkaufen und gegen etwas Bescheideneres eintauschen müssten. Er konnte es einfach nicht, wollte nicht ihren Schmerz und ihre Enttäuschung erleben. Vor allem aber wollte er vor ihr nicht als Versager dastehen.

Mein Gott, Kellie, wo bist du nur?

Er stand auf und lief umher, ihm war ganz schlecht vor Sorge. Hatte sie einen Unfall gehabt? Oder doch nur einen ihrer Kellie-

Momente? Es war zwanzig vor fünf. Er überlegte, ob er die Eltern von Mandy Morrison anrufen sollte. Doch wenn das Mädchen noch nicht zu Hause wäre, hätten sie sich gewiss längst gemeldet.

Er legte sich angekleidet aufs Bett. In seinem Kopf summte es, er horchte angestrengt auf Motorgeräusche, hörte aber nur das erste Vogelzwitschern. Schließlich rief er dann doch bei Mandy an. Ihr Vater meldete sich verschlafen und teilte ihm mit, Mandy sei gegen Viertel vor zwei sicher nach Hause gekommen.

Tom bedankte sich, rief die Auskunft an und bat um die Nummer des Sussex County Hospital. Man verband ihn mit einer müde klingenden Frau in der Notaufnahme, die ihm versicherte, dass in den letzten Stunden keine Kellie Bryce eingeliefert worden sei.

Als Nächstes rief er die Sussex Police an. Man verband ihn mit der Verkehrsabteilung, wo er mehrere Minuten warten musste, bevor man ihm erklärte, seine Frau sei in keinen Verkehrsunfall verwickelt gewesen.

Danach wusste er nicht mehr weiter.

43

WENDY SALTER LEISTETE erst ihren zweiten Nachtdienst. Die Polizistin auf Probe hatte vor gerade einmal drei Wochen die Polizeischule in Ashford verlassen und musste noch fast zwei Jahre Dienst tun, bis sie den gleichen Status wie ihr Kollege PC Phil Taylor erreichen würde. Er saß am Steuer des Streifenwagens, eines Vectra, der mit Blaulicht, aber ohne Sirene, über die verlassene Straße schoss.

Sie waren nicht weit von der Kripozentrale in Sussex House entfernt und hatten soeben einen Notruf der Zentrale entgegengenommen, nachdem sie zuvor im Nachtklub Escape eine Schlägerei unter Betrunkenen geschlichtet hatten.

Wendy genoss es, mit hohem Tempo durch die Stadt zu rasen, es kam ihr vor wie die tollste Achterbahn der Welt. So ging es übrigens vielen Polizisten, und Taylor verhehlte nicht, dass auch er einer von ihnen war.

Es war Viertel nach vier. Am dunklen Nachthimmel erschienen die ersten grauen Streifen. Ein verschrecktes Kaninchen schoss im Scheinwerferlicht über die Straße und verschwand. Wendy wartete auf den Aufprall und war froh, als nichts geschah.

»Kamikaze-Kaninchen, würde ich sagen«, meinte Taylor fröhlich.

»Ich glaube, es hat Glück gehabt.«

»Hab mal gelesen, dass jemand ein Buch mit Gerichten aus überfahrenen Tieren geschrieben hat. In Amerika.«

»Kein Wunder.« Sie war noch nie in Amerika gewesen, und ihr Bild war stark von den Verrückten aus Kalifornien, die sie aus dem Fernsehen kannte, und den Büchern und Filmen von Michael Moore geprägt.

Rechts von ihnen lag ein Waldstück, links ging es steil bergab zu den Lichtern von Brighton and Hove. Sie bogen um eine scharfe Rechtskurve und sahen schon von weitem das rote Leuchten.

Wendy dachte zuerst, die Sonne ginge auf, aber das konnte nicht sein, da sie genau nach Westen fuhren. Das Leuchten wurde stärker, und dann roch sie ihn auch schon.

Den ekelhaften, beißenden Gestank von brennendem Lack, Gummi und Kunststoff.

Taylor bremste und fuhr an den Straßenrand. Das brennende Auto stand auf einem Parkplatz mit schöner Aussicht, der tagsüber viel genutzt wurde. Wendy Salter schnallte sich ab und stieg aus. Zuerst sah sie nur dichten Qualm, sie musste husten, und ihre Augen tränten. Sie wandte sich ab und lief neben ihrem Kollegen her, der sich dem Wagen so weit wie möglich näherte.

In der Ferne heulte eine Sirene auf. Vermutlich die Feuerwehr. Der Gestank wurde unerträglich, Flammen schossen meterhoch in die Luft.

Jetzt konnte sie den Wagen sehen, einen Kombi. Das Fensterglas war bereits geschmolzen, zum Glück saß niemand drin. Sie schaute auf den Kühlergrill. »Ein Audi«, rief sie Taylor zu.

»Kann noch nicht besonders alt sein.«

»Nein, das ist der neue A4.«

Er schaute sie an. »Autofan, oder wie?«, meinte er mit widerwilliger Bewunderung. Und dann: »Kinder.« Er stieß es wie ein Schimpfwort hervor. »Kleine Arschlöcher. Fackeln einfach einen neuen Wagen ab.«

»Spritztour mit gestohlener Karre?«

»Sieht ganz so aus.«

44

ROY GRACE ERWACHTE AM SONNTAGMORGEN um halb sieben vom Piepsen des Weckers. Sein Mund war ausgedörrt, er hatte rasende Kopfschmerzen. Die zwei Paracetamol-Tabletten, die er gegen fünf Uhr mit einem halben Liter Wasser geschluckt hatte, zeigten ebenso wenig Wirkung wie die beiden, die er einige Stunden zuvor eingenommen hatte.

Als er auf die Schlummertaste drückte, um den Wecker vorübergehend zum Schweigen zu bringen, begann draußen ein Vogel wie eine hängen gebliebene CD unablässig zu zirpen. Zwischen den Vorhängen strömte Licht ins Zimmer.

Wie betrunken war ich eigentlich?

Er kramte in seiner Erinnerung, doch es fühlte sich an, als hätte man in seinem Hirn ein paar Drähte gekappt. Er griff nach dem Handy. Keine neue Nachricht von Cleo.

Na ja, immerhin war es erst halb sieben, und sie schlief vermutlich noch, doch das logische Denken fiel ihm augenblicklich schwer und wurde durch das Vogelzirpen und das Hämmern in seinem Kopf nicht gerade gefördert. Zudem hatte er einen arbeitsreichen Tag vor sich. Von wegen sonntags gemütlich ausschlafen.

Er schloss die Augen. Cleo war wirklich wundervoll, ein warmherziger Mensch, etwas ganz Besonderes – und sie hatten sich so unglaublich gut verstanden! Er erinnerte sich an den langen Kuss im Taxi. Dass sie den ersten Schritt gemacht hatte. Und wie.

Er sehnte sich danach, mit ihr zu sprechen, sie wieder zu sehen. Auf einmal roch er ihr Parfum, nur eine Spur an seiner Hand, am

Handgelenk war es stärker; er hatte ja den Arm um sie gelegt. Er drückte lange die Nase darauf und atmete den Moschushauch ein. Etwas rührte an sein Herz, das er schon längst vergessen geglaubt hatte.

Flüchtig dachte er schuldbewusst an Sandy, unterdrückte aber sein schlechtes Gewissen, weil er sich diesen Moment auf keinen Fall verderben wollte.

Er sah noch einmal auf die Uhr, wandte sich unwillig dem Thema Arbeit zu. Die Besprechung war für halb neun angesetzt. Und er musste noch seinen Wagen holen.

Wenn er jetzt aufstand, hätte er Zeit, zu der Tiefgarage zu laufen, in der er den Alfa abgestellt hatte. Vielleicht bekäme er an der frischen Luft einen klaren Kopf. Aber sein Körper verlangte nicht nach einem Dauerlauf, sondern nach acht weiteren Stunden Schlaf. Roy schloss erneut die Augen, wollte den Schmerz verdrängen, der sich wie ein glühender Draht in seinen Schädel bohrte. Den Scheißvogel hätte er am liebsten erschossen, er wollte doch nur ein paar köstliche Augenblicke lang die Erinnerung an Cleo Morey genießen.

Als der Wecker erneut piepste, war ihm, als seien nur Sekunden vergangen. Zögernd hievte er sich aus dem Bett, öffnete die Vorhänge und tappte barfuß ins Bad, um sich die Zähne zu putzen. Das Gesicht, das ihn aus dem Spiegel anschaute, war alles andere als schön.

Roy Grace war nie eitel gewesen, hatte sich bis vor kurzem aber für ziemlich jung gehalten. Nicht gerade attraktiv, aber ganz passabel, wobei seine blauen Augen, seine Paul-Newman-Augen, wie Sandy sie nannte, sein größter Vorteil waren. Was ihm missfiel, war die kleine schiefe Nase, die er sich einmal gebrochen hatte. Doch heute schien das Gesicht einem viel älteren Mann zu gehören, einem Fremden mit fahlem Teint, schlaffen Wangen und Tränensäcken groß wie Austernschalen.

Es lag nicht am Bier, den Kippen, dem Fastfood oder den verrückten Arbeitszeiten, sondern an der Schwerkraft. Das redete er sich jedenfalls ein. Die Schwerkraft ließ einen jeden Tag ein bisschen kleiner werden. Sie machte die Haut schlaff, indem sie sie unablässig nach unten zog. Man kämpfte ständig gegen die Schwerkraft, doch am Ende behielt sie die Oberhand. Nur aufgrund der Schwerkraft würde irgendwann der Deckel auf seinen Sarg fallen. Selbst wenn man seine Asche im Wind verstreuen ließ, holte die Schwerkraft jedes einzelne Partikelchen zurück auf den Boden.

Manchmal machte er sich Sorgen wegen dieser morbiden Gedanken. Womöglich hatte seine Schwester Recht; vielleicht war er zu viel allein. Doch die Einsamkeit kam ihm mittlerweile ganz normal vor.

Natürlich hatte er sich sein Leben anders vorgestellt, als er vor siebzehn Jahren an einem warmen Septembertag mit Sandy am Ende des Palace Pier stand und ihr einen Heiratsantrag machte. Er hatte gesagt, er sei mit ihr dorthin gegangen, damit er im Falle einer negativen Antwort direkt ins Wasser springen könne. Sie hatte ihm ihr wunderschönes, warmes Lächeln geschenkt, sich das blonde Haar aus dem Gesicht gestrichen und mit ihrem typischen Galgenhumor geantwortet, dass ein Antrag in Beachy Head angesichts dieser Drohung sehr viel eindrucksvoller gewesen wäre.

Er trank ein Glas Leitungswasser und verzog das Gesicht, weil es an diesem Morgen besonders stark nach Fluorid schmeckte. *Mehr Wasser trinken*, lautete der Rat seines Trainers Ian, der ihn im polizeieigenen Fitnessstudio betreute. Er gab sich alle Mühe, aber das Zeug schmeckte einfach nicht so gut wie ein Café Latte von Starbucks. Oder ein Glenfiddich on the rocks. Eigentlich schmeckte alles besser als Wasser. Bisher hatte ihn sein Erscheinungsbild auch gar nicht weiter interessiert.

Bis Cleo kam.

Die Jahre ohne Sandy hatten an ihm gezehrt. Die Polizeiarbeit war hart, doch die meisten Kollegen kehrten nach Feierabend wenigstens zu einer Familie zurück, hatten eine Frau, mit der sie sprechen konnten. Marlon hingegen war kein sonderlich guter Gesellschafter.

Er zog seine Joggingausrüstung an, fütterte den Goldfisch und trat auf die verlassene Straße. Ein herrlich kühler Sommermorgen mit klarem Himmel, der tolles Wetter versprach. Und plötzlich spürte er trotz Kater und Schlafmangel, wie ihn neue Energie durchflutete. Mit frohem Herzen lief er los.

Roy Grace lebte in Hove, einem Wohnbezirk, der vor einiger

Zeit eingemeindet worden war, wodurch die Stadt Brighton and Hove entstand. Der Name »Hove« stammte aus dem Griechischen und bedeutete so viel wie Begräbnisplatz.

Was nicht ganz unzutreffend war, da Hove sehr viel ruhiger war als die ehemals laute und grelle Schwesterstadt. Ein Kriegerdenkmal in Form eines Obelisken und eine bunte Linie, die quer über die Promenade verlief, markierten die frühere Grenze, doch im Laufe der Zeit waren die Städte ohnehin zusammengewachsen.

Grace' bescheidene Doppelhaushälfte lag in einer Straße, die direkt auf den vierspurigen Kingsway am Meer führte. Er überquerte die Straße und lief am Spielplatz und den beiden Bootsteichen der Hove Lagoon vorbei, auf denen sein Vater mit ihm selbst gebaute Modellboote hatte fahren lassen.

Roy lief um die Teiche herum und gelangte auf die Promenade, die ebenso verlassen dalag wie am Vortag.

Wenige Minuten später erreichte er die Grenze von Brighton and Hove, wo zu seiner Rechten rostige Pfeiler aus dem Wasser ragten, die traurigen Überreste des ehemaligen West Pier. Er war früher ebenso lebendig und grellbunt gewesen wie sein Pendant, der Palace Pier, genau achthundert Meter weiter östlich.

Sein Dad, ein leidenschaftlicher Angler, war oft mit ihm zum Palace Pier gegangen. An Samstagnachmittagen außerhalb der Fußballsaison oder an Tagen, an denen Albion auswärts spielte, konnten sie dort einen guten Fang machen. Merlane, Brassen, Schollen und – wenn sie Glück hatten, das Wetter und die Gezeiten mitspielten – ab und an auch Seezungen oder Barsche.

Doch nicht das Angeln hatte Roy als Kind zum Pier gelockt, sondern die anderen Attraktionen, Autoscooter und Geisterbahn und vor allem die Automaten mit den bewegten Bildern hinter den Glasscheiben. Er holte sich bei seinem Vater ständig Münzen, damit er sein Lieblingstableau, das Spukhaus, zum Leben erwecken konnte. Zahnräder setzten sich knarrend in Gang, Flaschenzüge setzten sich stöhnend in Bewegung, Türen flogen auf, das Licht ging an und aus, Skelette und Geister erschienen und auch der Tod persönlich als schwarze Kapuzengestalt mit einer Sichel in der Hand.

Er sprintete die Stufen zur oberen Promenade hinauf, überquerte die Straße, auf der um diese Zeit kaum Autos fuhren, und lief am Old Ship Hotel vorbei zur Tiefgarage. Er schaute auf die Uhr. Scheiße, er hatte sich ganz schön verschätzt. Wenn er es noch rechzeitig zur Besprechung schaffen wollte, was für die Moral seines Teams eigentlich unerlässlich war, blieb ihm nicht mal eine halbe Stunde, um nach Hause zu fahren, zu duschen und ins Büro zu düsen.

Roy schob den Parkschein in den Automaten, die Kreditkarte hinterher und eilte die Betontreppe hinunter zur Parkebene. Es stank nach Urin, und er fragte sich, warum alle Tiefgaragen, die er je benutzt hatte, vollgepisst waren.

45

UM 8.29 UHR ERREICHTE GRACE die Soko-Zentrale 1, stopfte sich die Reste eines Marsriegels in den Mund, in der Hand einen Becher kochend heißen Kaffee.

Er schob einen Kaugummi hinterher, um eine eventuelle Fahne zu überdecken, und wollte gerade den Raum betreten, als sich Schritte von hinten näherten.

»Hallo, Oldtimer, wie war dein Rendezvous?«

Glenn Branson stand mit einem Cappuccino in der Hand hinter ihm. Er trug eine Lederjacke, die wie ein Spiegel glänzte.

»Schön.«

»*Schön?* Ist das alles?« Er betrachtete forschend das Gesicht seines Freundes.

Grace kaute und lächelte scheu. »Na ja, vielleicht auch ein bisschen mehr als schön.«

»Willst du damit sagen, du weißt es nicht?«

»Ich kann mich nicht genau erinnern, hab zu viel getrunken.«

»Hat sie dich flachgelegt?«

»Es war nicht diese Art von Verabredung.«

Branson schaute ihn eigenartig an. »Manchmal bist du ganz schön verdreht! Ich dachte, dazu sind Verabredungen da.« Er grinste breit. »Später hätte ich gern einen detaillierten Bericht. Hat sie deine Klamotten bewundert?«

Grace sah auf die Uhr. Zeit für die Besprechung. »Sie hat nur gesagt, mein Schneider habe einen wunderbaren Sinn für Humor.« Er öffnete die Tür und trat zusammen mit Branson ein.

»Das hat sie nicht wirklich gesagt, oder? Mensch, Oldtimer, na komm schon!«

Das ganze Team saß bereits im Arbeitsbereich. Alle waren lässig gekleidet, bis auf Norman Potting, der die Sonntagnachmittag-Ausgehuniform zu tragen schien. Frisch gebügelter beigefarbener Anzug mit bunter Krawatte und noch bunterem Einstecktuch.

Grace hatte sich nicht die Mühe gemacht, etwas Förmliches herauszusuchen, außerdem war er später noch mit seiner Patentochter Jaye verabredet, für die er nicht wie ein alter Langweiler aussehen wollte.

Also hatte er schnell ein paar von den Sachen angezogen, die er gestern gekauft hatte – weißes T-Shirt, Jeans, die im Schritt zu eng saß, laut Glenn Branson aber unheimlich cool aussah, Schnürschuhe, die an Fußballstiefel erinnerten und ebenfalls cool sein sollten, und eine superleichte Baumwolljacke.

Erster Punkt der Besprechung war der Fall des Sexualstraftäters Reginald D'Eath, dessen Computer man beschlagnahmt hatte. Grace berichtete, dass DS Rye von der Abteilung Computerkriminalität dort die gleichen Routings wie im Laptop von Tom Bryce gefunden hatte. Womöglich hatten sie Bryce auf die Website geführt, wo er den Mord mit angesehen hatte. Davon war Branson nach einer ausführlichen Befragung jedenfalls überzeugt.

Grace teilte seinem Team mit, dass er um zehn Uhr einen Anruf vom Zeugenschutzprogramm erwarte und hoffe, dabei die Adresse von D'Eath zu erfahren. Er wies Norman und Nick an, ihn dorthin zu begleiten; aus irgendeinem Grund hatte er ein schlechtes Gefühl bei diesem Verhör und dachte, mit drei Leuten auf der sicheren Seite zu sein.

Nick Nicholas meldete, dass er bis spät in die Nacht die Nachtlokale von Brighton durchkämmt, aber keinerlei Hinweise auf Janie Stretton gefunden hatte.

Norman berichtete von seiner Überprüfung der Kunden von BCE-247. Bislang hatte niemand zugegeben, Janie zu kennen, und auf keinen von ihnen passte die Beschreibung von Anton. »Aber ich habe trotzdem etwas entdeckt. Wie es scheint, war Ms Stretton noch bei einem zweiten Begleitservice registriert.«

Er hielt ein noch anzüglicheres Foto von Janie Stretton hoch, auf dem sie nichts trug außer Troddeln an den Brustwarzen, schenkellangen schwarzen Lederstiefeln und ledernen Nietenarmbändern. Sie hatte eine Hand in die Hüfte gestützt und hielt in der anderen eine neunschwänzige Katze.

Grace überlegte schon, ob er Potting womöglich unterschätzt hatte. »Woher haben Sie das?«

»Aus dem Internet. Ich habe sämtliche Mädchen der örtlichen Agenturen überprüft und sie erkannt.«

Grace hatte angenommen, das Internet sei zu modern für einen Ermittler der alten Schule. »Ich bin beeindruckt, Norman.« Insgeheim fragte er sich allerdings, ob die Suche aus rein beruflichen Gründen stattgefunden hatte.

Der Detective Sergeant errötete leicht. »Danke, Roy, der alte Hund ist noch am Leben, was?« Er zwinkerte Emma-Jane lüstern zu, die ihre Augen umgehend auf den Schreibtisch heftete.

»Tolle Titten«, sagte er und reichte das Foto an DS Nicholas weiter, der den Kommentar geflissentlich ignorierte.

Emma-Jane berichtete, dass sie sämtliche Taxiunternehmen in Bromley und Umgebung abtelefoniert hatte, um den Fahrer zu ermitteln, der eine Ladung Skarabäen bei Erridge und Robinson abgeholt hatte. Bislang ohne Erfolg.

Irgendwo erscholl plötzlich laute Rap-Musik. Bransons neuer Klingelton. Er blickte entschuldigend in die Runde.

»Tut mir Leid, das hat mein Nachwuchs installiert. DS Branson.«

Er entfernte sich aus dem Arbeitsbereich. »Mr. Bryce, was kann ich für Sie tun?«

Er hörte schweigend zu. Dann: »Ihre Frau, sagen Sie? Letzte Nacht nicht nach Hause gekommen? Noch immer nicht da? Können Sie den Wagen beschreiben, den sie fuhr?«

Er kam zurück, setzte sich an den Tisch und notierte etwas.

»Gut, Sir, ich höre in der Verkehrsabteilung nach. Ein Audi A4 Kombi. Kann ich Sie unter dieser Nummer erreichen?«

Als er eingehängt hatte, fragte Nick Nicholas: »Ein Audi Kombi?«

»Ja. Wieso?«

Nicholas tippte etwas in den PC und scrollte durch eine Liste. »Das dachte ich mir.«

Grace schaute ihn fragend an.

»Heute Morgen um halb fünf wurde auf der Anhöhe von Ditchling Beacon ein brennender Audi Kombi gefunden. Die Nummernschilder waren nicht mehr zu lesen.«

Branson schaute ihn beklommen an.

46

JESSICA HOCKTE IN IHREM ROSA MORGENMANTEL auf dem Küchenboden und streichelte die schläfrige Lady. Max stand daneben in einem Harry-Potter-T-Shirt, das er verkehrt herum angezogen hatte, und verkündete ernsthaft: »Heute ist Sonntag. Ich glaube, sie möchte einfach ausschlafen.« Dann schaute er wieder zu dem Zeichentrickfilm hinüber, der gerade im Fernsehen lief.

»Sie muss doch nicht sterben, Daddy, oder?«, fragte Jessica.

Tom hatte kein Auge zugetan, war unrasiert, mit zerwühltem Haar und nur mit T-Shirt und Jeans bekleidet. Er kniete sich neben seine Tochter und legte den Arm um sie. »Nein, Liebes«, sagte er mit unsicherer Stimme, »sie ist nur ein bisschen krank. Bauchweh oder so was. Wir warten noch ab, und wenn's nicht besser wird, rufen wir den Tierarzt.«

Er hatte bei Kellies Eltern und ihren besten Freundinnen angerufen, doch sie hatte bei niemandem übernachtet. Er hatte sogar bei ihrer Schwester Martha nachgefragt, die in Schottland wohnte, aber auch die hatte nichts von ihr gehört. Nun war er mit seinem Latein am Ende.

Jessica drückte sich an Ladys Gesicht und küsste sie. »Ich hab dich lieb, Lady, du wirst bald wieder gesund.«

Der Hund reagierte nicht.

Auch Max presste sich jetzt an den Bauch der Schäferhündin. »Wir haben dich alle lieb. Aber wenn du nicht aufstehst, verpasst du dein Frühstück.«

Tom fiel erst jetzt auf, dass sie noch gar nichts gegessen hatten, dabei war es schon halb zehn.

»Wenn Mami zurückkommt, macht sie dich gesund«, verkündete Jessica.

»Natürlich. Ihr habt sicher Hunger, was möchtet ihr denn gern? French Toast?«

Den machte Kellie sonntags immer für die Kinder.

»Bei dir schmeckt er nicht so gut«, sagte Max. »Du lässt ihn anbrennen.« Er stand auf, nahm die Fernsteuerung und zappte durch die Kanäle.

»Ich könnte ja versuchen, ihn nicht anbrennen zu lassen.«

»Warum kann Mami ihn nicht machen?«

»Tut sie bald wieder. Soll ich schon mal anfangen, bis sie kommt?«

»Du lässt ihn immer anbrennen«, meldete sich nun auch Jessica.

»Hab keinen Hunger«, knurrte Max.

»Möchtet ihr Müsli?«

»Können wir heute zum Strand, Daddy?«, fragte Max. »Mami hat gesagt, wenn es schön ist, gehen wir hin, und es ist doch schön, oder?«

Tom schaute schweren Herzens aus dem Fenster. Ein prächtiger blauer Himmel, der Beginn eines schönen Frühsommertags. »Mal sehen.«

Max' Kiefer klappte herunter. »Mann, sie hat es uns versprochen!«

»Tatsächlich?«

»Ja.«

»Na ja, wenn sie kommt, dann fragen wir, was sie am liebsten machen möchte.«

»Sicher Wodka trinken«, meinte Jessica, ohne aufzublicken.

Tom glaubte schon, er habe sich verhört. »Wie war das, Liebes?«

Jessica streichelte weiter die Hündin.

»Jessica, was hast du da eben gesagt?«

»Ich hab sie gesehen.«

»Wobei hast du Mami gesehen?«

»Ich hab versprochen, nichts zu verraten.«

Tom runzelte die Stirn. »Was nicht zu verraten?«

»Gar nichts«, meinte sie lächelnd.

Es klingelte an der Tür.

Max rannte los und rief aufgeregt: »Mami! Mami! Mami ist wieder da!«

Jessica folgte ihrem Bruder, Tom auf den Fersen.

Max riss die Haustür auf und schaute überrascht zu dem großen Schwarzen mit der glänzenden Lederjacke hinauf. Jessica blieb mit einem Ruck stehen.

Der Gesichtsausdruck des Ermittlers gefiel Tom ganz und gar nicht.

Glenn Branson ging in die Hocke, sodass er auf einer Höhe mit Jessica war. »Hallo.«

Sie floh in die Küche. Max rührte sich nicht und funkelte den Mann an.

»Detective Sergeant Branson«, sagte Tom verwundert.

»Könnte ich mit Ihnen sprechen?«

»Natürlich.« Tom bat ihn herein.

Branson schaute zu Max hinunter. »Alles klar?«

»Lady will nicht aufwachen.«

»Lady?«

»Unser Hund. Ich glaube, sie ist krank.«

»Verstehe.«

Max zögerte.

»Warum machst du dir und Jessica nicht ein Müsli?«, schlug Tom vor.

Unwillig drehte der Junge ab und trottete in die Küche.

Tom schloss die Haustür. »Gibt es etwas Neues?« Jessicas Bemerkung über den Wodka ging ihm nicht aus dem Kopf. Was hatte seine Tochter nur gemeint?

»Wir haben bei Ditchling Beacon den Audi Kombi gefunden, den Ihre Frau gefahren hat«, erklärte Glenn Branson ruhig. »Er war ausgebrannt, wurde vermutlich irgendwann heute Morgen von Vandalen angesteckt. Wir haben die Fahrgestellnummer überprüft, der Wagen war auf Sie zugelassen.«

Tom starrte ihn entsetzt an. »Ausgebrannt?«

»Leider ja.«

»Und meine Frau?« Er begann haltlos zu zittern.

»Es saß niemand drin. Kommt am Wochenende andauernd vor. Jugendliche klauen Autos, fahren damit herum und fackeln sie später ab. Entweder aus Spaß oder wegen der Fingerabdrücke. Meist wegen beidem.«

Tom musste die Nachricht erst verdauen. »Sie hat lediglich unsere Babysitterin nach Hause gefahren. Wie zum Teufel konnte dabei der Wagen geklaut werden?«

Das wusste auch der Detective Sergeant nicht.

47

BRIGHTON AND HOVE hatte tatsächlich viele Gesichter, dachte Grace, und auch die Einwohner waren bunt gemischt. In anderen Städten hatte man Viertel, in denen bestimmte ethnische Gruppen zusammenfanden, doch traf man hier eher auf soziologische Gemeinschaften.

Zum einen gab es die gut situierten Älteren, die in herrschaftlichen Mehrfamilienhäusern oder Seniorenresidenzen lebten. Sie schauten sich Kricketspiele an oder spielten Boccia auf den Rasenflächen von Hove, saßen auf der Promenade oder am Strand und überwinterten, falls sie es sich erlauben konnten, in Spanien oder auf den Kanaren. Die ärmeren Senioren hingegen verbrachten den Winter und auch den halben Sommer in ihren feuchten, dunklen Sozialwohnungen.

Daneben gab es die protzige Mittelklasse mit den schicken Doppelhaushälften in Hove 4 und jene, die sich dezenter gab und in den schönen Villen am Meer lebte. Wer es bescheidener hielt wie Grace, zog in den Westen und den Vorort Southwick, der unmittelbar hinter dem Hafen von Shoreham gelegen war, in preisgünstige Nischen in der City und bis hinaus in die Downs.

Brighton and Hove verdankte seine Farbe und Vitalität nicht zuletzt der sehr präsenten schwulen Gemeinde und den zahlreichen Studenten, die die Sussex und Brighton University und die zahlreichen Colleges besuchten und sich überall in der Stadt ausgebreitet hatten.

Dann waren da noch die Kriminellen. Manche traten ganz offen auf wie die Drogenhändler, die sich in den heruntergekommenen Gegenden tummelten und beim Anblick eines Streifenwagens abtauchten. Die Oberklasse bildeten die unsichtbaren Kriminellen, die elegant hinter den hohen Mauern der Dyke Road Avenue und ihren baumbestandenen Nebenstraßen residierten.

Am Rande der Stadt drängten sich Wohnblocks wie Moulscombe und Whitehawk, die seit langem als Brennpunkte der Kriminalität und Gewalt galten, was Grace durchaus ungerechtfertigt fand. Kriminalität und Gewalt gab es in der ganzen Stadt, doch die Leute fühlten sich einfach besser, wenn sie mit dem Finger auf die Wohnblocks zeigen konnten, als gediehe dort eine völlig fremde Spezies, mit der sie nichts zu tun hatten. In Wirklichkeit lebten dort meist anständige Menschen, die sich keine Selbstgefälligkeit leisten konnten.

Und letztlich gab es die traurige Unterschicht. Trotz regelmäßiger Versuche, Obdachlose von der Straße zu holen, tauchten sie, sobald es wärmer wurde, vor den Geschäften, in Hauseingängen, auf Gehwegen und an Bushaltestellen auf. Es war schlecht für den Tourismus und noch schlechter für das Gewissen der Stadt.

Wenn im Mai das Festival begann, tauchten vor allen Cafés, Restaurants und Kneipen Tische und Stühle auf, die Straßen erwachten zu neuem Leben. Manchmal war es fast wie am Mittelmeer, dachte Grace. Doch dann zog wieder eine Kaltfront über den Kanal, ein heulender Südwestwind ließ den Regen auf die Tische prasseln und peitschte gegen die Fenster der Boutiquen, in denen Schaufensterpuppen in Badekleidung standen.

Das Herz der Stadt schlug in der Gegend um den Palace Pier, in den Regency-Häusern von Kemp Town, wo Janie Stretton gewohnt hatte, in The Lanes, wo die Antiquitätenhändler residierten, und im Viertel North Laine, wo sich kleine Szeneläden und winzige Stadthäuser drängten. Hier wohnte Cleo Morey in einer umgebauten Fabrik.

Nick Nicholas steuerte den neutralen Ford Mondeo. Grace saß auf dem Beifahrersitz und tippte Notizen in seinen Blackberry, hinter ihm Norman Potting. Sie fuhren die London Road in Richtung Meer. Meist herrschte hier dichter Verkehr, aber am frühen Sonntagmorgen hatten sie die Straße bis auf ein paar Busse für sich allein.

Grace sah auf die Uhr. Hoffentlich dauerte das Gespräch mit Reggie D'Eath nicht allzu lange, denn dann könnte er noch einige Stunden mit seinem Patenkind verbringen. Fürs Mittagessen würde es reichen, wenn auch nicht für die Giraffen.

Sie kamen am Royal Pavilion vorbei, dem Wahrzeichen der Stadt. Keiner warf einen Blick darauf, es gehörte zu den Orten, die so vertraut waren, dass sie praktisch unsichtbar wurden.

Das mit Türmchen und Minaretten verzierte Bauwerk im Stil eines indischen Palastes wurde von George IV., der hier seine Mätresse Mary Fitzherbert unterbrachte, Ende des 18. Jahrhunderts in Auftrag gegeben. Seither gilt es als eine der prachtvollsten Bumsbuden der Welt.

Sie hielten am Kreisverkehr, der genau vor dem schrillbunten Palace Pier lag. Vor ihnen überquerte eine langbeinige Blondine in einem Rock, der kaum den Hintern bedeckte, die Straße. Sie schwang ihr Täschchen und warf ihnen einen koketten Blick zu.

Potting, der einige Minuten geschwiegen hatte, murmelte: »Na los, Püppchen, bück dich und zeig uns deine Muschi.«

Im Verkehr tat sich eine Lücke auf, Nick Nicholas bog nach links ab.

»Klasse Weib, was?«, meinte Potting und schaute aus dem Rückfenster.

»Klasse schon, nur leider ein *er*«, korrigierte ihn Nick.

»Leck mich doch!«, knurrte Potting.

»Lieber nicht«, versetzte der DS.

Sie fuhren die Marine Parade entlang, vorbei an einem Nachtklub, vor dem Glasscherben und Fastfood-Schachteln lagen, dem trendigen Van-Alen-Building und den schwarz-weißen Regency-Fassaden am imposanten halbkreisförmigen Sussex Square, an dem laut Auskunft von Glenn Branson einmal Sir Laurence Olivier gewohnt hatte.

»Red keinen Scheiß«, meinte Potting. »Die war Spitzenklasse!«

»Großer Adamsapfel, daran kann man's erkennen«, konterte der DS.

»Fick dich ins Knie.«

»Das hätte der da drüben sicher gern getan, wenn Sie ihn nett gefragt hätten.«

»Es sollte verboten sein, dass Schwuchteln so auf der Straße rumlaufen.«

Grace drehte sich um. »Norman, Sie sind ziemlich grob. Das kann ganz schön beleidigend wirken.«

»Tut mir Leid, Roy, aber ich finde warme Brüder nun mal auch beleidigend. Werd's nie verstehen.«

»Nun ja, zufällig ist Brighton die Schwulenhauptstadt Großbritanniens«, erwiderte Grace gereizt. »Falls das ein Problem für Sie darstellt, haben Sie den falschen Job oder den falschen Wohnort.« *Und du bist ein Riesenarsch, und mir wäre es am liebsten, du würdest aus meinem Auto und meinem Leben verschwinden*, hätte er gern hinzugefügt. Er durchwühlte seine Tasche nach Paracetamol.

Rechts blähten sich die Segel der Jachten, die soeben den Hafen für eine Sonntagsregatta verlassen hatten.

»Ist der Typ, mit dem wir gleich reden, auch einer von denen?«, erkundigte sich Potting.

»Keine Sorge«, erwiderte Nick Nicholas, »der steht auf Mädchen – allerdings nur, wenn sie nicht älter als vier sind.«

»Das kann ich nun gar nicht verstehen.«

Grace warf knurrend noch eine Tablette ein und dachte: *Da haben wir zur Abwechslung mal was gemeinsam.*

Sie fuhren eine steile Anhöhe hinter Rottingdean hinauf, vorbei am Kricketplatz einer Grundschule. Dann bogen sie in eine ruhige Wohnstraße ein, die von Bungalows gesäumt war, eine Gegend, in der alles auffallen würde, das nicht der Norm entsprach. Davon zeugten auch die gelben Aufkleber von Neighbourhood Watch.

Eine gute Lage, um jemanden sicher zu verstecken, dachte Grace, ihn störte nur eine Kleinigkeit. Wie konnte man einen Pädophilen gleich um die Ecke einer Grundschule unterbringen?

»Erwartet uns Mr. D'Eath?«, fragte Nicholas.

»Mit dem Morgenkaffee und einer Schachtel ›Under Eight‹«, witzelte Potting.

Grace ignorierte den geschmacklosen Scherz. »Die Frau vom Zeugenschutzprogramm hat gesagt, sie hätte ihm eine Nachricht hinterlassen.«

Sie hielten vor Haus Nr. 29. Die Bungalows aus den fünfziger Jahren wirkten ein wenig heruntergekommener als die übrigen Häuser, der braune Rauputz war schadhaft, Türen und Fensterrahmen mussten dringend gestrichen werden. Der kleine Vorgarten sah trostlos aus und erinnerte Grace daran, dass er an diesem Wochenende den Rasen hätte mähen müssen. Eigentlich war heute der perfekte Tag dafür, nur hatte er absolut keine Zeit.

Er wies Norman Potting an, auf der Straße zu warten, falls Reginald D'Eath die Nachricht nicht erhalten hatte und sich aus dem Staub machen wollte. Dann ging er mit DC Nicholas zur Haustür. Dass die Vorhänge im Wohnzimmer um Viertel vor elf noch geschlossen waren, gab ihm zu denken. Na ja, vielleicht war Mr. D'Eath ja Langschläfer. Er drückte den Klingelknopf, eine Glocke erklang, dann herrschte wieder Stille.

Grace klingelte erneut.

Nichts.

Er kniete sich und rief durch den Briefkasten: »Hallo, Mr. D'Eath, hier ist Detective Superintendent Grace von der Kripo Brighton!«

Noch immer nichts.

Gefolgt von Nicholas ging er ums Haus herum, quetschte sich an den Mülltonnen vorbei und stieß ein hohes Holztor auf. Hier sah es noch schlimmer aus als im Vorgarten, der Rasen war vom Unkraut völlig zugewuchert, die Beete bildeten ein Dickicht aus Winden und Nesseln. Er trat über eine umgekippte Gießkanne. Eine der Milchglasscheiben der Küchentür war zerbrochen. Auf dem Ziegelweg lagen die Splitter.

Er schaute zu Nicholas, dessen Stirnrunzeln seine eigenen Bedenken spiegelte. Er drückte die Klinke, die widerstandslos nachgab.

Es war, als würden sie in eine andere Zeit versetzt. Ein uralter

Kühlschrank, Schränke aus Holzimitat mit Resopalarbeitsflächen, ein klappriger Toaster und ein Wasserkocher aus Kunststoff. Auf einem schäbigen Tischchen befanden sich die Überreste einer Mahlzeit – Eier mit Bohnen, ein halb voller Becher Tee. An einer Servierschüssel lehnte ein aufgeschlagenes Magazin, das auf einer Doppelseite nackte Kinder präsentierte.

»Jesus«, sagte Grace angewidert und tauchte einen Finger in den Tee, der eiskalt war. Er wischte ihn an einem Geschirrtuch ab und rief: »Hallo! Reginald D'Eath! Hier ist die Sussex Police! Sie können jetzt rauskommen! Wir wollen nur mit Ihnen reden! Wir brauchen bei unseren Ermittlungen Ihre Hilfe!«

Stille.

Eine Stille, die Grace nicht behagte, die eine Gänsehaut verursachte. Auch der Geruch behagte ihm nicht. Es war nicht der Geruch einer alten, abgenutzten Küche, sondern etwas Beißendes, das er kannte, aber nicht benennen konnte. Sein Gefühl sagte ihm, dass dieser Geruch definitiv nicht in ein Wohnhaus gehörte.

Er brauchte D'Eath dringend für die Ermittlungen, musste mit ihm über die Funde in seinem Computer sprechen. Reggie D'Eath war denselben Links wie Bryce gefolgt und Grace hatte keinen Zweifel daran, dass der Kinderschänder ihnen Informationen darüber geben konnte, was Tom Bryce gesehen hatte.

Die bislang beste Spur im Fall Janie Stretton. Und er musste dauernd daran denken, dass seine Karriere von diesem Fall abhing.

Er war praktisch zum Erfolg verurteilt.

Grace bedeutete Nick Nicholas, sich im Haus umzusehen. Dieser verließ die Küche, und Grace begab sich in das kleine Wohnzimmer, in dem der Geruch noch stärker war. Eine billige Sitzgarnitur, ein alter Fernseher, schlecht gerahmte Turner-Drucke an den Wänden und ein einsames Foto auf dem Kaminsims, im Kamin selbst ein elektrisches Pseudofeuer.

Grace betrachtete das steif posierende Paar, das vor einem Standesamt zu stehen schien: ein schwächlich wirkender Mann um die dreißig mit Babygesicht, schütterem Haar, grauem Anzug, farbenfroher Krawatte und zu hohem Hemdkragen, der den Arm um eine abgehalfterte Blondine gelegt hatte.

Dann hörte er den Schrei. »Mein Gott, Roy!«

Er rannte aus dem Zimmer. Der DC stand im Flur vor einer offenen Tür und hielt sich hustend die Hand vor dem Mund.

Der saure, beißende Geruch setzte sich sofort in Roys Kehle fest. Er hielt die Luft an und trat an Nicholas vorbei in das avocadogrüne Bad. Im erstickenden Nebel sah er sich Reggie D'Eath gegenüber.

Oder besser gesagt dem, was von ihm noch übrig war.

48

JETZT WUSSTE GRACE AUCH, woher er den Geruch kannte. Ihm fiel eine gemeine Eselsbrücke seines ehemaligen Chemielehrers ein:

> Der arme Jim, nun liegt er hier
> sein Leben ist passé.
> Denn er trank H_2SO_4
> Statt H_2O, o weh.

Grace' Augen brannten, er spürte einen stechenden Schmerz im Gesicht. Er konnte nur wenige Sekunden in dem Raum bleiben, aber die reichten völlig aus.

Reggie D'Eath lag bis zum Hals in der Badewanne, die mit einer wasserklaren Flüssigkeit gefüllt war, bei der es sich offenbar aber um Schwefelsäure handelte. Sie hatte vom Hals abwärts fast die ganze Haut, die Muskeln und inneren Organe aufgefressen und ein sauberes, teilweise aufgelöstes Skelett hinterlassen, an dem nur noch wenige blasse Reste hafteten, die sich vor seinen Augen auflösten.

Um den Hals war eine metallene Schlinge gebunden, die an der Handtuchstange über der Wanne befestigt war. Die beißenden Dämpfe arbeiteten sich allmählich zu Reggies Gesicht vor, auf der Haut erschienen bereits leuchtende Pusteln.

Grace wich zurück und prallte mit Nicholas zusammen. Die Männer schauten einander wortlos an. »Ich muss hier raus«, keuchte

Grace und wankte durch die Haustür in den Vorgarten. Sein Kollege kam ihm nach.

»Alles in Ordnung?« Norman Potting lehnte am Wagen und paffte genüsslich seine Pfeife.

»Nicht direkt«, erwiderte Grace. Ihm war ganz flau, er konnte nicht klar denken. Er atmete mehrfach tief ein. Ein Stück weiter wusch ein Mann seinen Wagen. Man hörte das tiefe Surren eines mechanischen Rasenmähers.

Grace holte sein Handy aus der Tasche. Es war neu, er hatte die Kamerafunktion noch nie benutzt. Vorsichtig drückte er ein paar Tasten, presste ein Taschentuch vors Gesicht und kehrte ins Haus zurück, um rasch einige Fotos zu machen.

Nicholas wartete im Flur auf ihn. »Alles okay, Chef?«

»Könnte nicht besser sein«, japste Grace, steckte das Handy ein und dachte voller Unbehagen an den nächsten Schritt.

Er holte noch einmal tief Luft, stürzte ins Bad, riss ein Handtuch von der Stange, wickelte es um den Kopf von Reggie D'Eath und zog heftig.

Nach mehreren Versuchen löste sich der Kopf. Grace trug ihn mit angehaltenem Atem aus dem Bad und legte ihn im Flur auf den Boden.

Der junge Detective Constable warf einen Blick darauf, sackte gegen die Wand und erbrach sich.

Über Funk rief Grace Unterstützung – die Spurensicherung, einen Wachposten und mehrere Beamte für eine Befragung der Nachbarn. Dabei fiel ihm ein schnurloses Telefon auf, das neben dem scheußlichen Magazin lag, in dem D'Eath beim Frühstück gelesen hatte.

Als er zu Ende telefoniert hatte, hob er das Telefon mit einem Taschentuch an, drückte auf Wahlwiederholung und hielt es ans Ohr. Im Display erschien eine örtliche Nummer, nach zweimaligem Klingeln meldete sich eine überaus höfliche Männerstimme.

»Dobsons, guten Morgen, womit kann ich Ihnen dienen?«

»Hier spricht Detective Superintendent Grace von der Kripo Brighton. Ich glaube, bei Ihnen hat heute ein gewisser Reginald D'Eath angerufen.« Er sprach den Namen extra deutlich mit langem I aus. »Dürfte ich wissen, in welcher Verbindung er zu Ihnen steht?«

»Bedauere sehr«, entgegnete Mr. Höflich, »aber der Name sagt mir nichts. Vielleicht hat einer meiner Kollegen mit ihm gesprochen.«

»Wer genau sind Sie denn?«

»Wir sind ein Bestattungsinstitut.«

Grace bedankte sich und legte auf.

Sollte das etwa ein übler Scherz der Mörder gewesen sein?

In Gedanken versunken ging er nach draußen und bat Norman Potting ins Haus. Es war doch gemein, ihn so mutterseelenallein im strahlenden Sonnenschein seine Pfeife rauchen zu lassen.

Eine knappe Stunde später traf die Spurensicherung ein, darunter auch ein äußerst schlecht gelaunter Joe Tindall. Seine Begeisterung für Roy Grace schien deutlich nachzulassen.

»Ist das jetzt deine übliche Sonntagsbeschäftigung?«

»Du wirst lachen, eigentlich habe ich auch ein Privatleben«, knurrte Roy, dem der Humor vergangen war.

Tindall schüttelte den Kopf. »Nur noch fünfzehn Jahre, acht Monate und sieben Tage bis zur Pensionierung. Und ich hake jede Sekunde ab.«

Grace führte ihn durch den Flur ins Bad. Der Anblick, der sich ihnen bot, trug nicht gerade dazu bei, Tindalls Stimmung zu heben.

Grace ließ ihn allein, kroch unter dem Absperrband hindurch und drängte sich durch die wachsende Zuschauermenge. Auf der Straße parkten ein halbes Dutzend Streifenwagen und der große Einsatzwagen der Abteilung Kapitalverbrechen. Zwei uniformierte Polizeihelfer klopften gerade an die Tür des Nachbarhauses, um die Befragung zu beginnen.

Roy Grace ging ein Stück die Straße entlang, bis er außer Hörweite war, und rief Jaye an, um sich zu entschuldigen, weil er ihr erneut absagen musste. Ihre Enttäuschung tat richtig weh. Er versprach ihr, den Ausflug nächste Woche nachzuholen, aber sie schien ihm nicht so recht zu glauben.

Es war halb zwölf, und er hatte seit einer geschlagenen Stunde nicht an Cleo Morey gedacht. Also wählte er ihre Nummer, erreichte aber lediglich die Mailbox.

»Hi, ich wollte nur sagen, wie schön es gestern Abend war. Ruf mich an, wenn du Zeit hast. Ach ja, hoffentlich hast du heute keinen Rufdienst, ich habe da eine ausgesprochen unerfreuliche Leiche gefunden.«

Seine Kopfschmerzen kehrten mit neuer Wucht zurück, seine Kehle war rau wie Schmirgelpapier. Niedergeschlagen ging er zum Haus, wo Nicholas und Potting mit dem wachhabenden Polizisten sprachen. »Sollen wir einen trinken? Kann ich jetzt gebrauchen.«

»Solange es nicht Mr. D'Eaths Badewasser ist«, meinte Potting.

Grace hätte beinahe gelächelt.

49

KELLIE WOLLTE SICH BEWEGEN, aber der Schmerz in den Armen wurde unerträglich. Der Draht, oder was immer es war, schnitt tiefer und tiefer ins Fleisch. Wenn sie zu schreien versuchte, vibrierte ihr ganzes Gesicht, und der Laut blieb in ihrem Mund gefangen.

Sie konnte nichts sehen, die Augen nicht öffnen. Außer den Bildern in ihrem Kopf herrschte um sie herum absolute Schwärze. Sie hörte nur das Rauschen ihres Blutes. Ihre eigene Angst.

Sie zitterte vor Kälte und Entsetzen. Und weil ihr der Alkohol fehlte.

Ihre Kehle war ausgedörrt. Sie brauchte was zu trinken. Sehnte sich verzweifelt nach einem Schluck Wodka. Und Wasser.

Der Stoff zwischen ihren Beinen war kalt und feucht, die Haut juckte. Vor einer Weile hatte sie nachgegeben und den Urin einfach laufen lassen. Für kurze Zeit war es angenehm warm gewesen, kühlte dann aber ab und begann unangenehm zu riechen. Ansonsten nahm sie nur den muffigen Kellergeruch wahr.

Kellie hatte keine Ahnung, wie spät es war. Oder wo sie sich befand. In ihrem Kopf hämmerte es. Kalte Angst kreiste in ihr wie in einem tiefen, schwarzen Brunnen, wirbelte durch ihre Adern. Vor lauter Angst konnte sie gar nicht klar denken.

Nur selten hörte sie von fern Verkehrsgeräusche. Eine Sirene. Die Rettung?

Ihr kamen die Tränen. Sie wollte zu Tom, Jessica und Max, wollte ihre Stimmen hören, sie in die Arme nehmen. Sie versuchte, sich an die verwirrenden Ereignisse zu erinnern.

Sie hatte Mandy Morrison nach Hause gefahren. Hatte vor deren Elternhaus in der schicken Tongdean Lane geparkt. Musik gehört und abgewartet, bis Mandy sicher im Haus verschwunden war.

Das Mädchen hatte ihr noch zugewinkt, bevor die Tür zufiel.

Dann ging die Beifahrertür auf.

Und die Tür hinter ihr.

Eine starke Hand zog sie zurück. Drückte ihr etwas Nasses, Beißendes aufs Gesicht.

Sie wimmerte, als sie daran dachte.

Und nun war sie hier.

Zitterte unkontrolliert.

Lag rücklings auf einem steinharten Boden.

Wieder wollte Kellie die Arme bewegen, doch der Schmerz war nicht auszuhalten. Sie versuchte, die Beine zu bewegen, sie klebten wie Zement aneinander. Ihr Atem ging schneller, ihre Brust schnürte sich zu.

Dann tauchte ein Licht auf. Die Dunkelheit vor ihren Augen verwandelte sich in einen roten Schleier.

Sie stieß einen gedämpften Schrei aus, als ihr jemand brutal das Klebeband von den Augen riss. Kellie blinzelte ins Licht. Ein gedrungener Mann mit öligem Grinsen, das graue Haar zu einem Pferdeschwanz gebunden, beugte sich über sie. Stark übergewichtig, das schlabberige Hemd bis zum Nabel aufgeknöpft.

Zuerst war sie erleichtert, der Mann würde ihr sicher helfen. Sie wollte etwas sagen, brachte aber nur ein Gurgeln zustande.

Er schaute sie weiter wortlos an, musterte sie nachdenklich. Dann endlich lächelte er. Kellies Herz machte einen Sprung. Er wollte ihr helfen, sie nach Hause bringen zu Tom, Jessica und Max!

Plötzlich schoss seine Zunge hervor wie die einer Schlange, er befeuchtete seine Lippen. »Du siehst aus wie eine Frau, die's gern von hinten hat.« Amerikanischer Akzent.

Er schob die Hand in die Tasche, Kellie hörte Metall klirren. Die Angst drohte sie zu ersticken, sie sah eine zarte Silberkette von seiner Hand baumeln.

»Ich hab ein Geschenk für dich, Kellie«, sagte er, als wäre er ihr bester Freund. Er hielt ihr die Kette vors Gesicht, an der ein kleiner Anhänger baumelte. Sie konnte die Gravur nicht genau erkennen, es schien eine Art Käfer zu sein.

»Entspann dich, wir machen nur ein paar Bilder fürs Familienalbum!«

Sie antwortete mit einem unartikulierten Laut.

»Wenn du ein braves Mädchen bist und genau tust, was ich dir sage, gebe ich dir vielleicht sogar was zu trinken. Stolichnaya-Wodka, das ist doch deine Lieblingssorte, oder?«

Er hielt eine Flasche hoch.

»Du sollst ja nicht verdursten, das wäre wirklich zu schade.«

50

»PASSENDER NAME«, sagte Norman Potting, der ihn *Death* aussprach.

Grace, Potting und Nicholas saßen in der eichengetäfelten Saloon Bar des »Black Lion« in Rottingdean, vor jedem stand ein großes Bier. Grace trank einen Schluck und atmete das Hopfenaroma ein, um den Gestank der Schwefelsäure loszuwerden.

Er bemerkte, wie seine Hand zitterte. Kam das vom Kater? Oder von dem, was er an diesem Morgen erlebt hatte?

Er erinnerte sich, wie er zu Beginn seiner Laufbahn eines Nachts an die Bahnstrecke London–Brighton gerufen worden war. Ein Mann hatte sich vor einem Tunnel auf die Schienen gelegt, und die Räder hatten ihm den Kopf abgetrennt. Grace, der junge Streifenpolizist, musste den Kopf suchen.

Nie würde er den surrealen Anblick im Schein der Taschen-lampe vergessen, fast kein Blut, der Schnitt am Hals beinahe so präzise wie der eines Chirurgen. Der Tote war um die fünfzig ge-wesen, mit frischer roter Gesichtsfarbe. Grace hatte den Kopf an dem schütteren Haarschopf aufgehoben und gestaunt, wie schwer er war. Der Kopf von D'Eath war ähnlich schwer gewesen.

Er betrachtete das Lichtkaleidoskop am Geldspielautomaten, hörte das leise Klingeln. Es war noch früh am Tag, im Pub hatten sich erst wenige Gäste eingefunden. Ein schicker Typ, der nach Medienbranche aussah, saß am Kamin, trank eine Bloody Mary und las den *Observer*. Ein älteres Paar hockte reglos wie zwei Sack Kartoffeln vor seinen Drinks.

Grace ging im Geiste seinen Tagesplan durch, den der Mord völlig über den Haufen geworfen hatte. Die Vorstellung, Nick Nicholas zum Leiter einer Mordermittlung in Wimbledon zu schi-cken, wo man sechs Monate zuvor eine kopflose Frauenleiche ge-funden hatte, die ein Armband mit Skarabäus-Motiv trug, behagte ihm ganz und gar nicht. Es wäre besser, selber zu fahren, als einen jungen Beamten damit zu beauftragen.

Er wandte sich an Nicholas: »Wann treffen Sie sich mit dem Ermittler aus Wimbledon?«

»Er ruft mich heute Nachmittag an. Sein Bruder wohnt in Brighton, sie sind zum Essen verabredet.«

»Sagen Sie mir Bescheid, ich komme mit.«

»Ja, Sir.«

Obwohl schon Ende zwanzig, hatte Nick noch etwas von einem unbeholfenen Teenager an sich. Er konnte sich einfach nicht dazu durchringen, Grace wie alle Teammitglieder beim Vornamen zu nennen.

Roy ging seine wachsende Aufgabenliste im Taschencomputer durch. Beim Geruch von gebratenem Fleisch, der aus der Küche herüberwehte, drehte sich sein angegriffener Magen um. Es würde eine Weile dauern, bevor er wieder etwas zu sich nehmen konnte. Ob es wirklich klug gewesen war, Bier zu trinken, nachdem er so viel Paracetamol geschluckt hatte? Andererseits hatte er den Drink mehr als nötig.

Grace holte sein Handy aus der Tasche und prüfte, ob es wirklich eingeschaltet war; er wollte um keinen Preis Cleos Anruf verpassen.

»Schwefelsäure«, sagte Potting nachdenklich und nahm einen tiefen Zug aus seinem Glas.

Grace schaute ihn an. Der arme Kerl war keine Schönheit, man konnte ihn geradezu hässlich nennen. Doch trotz der Schwächen des alternden Ermittlers tat ihm dieser ein wenig Leid, hinter der grellen Fassade schien sich ein trauriger, einsamer Mann zu verbergen.

Potting stellte sein Glas auf einen Bierdeckel mit Guinness-Werbung, wühlte in der Tasche, zog die Pfeife hervor und förderte aus der anderen Tasche eine Streichholzschachtel zutage, während Nicholas fasziniert zusah.

»Schon mal geraucht, Junge?«, fragte Potting.

Der junge DC schüttelte den Kopf.

»Dachte ich mir, sehen auch nicht danach aus. Fitnessfan, was?«

»Ich tu mein Bestes. Mein Dad hat geraucht. Ist mit achtundvierzig an Lungenkrebs gestorben.«

Potting schwieg einen Moment. »Zigaretten?«

»Eine Schachtel am Tag.«

Er hob selbstzufrieden die Pfeife. »Ist schon was anderes.«

»Nick ist ein guter Läufer«, warf Grace ein. »Ich will ihn im Herbst ins Rugbyteam holen.«

»Sussex kann ein paar gute Stürmer vertragen«, meinte Potting. »War das ein Scheißspiel gestern! Drei zu zehn abgekackt, und das gegen Surrey!« Er zündete die Pfeife an und nebelte Grace mit einer süßlichen Rauchwolke ein.

Er paffte, bis der Tabak gleichmäßig aufglomm.

Normalerweise mochte Grace den Geruch von Pfeifentabak, wenn auch nicht an diesem Morgen. Er wedelte den Rauch weg, der träge zur nikotinvergilbten Decke emporschwebte. Der Mord an Reggie D'Eath konnte purer Zufall sein. Immerhin war er Kronzeuge gegen einen großen internationalen Kinderschänderring gewesen, und es gab sicherlich nicht wenige, die ihn zum Schweigen bringen wollten.

Doch was man in den beiden Computern gefunden hatte, ließ auch einen anderen Schluss zu. Bryce war gewarnt worden, nicht zur Polizei zu gehen, was er korrekterweise ignoriert hatte. Die forensische Untersuchung seines Computers stellte die Verbindung zu Reggie D'Eath her, der keine vierundzwanzig Stunden später starb.

Das Klingeln des Spielautomaten nervte. Potting und Nicholas fachsimpelten über Kricket, und Grace hing seinen eigenen Gedanken nach. Auch später im Wagen war er noch so geistesabwesend, dass er um ein Haar den Hinweis verpasst hätte, den Norman Potting ihnen lieferte, als er das Gespräch wieder auf Reggie D'Eath brachte.

51

DIE TIERÄRZTIN, die Notdienst hatte, hieß Dawn und war eine burschikose Australierin Mitte dreißig. Sie kniete gerade neben Lady, die immer noch ziemlich schläfrig wirkte, hob das linke Augenlid der Schäferhündin und untersuchte das Auge mit einer kleinen Taschenlampe. Max und Jessica schauten ängstlich zu. Tom hatte die Arme um sie gelegt.

Glenn Branson war nach draußen gegangen, um zu telefonieren.

Tom schaute auf den Hund nieder. Er war innerlich aufgewühlt. Erst gestern hatte er der warnenden E-Mail getrotzt und war zur Polizei gegangen; jetzt war Kellie verschwunden und man hatte ihren ausgebrannten Wagen gefunden.

Mein Gott, Liebes, wo bist du nur?

Branson telefonierte gerade mit WPC Linda Buckley, die umgehend zum Haus der Familie Bryce kommen sollte.

Nachdem er das Gespräch beendet hatte, klingelte sofort das Handy. PC Dudley Bunting von der Bahnpolizei, der Branson zurückrief. Glenn erklärte ihm, wonach er suche und dass es ungeheuer dringend sei. Bunting versprach, sich so schnell wie möglich wieder zu melden.

»Und zwar heute, nicht erst in drei Wochen«, mahnte Branson. »Geht das?«

»Wir haben Sonntag«, meinte Bunting zögernd.

»Klar, eigentlich müsste ich in der Kirche sein. Außerdem bin ich der Typ, der das Wochenende gern mit seiner Familie verbringt, aber ich habe es hier mit zwei Kindern zu tun, die ihre Mutter gerne wieder hätten – nur sieht es so aus, als hätte man sie mitten in der Nacht entführt. Vielleicht könnten Sie also den Sonntagsbraten mit den Schwiegereltern opfern und einen Finger für mich rühren.«

Bunting versicherte, er werde sein Bestes tun.

Dann kam der nächste Anruf, diesmal von Ari. Branson nahm ihn nicht entgegen. Zwei schrille Piepser meldeten eine eingehende Nachricht.

Branson schaute zu den Fenstern des Fitnessstudios gegenüber. *Gym and Tonic*, ein guter Name. Er klopfte auf seine Bauchmuskulatur. Immer noch bretthart, aber er musste bald mal wieder was tun. Früher war er jeden Tag ins Studio gegangen, heute schaffte er es mit Glück zweimal pro Woche.

Aber noch etwas bereitete ihm ein schlechtes Gewissen, als er so zum klaren blauen Himmel aufblickte und sich die Sonne ins Gesicht scheinen ließ.

Der Gedanke an seine Frau Ari und die Kinder.

Sammy war acht, Remi drei; und er vermisste sie furchtbar, wenn er im Dienst war. In letzter Zeit sahen sie sich kaum noch; die Arbeit fraß ihn allmählich auf.

Er hörte sich Aris Nachricht in der Mailbox an. Kurz und sarkastisch, das wurde allmählich zur Gewohnheit. »Glenn, ich gehe mit Sammy und Remi zum Strand; wäre schön, wenn du mitkämst, immerhin war es deine Idee. Sie möchten ihren Vater am Wochenende wenigstens 'ne Stunde für sich haben. Ruf mich zurück. Ich heiße Ari und bin deine Frau, falls du's vergessen hast.«

Er seufzte tief. Sie stritten immer öfter wegen seiner Arbeitszeiten. Ari schien schon vergessen zu haben, dass er sich das ganze letzte Wochenende frei genommen hatte, um zum dreißigsten Geburtstag ihrer Schwester nach Solihull zu fahren. Die anfallende Arbeit hatte er Grace aufgebürdet.

Glenn Bransons eigentliches Problem bestand in seinem Ehrgeiz; er wollte aufsteigen wie Roy Grace. Was allerdings bedeutete, dass Überstunden die Norm waren. Und so würde es die nächsten zwanzig Jahre weitergehen.

Viele seiner Kollegen hatten Eheprobleme; anscheinend funktionierte es nur bei jenen, die innerhalb der Polizei geheiratet hatten und verstehen konnten, warum der andere so verrückte Arbeitszeiten hatte. Irgendwann würde er sich zwischen der Karriere und seiner Familie entscheiden müssen.

Eigentlich war es die blanke Ironie. Vor Sammys Geburt hatte er als Rausschmeißer in einem Nachtklub gearbeitet und dann entschieden, sein Sohn solle später einmal stolz auf ihn sein. Also war er zur Polizei gegangen.

Er wollte Ari gerade anrufen, als ihn eine Stimme von hinten aufschreckte. Tom Bryce. Er sah furchtbar mitgenommen aus.

»Könnte ich kurz allein mit Ihnen sprechen, Sergeant Branson?«

»Natürlich.«

Sie stiegen in den Mondeo und schlossen die Türen.

»Glauben Sie, dass wir in Gefahr sind? Soll ich meine Kinder irgendwohin bringen? Untertauchen?«

Branson war unschlüssig, dachte an den entsetzlichen Mord an Janie Stretton und die Warnung, die Bryce erhalten hatte. An die vermisste Ehefrau. Im Grunde wusste er keine Antwort, weil es ihm an Informationen fehlte. Doch wenn es nun um Ari und ihn ginge? Konnte er Tom Bryce ruhigen Gewissens sagen, er solle einfach abwarten?

Andererseits: Was wäre die Alternative? Bewachung rund um die Uhr? Er würde schon handfestere Beweise brauchen, um von Alison Vosper weitere Leute zu erhalten. Die Familie in einem sicheren Haus unterbringen? Roy Grace hatte ihm vor einer halben Stunde von Reggie D'Eath berichtet. So viel zum Thema sichere Unterbringung.

»Ich glaube, wir müssen die Möglichkeit in Betracht ziehen, dass Ihre Frau entführt wurde«, sagte er schließlich.

Genau das hatte Tom befürchtet, obwohl es etwas gab, das ihm keine Ruhe ließ. Jessicas Worte hallten wie ein Echo in ihm wider.

Wenn sie kommt, dann fragen wir, was sie am liebsten machen möchte. Sicher Wodka trinken. Ich hab versprochen, nichts zu verraten.

»Ich habe eine Kollegin von der Familienbetreuung angefordert«, sagte Branson. »Sie ist sehr fähig und wird vorübergehend bei Ihnen einziehen, falls Sie einverstanden sind. Sie wechselt sich mit einer anderen Betreuerin ab, damit Ihre Kinder rund um die Uhr geschützt sind.«

»Würden Sie in meiner Lage auch so handeln?«

»Ja«, entgegnete Branson zögernd. »Doch, schon. Jedenfalls für den Moment. Mal abwarten, was sich heute noch tut.«

Er wandte sich ab, weil er Bryce nicht ins Gesicht sehen konnte. Und noch während er die Worte aussprach, dachte er bei sich: *Würde ich an seiner Stelle Sammy und Remi zu Hause behalten?*

Aber er wusste einfach keine Antwort darauf.

52

»KARTOFFELN«, sagte Norman Potting unvermittelt.

Die drei Beamten waren auf dem Weg vom Pub in Rottingdean nach Sussex House. Nicholas fuhr, denn Grace fühlte sich nach den ganzen Paracetamol-Tabletten und dem Bier ziemlich schläfrig.

»Kartoffeln?«, fragte Nicholas.

»Ich bin auf dem Land aufgewachsen«, erklärte Potting. »Mein Dad hat die Kartoffeln auf dem Feld immer mit Schwefelsäure eingesprüht, natürlich verdünnt. Hat mir nie geschadet.«

»Schwefelsäure auf Kartoffeln?«, fragte Nicholas. »Das meinen Sie doch nicht ernst, oder?«

Nun wurde auch Grace hellhörig.

»Mein Freund, ich meine es immer ernst. Die Säure tötet die Keime ab und erleichtert die Ernte.«

»Und bringt jeden um, der die Kartoffeln isst«, fügte Grace hinzu.

»Ach, dieser ganze Bio-Mist. Gegen ein paar ehrliche Pestizide ist doch nichts einzuwenden. Sehen Sie mich an!«

»Tu ich doch«, meinte Nicholas mit Blick in den Rückspiegel.

»Hab mich noch keinen Tag krank gemeldet!«

Nein, aber du bist krank im Hirn, dachte Grace.

»Richtig angewendet, ist das alles völlig harmlos.«

»Ich glaube, Reggie D'Eath würde Ihnen widersprechen«, meinte Grace.

»Sie würden Ihren Kindern also Kartoffeln zu essen geben, die mit Schwefelsäure eingesprüht wurden?«, fragte Nicholas.

»Jederzeit«, entgegnete Potting.

»Ich nicht.«

Dann fragte Potting: »Wie viele Kinder haben Sie denn?«

»Das erste ist unterwegs, es kann jeden Tag kommen. Und Sie?«

»Zwei aus erster Ehe, eins aus zweiter, zwei aus dritter. Suzie, die zweite von meiner dritten Frau, hat Down-Syndrom. Nicht dass ich die kleinen Fratze oft sehen würde«, meinte er wehmütig.

Nicholas wirkte betroffen. »Down-Syndrom?«

Potting nickte.

»Tut mir Leid.«

Der andere zuckte die Achseln. »So ist das Leben. Ein nettes Mädchen, immer gut gelaunt. Jede Familie hat ihr Päckchen zu tragen.«

»Sind Sie noch mit Ihrer dritten Frau zusammen?«

Pottings Gesicht wurde ernst. »Hab's aufgegeben. Bin jetzt Junggeselle, frisch, fromm, fröhlich, frei, wie unser Kollege Grace. Glauben Sie mir, Junge, besser geht's nicht.«

»Eigentlich bin ich sehr glücklich verheiratet«, widersprach Nicholas.

»Sie haben's gut.«

»Sollen wir folglich nach einem Kartoffelbauern Ausschau halten, wenn wir nach dem Mörder von D'Eath suchen?«, warf Grace ein.

»Oder nach jemandem, der Kartoffelbauern beliefert«, meinte Potting. »Pharmafirmen. Hersteller von Zitronen- und Milchsäure und Speiseöl. Klebstoffen, Sprengstoffen, Kunstgummi. Wasser- und Abwasserbehandlung. Papierherstellung. Zellstoffindustrie. Gerberei. Autobatterien.«

»Sie sollten sich fürs Fernsehquiz melden«, sagte Nicholas. »Spezialthema Schwefelsäure.«

»Vor einigen Jahren hatte ich so einen Fall. Ein Typ aus Croydon spritzte seiner Freundin das Zeug ins Gesicht, weil sie ihn verlassen hatte. In manchen afrikanischen Ländern scheint das üblich zu sein.«

»Netter Kerl.«

»Ein richtiger Charmeur. Das haben wir nun von den ganzen Bimbos.«

Grace geriet in Rage. »Norman, falls Sie es nicht bemerkt haben sollten, ein Mitglied unseres Teams ist schwarz. Noch eine rassistische oder homophobe Äußerung, und ich lasse Sie suspendieren. Kapiert?«

Nach kurzem Schweigen erwiderte Potting: »Tut mir Leid, Roy, Entschuldigung. War nicht sehr taktvoll. DS Branson ist ein guter Mann.«

Obwohl er schwarz ist?, hätte Grace am liebsten gekontert, sagte aber nur: »Man braucht schon ein paar Liter, um die Wanne voll zu kriegen. Die Nachbarn müssen etwas bemerkt haben. Die haben doch lauter schöne Aufkleber, von wegen Nachbarschaftsschutz und so weiter. Norman, ich habe zwei Aufgaben für Sie. Fragen Sie die Kollegen, die die Haus-zu-Haus-Befragung durchgeführt haben, ob fremde Fahrzeuge in der Straße aufgefallen sind. Und dann klären Sie, wer in der Gegend große Mengen Schwefelsäure liefert oder bezieht.«

»Bevor oder nachdem ich die Bücher von BCE-247 durchgegangen bin, Chef?«

»Sie müssen eben mehrere Dinge gleichzeitig machen, Norman, genau wie wir alle.«

Zwei Piepser meldeten eine eingehende SMS. Von Cleo. Sofort besserte sich seine Laune. Doch als er sie gelesen hatte, war seine Stimmung auf dem Nullpunkt.

53

DER VIDEORAUM DER SOKO-ZENTRALE war ein winziges Kabuff ohne Fenster. Obwohl Glenn Branson nur mit Tom Bryce darin war, bekam er schon Beklemmungen. Noch ein Beispiel dafür, wie schlecht man die Umnutzung des Gebäudes geplant hatte.

Tom Bryce saß am Schreibtisch vor dem Bildschirm, links neben ihm lag ein Stapel Videos und CD-ROMs.

Im Augenblick liefen die Aufzeichnungen der Überwachungskameras vom Bahnhof Preston Park, der ersten Station nördlich von Brighton, die regelmäßig von Pendlern benutzt wurde, weil man in der Umgebung kostenlos parken konnte. An diesem Bahnhof war der Vollidiot ausgestiegen und hatte seine CD-ROM liegen gelassen.

Constable Bunting hatte einen Volltreffer gelandet. Nur zwei Stunden nach Glenns Anruf bei der Bahnpolizei hatte er die Aufzeichnungen des genauen Zeitraums geliefert, in dem Toms Zug auf dem südlichen Bahnsteig in Preston Park eingefahren war.

Tom zwang sich, konzentriert hinzuschauen, obwohl er ständig an Kellie denken musste. Er zitterte, weil er nichts gegessen und stattdessen nur eine Überdosis Kaffee getrunken hatte. Sein Magen fühlte sich an, als wäre er mit Stacheldraht gepolstert. Plötzlich klingelte sein Handy.

Die Nummer im Display sagte ihm nichts. »Ich gehe lieber ran.« Branson nickte.

Es war Lynn Cottesloe, Kellies beste Freundin, die ebenfalls in Brighton wohnte und wissen wollte, ob sie und ihr Mann irgendwie helfen könnten. Etwas zu essen bringen? Sich um die Kinder kümmern? Tom bedankte sich und sagte, die Familienbetreuerin sei bereits im Haus. Lynn bat ihn, auf jeden Fall anzurufen, wenn es Neuigkeiten gäbe. Er versprach es und kehrte zu seiner Aufgabe zurück.

Die erste Kamera hatte den gesamten Bahnsteig von oben gefilmt. Ein Zug fuhr gerade ab. Ein Zähler rechts oben zeigte 19.09 Uhr.

»Das ist der Thameslink von London Bridge«, erklärte Branson. »Ihrer kommt in ein paar Minuten.«

Tom spulte vor, bis ein neuer Zug auf dem Bahnsteig auftauchte. Er war angespannt. Der Zug bremste, die Türen gingen auf, und etwa dreißig Leute stiegen aus. Er drückte auf »Pause« und schaute sich die Passagiere aufmerksam an.

Keine Spur von dem Vollidioten.

»Ist das wirklich der richtige Zug?«

»Eindeutig. Der 18.10-Express ab Victoria, den Sie genommen haben. Lassen Sie mal weiterlaufen, vielleicht sind noch nicht alle ausgestiegen.«

Tom drückte auf »Play«, die Menschen erwachten zum Leben. Er musterte die Zugtüren, von denen sich viele bereits wieder geschlossen hatten, und suchte nach dem Wagen, in dem er gesessen hatte. Etwa der vierte von vorn, dieser dort musste es sein.

Und dann sah er ihn.

Den dicken Mann mit dem Babygesicht, dem Safarihemd über formloser Hose, der kleinen Reisetasche. Er trat auf den Bahnsteig und schaute sich vorsichtig um, als wolle er prüfen, ob die Luft rein sei.

Rein wovon? Tom drückte auf »Pause«.

Der Mann hielt mitten im Schritt inne, den linken Fuß mit dem Turnschuh in der Luft, das Gesicht leicht zur Kamera geneigt. Er wirkte ausgesprochen bestürzt.

Tom drückte wieder auf »Play«, und die Sorgen des Mannes schienen verflogen. Beinahe munter schritt er zum Ausgang. Wieder »Pause«. »Der ist es.«

Branson schaute ihn betroffen an. »Holen Sie ihn mal näher ran, bitte.«

Tom fummelte an den Knöpfen und holte das Gesicht des Vollidioten im Großformat auf den Bildschirm.

»Sind Sie sich absolut sicher?«

Tom nickte. »Klar, das ist er, kein Zweifel.«

»Irrtum ausgeschlossen?«

»Ja.«

»Das ist sehr interessant«, erklärte Branson.

»Kennen Sie ihn?«

»Sicher«, entgegnete der Ermittler mit grimmiger Miene, »und ob wir den kennen.«

54

UM KURZ VOR FÜNF werkelte Sergeant Jon Rye noch immer am Laptop von Tom Bryce, als sein Telefon klingelte. Er hob ab und meldete sich.

»Hallo, hier spricht Tom Bryce, ich bin gerade im Haus im Videoraum und wollte fragen, ob Sie mit meinem Computer fertig sind. Dann würde ich ihn abholen. Ich muss heute Abend noch arbeiten. Morgen findet ein wichtiges Meeting statt.«

Du hörst dich furchtbar an, dachte Rye. *Du musst arbeiten und ich müsste eigentlich nach Hause fahren und meine Ehe retten.* Er war allein mit Andy Gidney, außer ihnen beiden verbrachte niemand den Sonntagnachmittag im Büro.

Gidney, der Freak, hing, die Kopfhörer seines iPod in den Ohren, über der Tastatur und versuchte, endlich den Code zu knacken, an dem er schon die ganze Woche knobelte. Sein Schreibtisch war mit leeren Coladosen und Plastikbechern aus dem Automaten übersät.

Rye hielt ihn für eine arme Seele. Wenn er selbst nach Hause ging, wartete wenigstens jemand auf ihn. Sicher, Nadine war gelegentlich sauer, aber das Essen stand auf dem Tisch, und er konnte mit den Kindern reden. Ein bisschen Normalität. Wie normal sah Gidneys Privatleben wohl aus?

Andererseits, was hieß schon normal? Sie alle hier verbrachten ihren Arbeitstag damit, sich auf beschlagnahmten Computern Pornofotos oder -filme anzuschauen. Und meist handelte es sich nicht um anzügliche, aber harmlose Geschichten im Playboy-Stil, sondern um Männer mittleren Alters, die Kinder missbrauchten, von denen manche erst zwei Jahre alt waren. Etwas, das er nie verstehen würde und wenn er hundert Jahre alt würde. Wie konnte einen so etwas anturnen? Wie konnten Menschen solche Dinge mit wehrlosen Kindern anstellen? Wie konnte ein Vierzigjähriger an einem Kleinkind Analverkehr praktizieren und mit dieser Tat weiterleben?

Leider geschah es viel zu häufig und wurde den Leuten viel zu einfach gemacht.

Rye wusste genau, was er getan hätte, wenn er jemanden mit seinen Kindern erwischt hätte. Rasierklinge und Lötlampe, mehr wäre nicht nötig gewesen.

Plötzlich erklang ein vertrautes elektronisches Rauschen. Gidneys Handy. Der Freak zog einen Stöpsel aus dem Ohr und meldete sich mit ausdrucksloser Stimme.

Gidney wohnte in einer Einzimmerwohnung in The Level, nahe der Rennbahn, wo sich Reihenhäuser im viktorianischen und edwardianischen Stil drängten, in denen früher Künstler gehaust hatten und die heute von Studenten und jungen Singles bewohnt wurden. Was erwartete den Freak, wenn er nach Hause kam? Eine Dose Bohnen auf einer einzelnen Kochplatte? Der nächste Bildschirm? Der *Guardian*, den er morgens stets unter dem Arm trug, aber nie zu lesen schien, ein Haufen Computerzeitschriften?

»Ich brauche noch etwa eine halbe Stunde«, sagte Rye zu Tom Bryce. »Können Sie warten, oder soll ich ihn auf dem Heimweg vorbeibringen?«

»Ja, das wäre gut, ich muss zu meinen Kindern, danke auch. Es wäre sehr nett, wenn Sie ihn vorbeibringen könnten.«

»Gut, Ihre Adresse habe ich ja, ich komme so bald wie möglich.« Er sah auf die Uhr, weil er hoffte, es noch rechtzeitig zum Automagazin *Top Gear*, seiner Lieblingssendung, nach Hause zu schaffen. Obwohl seit mehreren Jahren nicht mehr bei der Verkehrspolizei, war er noch immer Feuer und Flamme für Autos.

Als er auflegte, sah er Gidney mit Anorak und Rucksack gerade aus der Tür verschwinden. Ohne sich zu verabschieden, ganz schön unhöflich!

Rye brauchte länger als geplant für seine Untersuchung und stellte irgendwann schuldbewusst fest, dass er schon vor über einer Stunde mit Bryce gesprochen hatte. Also klappte er den Laptop zu und wollte gerade aufstehen, als das Telefon ging.

Die Telefonzentrale in Malling House, in der alle Anrufe, bei denen es sich nicht um Notrufe handelte, bearbeitet wurden. »Spreche ich mit der Abteilung Computerkriminalität?«

Rye holte tief Luft, am liebsten hätte er gesagt, *falsch verbunden*. »Sergeant Rye am Apparat.«

»Ich habe hier einen Anrufer, der sich beschwert, weil jemand angeblich ohne Erlaubnis seine LAN-Verbindung benutzt.«

»Also bitte«, er war kurz vorm Explodieren. »Wenn er eine LAN-Verbindung hat, braucht er nur die Verschlüsselung zu aktivieren, um sie zu schützen.«

»Könnten Sie ihm das bitte selbst sagen, Sir? Er ruft schon zum dritten Mal in diesem Monat an und ist ein wenig aufgebracht.«

Willkommen im Klub, dachte Rye und sagte widerwillig: »Na gut, stellen Sie ihn durch.«

Kurz darauf erklang eine Männerstimme mit deutschem Akzent: »Hallo, ich heiße Andreas Seiler, ich bin Ingenieur im Ruhestand und habe früher Brücken gebaut.« Statisches Knistern. Rye wartete ab.

Um das Schweigen zu brechen, sagte er schließlich: »Sie sprechen mit Sergeant Rye aus der Abteilung Computerkriminalität. Was kann ich für Sie tun?« *Mit Brücken bin ich bestens versorgt,* hätte er gern hinzugefügt.

»Vielen Dank. Jemand klaut meine Internetverbindung.«

Rye sah auf die Uhr. Fünf nach halb sieben. Er wollte einfach nur nach Hause. »Wie kommen Sie darauf, Sir?«

»Ich wollte gerade den Bauplan eines Kollegen aus meiner alten Firma herunterladen. Es geht um eine Brücke im Hafen von Kuala Lumpur. Auf einmal wird meine Verbindung so langsam, dass ich den Plan nicht herunterladen kann. Und das passiert nicht zum ersten Mal.«

»Ich vermute, es liegt entweder an Ihrem Provider oder Ihrem PC, Sir. Am besten wenden Sie sich an den technischen Support Ihres Providers.«

»Das habe ich natürlich schon getan. Und meinen PC auch überprüft. Keinerlei Probleme. Es kommt von draußen. Ich glaube, von dem Mann in dem weißen Lieferwagen da unten.«

Rye konnte nur noch staunen. Ein Irrer, der ihn hier im Büro festhielt. »Ein Mann in einem weißen Lieferwagen blockiert Ihre Internetverbindung?«

»Ja, genau.«

»Tut mir Leid, Mr. Seiler, das verwirrt mich jetzt ein wenig. Wo genau befinden Sie sich?«

»Freshfields Road in Brighton.«

»Okay.« Rye kannte die Gegend. Eine ausgesprochen breite Straße mit zwei- und dreistöckigen Häusern, von denen die meisten in Wohnungen aufgeteilt waren. »Haben Sie eine Breitband-Verbindung?«

»Ja.«

»Mit LAN, also schnurlos?«

»Ja, genau.«

Rye grinste, weil er begriff, wo der Hase im Pfeffer lag. »Ist Ihr LAN-Netzwerk verschlüsselt?«

»Verschlüsselt?«, fragte Seiler zögernd. »Ich glaube nicht. Ich bin in der Wohnung meines Sohnes und arbeite an seinem Computer.«

»Mussten Sie ein Passwort eingeben, um das LAN zu nutzen?«

»Nein.«

Ohne Passwort konnte sich jeder X-beliebige, der eine LAN-Karte in seinem Laptop hatte, ins Internet einloggen und die LAN-Verbindung eines anderen benutzen. Rye war das selbst schon passiert, wenn er mit offenem Laptop im Streifenwagen saß. Und er hatte sich nie die Mühe gemacht, seine eigene Verbindung zu Hause mit einem Passwort zu schützen. »Steht der Lieferwagen noch auf der Straße?«

»Ja.«

»Können Sie das Nummernschild erkennen?«

Der Ingenieur las es ihm vor. Rye notierte automatisch die Nummer. »Ich würde Ihnen raten, die Verschlüsselung zu aktivieren, dann kann er nicht mehr rein.«

»Ich rede mit meinem Sohn darüber.«

»Gute Idee, Sir.«

Rye verabschiedete sich und hängte genervt ein. Er beschloss, den Anruf als offizielle Beschwerde zu registrieren. Sollten die Kollegen ruhig erfahren, dass er am Sonntagabend um zwanzig vor sieben noch im Büro gehockt hatte.

Er tippte seinen Namen und die Abteilung ein, dazu amtliches Kennzeichen und Beschreibung des Lieferwagens und speicherte den Vorfall als: *Internetklau. Telefonisch bearbeitet von Sergeant Rye.*

Kindisch, aber es hob seine Stimmung ungemein.

55

»ICH HABE EINE LASAGNE IN DER KÜHLTRUHE GEFUNDEN«, verkündete die Familienbetreuerin, als Tom die Küche betrat, Jessica an einem Hosenbein, Max am anderen, als hätten sie Angst, er könne ebenso unerklärlich verschwinden wie ihre Mutter. »Soll ich die zum Abendessen machen?«

Tom schaute WPC Buckley verständnislos an, er hatte überhaupt nicht ans Essen gedacht. Ihn verfolgte noch immer DS Bransons Gesichtsausdruck, als er ihm den Vollidioten auf dem Bildschirm gezeigt hatte.

Die seltsam knappe Antwort, als er sich erkundigte, ob Branson den Mann kenne.

Sicher, und ob wir ihn kennen.

Die Weigerung des Ermittlers, Tom mehr zu verraten.

»Ja, danke, das wäre nett«, sagte er geistesabwesend zu Buckley.

»Im Kühlschrank sind Tomaten, grüner Salat und Radieschen, ich könnte schnell einen Salat machen.«

»Toll.«

Lady stürmte durch die Hundeklappe, sah Tom an, bellte einmal und wedelte mit dem Schwanz. Sie war wieder voll auf der Höhe.

»Hast du Hunger, Lady?«

Sie bellte erneut und sah ihn erwartungsvoll an.

»Ich mag keinen Salat«, protestierte Max.

»Ich mag nur Mamis Salat«, fügte Jessica solidarisch hinzu.

»Das ist doch Mamis Salat. Sie hat ihn selbst gekauft.«

»Aber sie *macht* ihn nicht, oder?«

»Nein, den macht heute die nette Dame hier.« Tom schüttete Hundekekse in den Napf und öffnete eine Dose Futter. Die Tierärztin hatte nicht herausgefunden, was Lady gehabt hatte. Der Ermittler hatte sich erkundigt, ob sie womöglich betäubt worden sei, worauf die Tierärztin erwiderte, das sei durchaus denkbar, könne aber nur durch eine Blutuntersuchung nachgewiesen werden. Dies würde mehrere Tage dauern. Branson hatte sie gebeten, die Untersuchung zu veranlassen.

»Ich habe im Gefrierschrank noch ganz leckeres Zitroneneis entdeckt«, sagte die Polizistin munter. »Das können wir zum Nachtisch essen.«

»Ich will Mamis Eis«, motzte Max.

»Ich will Schoko oder Erdbeer«, verlangte Jessica.

Tom schaute die Polizistin an. Sie war Mitte dreißig, mit kurzem blonden Haar und offenem Gesicht und wirkte herzlich. Wie jemand, der mit solchen Situationen zurechtkam. Also zuckte er mit den Schultern, stellte den Hundenapf auf den Boden und wandte sich an Max.

»Das *ist* Mamis Eis, verstanden?«

Max sah ihn mit großen Augen an. Tom hätte gern gewusst, was in den Kindern vorging, verstand aber nicht einmal seine eigenen Gefühle.

Ihm brannte die Frage nach dem Wodka auf den Nägeln, den Kellie angeblich trank. Was zum Teufel sollte das bedeuten?

»Ich mag kein Zitroneneis«, sagte Jessica.

Tom kniete sich und nahm sie in die Arme. »Heute haben wir kein anderes. Morgen kaufe ich dir Schoko und Erdbeer, okay?«

Keine Reaktion.

»Drück mich mal, Liebes. Ich brauche eine ganz dicke Umarmung.«

»Wann kommt Mami nach Hause?«

Er zögerte, war um Worte verlegen. Sollte er die Wahrheit sagen, dass er es nicht wusste? Oder war hier eher eine Notlüge angebracht? Die Entscheidung fiel ihm nicht schwer.

»Bald. Und jetzt ab in die Badewanne.«

»Ich will aber, dass Mami mich badet.«

»Vielleicht kommt sie ganz spät, darum badet Daddy dich heute. Einverstanden?«

Sie wandte sich schmollend ab. Im Wohnzimmer wurde der Fernseher plötzlich lauter, klimpernde Musik, quietschende Reifen, eine schrille amerikanische Stimme beschwerte sich über etwas. Max schaute *Die Simpsons*. Gut. Damit wäre er immerhin bis zum Abendessen beschäftigt. Oder sollte er auch baden?

Plötzlich begriff Tom, wie wenig er über den Tagesablauf der Kinder wusste. Ein dunkler Nebel stieg in ihm auf, eine furchtbare

Angst drohte ihn zu verschlingen. Morgen früh hatte er eine große Präsentation bei Land Rover; der Marketingleiter winkte mit einem Riesenauftrag. Wie sollte er das regeln, wenn Kellie heute nicht nach Hause kam?

Meine süße liebste Kellie, komm doch zurück, komm bitte zu uns zurück. Ich liebe dich so sehr.

Er trug Jessica in ihr Zimmer, schloss die Tür und setzte sich neben sie aufs Bett.

»Ich möchte dich etwas fragen. Du hast mir heute Morgen etwas über Mami erzählt. Dass sie am liebsten Wodka trinken möchte, wenn sie nach Hause kommt. Weißt du noch?«

Jessica schaute stumm geradeaus.

»Weißt du das noch, Liebes?«

»Du trinkst doch auch Wodka«, sagte sie missmutig.

»Ja. Aber warum hast du das gesagt?«

Unten bellte Lady unvermittelt los. Es klingelte an der Tür. Er hörte Max rufen: »Mami! Mami! Mamiiii ist da!«

Tom stürzte mit klopfendem Herzen die Treppe hinunter. Max war schon an der Tür.

Davor stand Sergeant Jon Rye samt Laptoptasche.

56

ROY GRACE SASS IN DER SOKO-ZENTRALE und ging die neuesten Meldungen durch. Es war Sonntagabend, Viertel vor acht, und obwohl er noch immer nicht hungrig war, spürte er, dass er immer zittriger wurde. Ob es am Zuckermangel oder an einer Überdosis Koffein lag, wusste er nicht, doch es fiel ihm zunehmend schwerer, sich zu konzentrieren.

Der Gedanke an Cleo Morey war auch nicht gerade hilfreich. Ständig musste er an ihre SMS vom Morgen denken.

Er prüfte die neuesten Meldungen zum Fall Reggie D'Eath, als ihm jemand auf den Rücken schlug.

»Hi, Oldtimer!«

Branson hatte im Supermarkt gegenüber eine Riesenschachtel Donuts besorgt und reichte sie herum.

Grace nahm einen und stand auf, um sich die Beine zu vertreten. Branson schlenderte mit ihm in den Flur hinaus. »Alles okay, Alter? Siehst beschissen aus.«

Grace biss ab und leckte den Zucker von den Lippen. »Danke.«

»Ein Vögelchen hat mir gezwitschert, dass du und Cleo gestern im ›Latin in the Lanes‹ geschmust habt«, sagte Branson leise.

Grace schaute ihn überrascht an. »Ach ja?«

»Lenkt dich ganz schön ab, was?«

»Mein Gott, Brighton ist wirklich ein Dorf!«

»Die ganze Welt ist ein Dorf, Mann.«

»Woher wusstest du, dass sie es ist?«

Der Sergeant klopfte sich mit dem Finger an die Stirn. »Erster Grundsatz für gute Ermittler, hast du mir selbst beigebracht: Bau dir ein Netz von Informanten auf.«

Grace schüttelte halb amüsiert, halb verärgert den Kopf.

»Hast du mal *Der Bulle von Paris* gesehen? Gérard Depardieu spielt einen Cop, der Druck auf seine Informanten ausübt, um einen tunesischen Drogenring zu sprengen. Super Film.«

»Kenn ich nicht.«

»Wirklich gut. Er hat mich an dich erinnert, nur die Nase war größer.«

»Ich sehe aus wie Gérard Depardieu?«

Branson klopfte ihm auf die Schulter. »Nein, eher wie Bruce Willis.«

»Schon besser.«

»Du siehst aus wie Bruce Willis' benachteiligter Bruder. Oder sein Vater.«

»Du kannst einen wirklich aufbauen. Und du siehst aus wie ...«

»Will Smith?«

»Träum weiter.«

»Erzähl mir von dir und Ms Morey.«

»Da gibt's nichts zu erzählen. Wir waren essen.«

»Natürlich rein beruflich.«

»Und wie.«

»Auch hinten im Taxi?«, drängte Branson.

»Gott im Himmel, ist denn jeder verdammte Taxifahrer in Brighton dein Spitzel?«

»Nee, nur ein paar. Hab eben Glück gehabt.«

Grace wusste nicht so recht, ob er stolz darauf sein sollte, dass sein Protegé ein so fähiger Ermittler geworden war.

»Wie fand sie deine neuen Klamotten?«

»Sie hat gesagt, ich soll mir einen neuen Modeberater suchen.«

Branson wirkte so gekränkt, dass er Grace schon wieder Leid tat. »Keine Sorge, sie hat sie gar nicht erwähnt.«

»Noch schlimmer!«

»Könnten wir jetzt bitte das Thema wechseln, wir haben es mit zwei Mordfällen und einer vermissten Frau zu tun.«

»Von wegen Thema wechseln. Cleo Morey, was für eine Frau! Also, wenn ich nicht glücklich verheiratet wäre … Aber wie kannst du nur verdrängen, womit sie ihr Geld verdient?«

»Sie hatte keine Leichen dabei, als wir im Restaurant waren.«

Branson schüttelte den Kopf und musste ein Grinsen unterdrücken. »Na los, ich will die Details hören, Mann. Keine Ausweichmanöver, kapiert?«

»Es gibt nichts, wovor ich ausweichen müsste. Sie hat einen Freund, okay? Besser gesagt, einen Verlobten. Hatte leider vergessen, ihn zu erwähnen.«

»Willst du mich verarschen?«

Grace holte sein Handy heraus und zeigte Branson die SMS, die er am Morgen erhalten hatte.

Kann nicht reden. Mein Verlobter ist gerade aufgetaucht. Rufe später an. C XXX

»Der Typ ist Geschichte«, verkündete Branson.

»Das war heute Mittag. Sie hat immer noch nicht angerufen.«

»Indianerehrenwort! Glaub mir, der Typ ist passé.«

Grace stopfte sich den Rest des Donuts in den Mund. Er schmeckte so gut, dass er gern noch einen gegessen hätte. »Wieder eine deiner Ahnungen?«

»Ich liege nicht immer falsch.«

Cleo war heute nicht im Dienst gewesen, sonst hätte Grace der Autopsie von Reggie D'Eath beigewohnt, obwohl es technisch nicht erforderlich war, da ein Kollege die Ermittlungen leitete.

»Mal abwarten.«

Plötzlich fiel ihm ein Ausdruck ein, den seine Mutter gern verwendet hatte: *Kommt Zeit, kommt Rat.* Sie hatte an das Schicksal geglaubt, doch er selbst war nie so recht davon überzeugt gewesen. Es hatte ihr allerdings geholfen, als sie an Krebs starb. Gar nicht übel, wenn man glauben konnte, dass eine höhere Macht alles geplant hatte. Tief religiöse Menschen waren im Grunde zu beneiden, sie konnten die Verantwortung stets auf Gott schieben. Doch obgleich er vom Übernatürlichen so fasziniert war, hatte Grace nie an einen Gott glauben können, der sein Leben vorausgeplant hatte.

Er kehrte in die Zentrale zurück. An der großen Tafel hingen Fotos von D'Eath in der Wanne und von Kellie Bryce. Letzteres war auch an die Medien und sämtliche britischen Polizeiwachen und Häfen gegangen.

Morgen früh würde Cassian Pewe von der Met eintreffen, um sich mit Grace' alten Fällen zu beschäftigen. Und es war so sicher wie das Amen in der Kirche, dass er Pewes Atem im Nacken spüren würde, wenn er nicht bald handfeste Ergebnisse im Fall Janie Stretton lieferte.

Grace wandte sich an Branson. »Glenn, wie sicher bist du dir, dass Tom Bryce seine Frau nicht ermordet hat?«

Wenn eine Frau unter mysteriösen Umständen verschwand, galten der Ehemann oder Freund zunächst einmal als Hauptverdächtiger.

»Da bin ich mir ziemlich sicher. Bevor wir uns die Videoaufzeichnungen angesehen haben, habe ich ihn hier befragt und das Gespräch aufgenommen. Wir können das Band überprüfen, aber es ist meines Erachtens unnötig. Er hätte die Kinder mitten in der Nacht allein lassen, seine Frau töten, ihre Leiche fortschaffen, nach Ditchling Beacon fahren, den Wagen abfackeln und dann noch acht Kilometer bis nach Hause laufen müssen.«

»Aber wo steckt sie? Meinst du, sie ist mit einem Liebhaber abgehauen?«

»Dann hätte sie wohl kaum den Wagen in Brand gesetzt. Und Handtasche, Kleidung oder so was mitgenommen.«

»Könnte ein Ablenkungsmanöver sein.«

Doch Branson blieb hart. »Nie im Leben.«

»Lass uns mal zu diesem Mr. Bryce fahren.«

»Jetzt noch? Er ist ganz schön durcheinander, muss mit den Kindern klar kommen. Ich habe mehrere Familienbetreuerinnen eingesetzt, die rund um die Uhr vor Ort sind. Ich würde lieber morgen früh hinfahren, falls die Frau bis dahin nicht aufgetaucht ist.«

»Hast du mit den Eltern der Babysitterin gesprochen?«

»Sicher. Sie waren im Bett, als ihre Tochter nach Hause kam. Sie rief ihnen zu, sie sei wieder da, es war etwa Viertel vor zwei. Sie hörten einen Wagen abfahren, das war alles.«

»Und die Nachbarn?«

»In der Straße wohnen nicht so viele Leute. Hab überall nachgefragt, niemand hat etwas gehört oder gesehen.«

»Und die Überwachungskameras?«

»Ich warte noch, sie gehen alle Aufzeichnungen ab ein Uhr morgens bis zum Anruf von Bryce durch.«

»Konntest du etwas über ihre Ehe in Erfahrung bringen?«

»Hab mit den Nachbarn auf der einen Seite gesprochen. Ein älteres Paar, der Mann ist etwa drei Meter groß, und die Frau raucht so stark, dass ich sie vor lauter Nebel kaum erkennen konnte. Sie scheint ein wenig mit Kellie Bryce befreundet zu sein. Hilft im Notfall mit den Kindern und so weiter. Sie sagte allerdings, es gäbe finanzielle Schwierigkeiten.«

Grace hob fragend eine Augenbraue. »Ach ja?«

»Würde man nie drauf kommen, wenn man das Haus sieht. Die haben einen Grill, der aussieht wie der Kontrollraum der NASA. Muss ein Vermögen gekostet haben. Superschicke Küche, Flachbildfernseher, das ganze Programm.«

»Vermutlich haben sie deswegen Geldsorgen«, meinte Grace. »Könnte es sein, dass sie den Wagen wegen der Versicherung abgefackelt haben?«

Branson runzelte die Stirn. »Bin ich noch gar nicht drauf gekommen. Hat schon mal jemand wirklich Geld damit verdient?«

»Wir sollten herausfinden, ob er ihnen gehörte oder auf Kredit gekauft oder geleast war. Und ob sie ihn vor kurzem verkaufen wollten. Die Computerabteilung hat einen Klon von Bryce' Festplatte. Die sollen prüfen, ob er den Wagen im Internet angeboten hat. Vielleicht stecken er und seine Frau unter einer Decke.«

236

Je länger Grace darüber nachdachte, desto aufgeregter wurde er. Geldsorgen. Könnte eine falsche Spur sein, aber egal. Die Leute kamen auf die unglaublichsten Tricks, um ihre Schulden loszuwerden. Er sah, wie Bella Moy nach einem Malteser angelte; ihre Tastatur war mit Zuckerguss vom Donut beschmiert. Nick Nicholas sprach konzentriert am Telefon.

Norman Potting telefonierte ebenfalls, er ging noch immer die Kundenliste von BCE-247 durch und brachte dabei einige Leute ganz schön ins Schwitzen, wie Grace mit boshaftem Vergnügen dachte.

Grace schaute auf seinen Bildschirm und überflog die jüngsten Aktivitäten im Fall D'Eath. Es dauerte nicht lange, bis er etwas gefunden hatte. Bei der Haus-zu-Haus-Befragung waren die Kollegen auf einen wachsamen Nachbarn gestoßen, der am Vorabend gegen sieben einen weißen Lieferwagen vor dem Haus bemerkt und pflichtbewusst das Kennzeichen notiert hatte.

Er klickte zweimal auf den Eintrag, um die Einzelheiten aufzurufen. Der Polizist, der den Nachbarn befragt hatte, hatte das Kennzeichen überprüfen lassen, es war sauber. Detective Superintendent Dave Gaylor, dem man den Fall D'Eath übertragen hatte, war ein überaus erfahrener Mann und würde den Wagen komplett auseinander nehmen lassen, sobald sein Team ihn gefunden hatte.

Nicholas trat neben ihn. »Roy, gerade hat mich der Wirt der Karma Bar unten am Jachthafen angerufen, mit dem ich gestern gesprochen habe. Sie haben sich Videoaufzeichnungen angesehen, weil sie Probleme mit Dealern haben. Er meint, es wäre Material über Janie Stretton dabei.«

Die Aufregung durchzuckte Grace wie ein Blitz. »Wie schnell können wir sie abholen?«

»Er möchte, dass ich komme, weil er die Bänder braucht. Ich kann sie mir sofort anschauen.«

»Jetzt?«

»Ja.«

Grace überlegte kurz. Nick Nicholas war noch nicht lange bei der Kripo, ein kluger Kopf, aber er könnte womöglich etwas übersehen. Und mit etwas Glück hätten sie endlich die erste heiße Spur. Da durfte nichts schief laufen.

»Holen Sie die Fotos, ich komme mit«, sagte er. »Glenn, sobald ich zurück bin, fahren wir zu Mr. Bryce.«

»Wird ganz schön spät für ihn«, sagte Branson und dachte dabei an den Rest seines eigenen Sonntagabends.

»Glenn, falls Mr. Bryce seine Frau nicht ermordet und keine faulen Tricks mit ihr durchgezogen hat, wird er ohnehin die ganze Nacht wach liegen.«

Branson nickte zögernd. Sein Kollege hatte Recht, aber er sah dennoch auf die Uhr. Mindestens eine Stunde, bis Grace zurück wäre, und sie würden nicht vor elf bei Bryce wegkommen. Er fürchtete sich nicht davor, einem Haufen Schläger mit Messern in der Hand in einer dunklen Gasse gegenüberzutreten, hatte aber eine Heidenangst vor seiner Frau. Und in diesem Augenblick traute er sich einfach nicht, Ari anzurufen und ihr zu sagen, dass er wohl kaum vor Mitternacht zu Hause sein würde.

Und Grace war so aufgeregt angesichts der neuen Entwicklungen, dass er glatt die Meldung übersah, die Sergeant Jon Rye anderthalb Stunden zuvor unter dem Titel *Internetklau* eingegeben hatte.

57

TOM LAS JESSICA EINIGE SEITEN aus dem *Grüffelo* vor, aber er war eigentlich nicht bei der Sache, und seine Tochter hörte auch gar nicht richtig zu. Bei Max lief es ähnlich.

Mann, bin ich ein beschissener Vater, dachte er die ganze Zeit. Die Kinder sehnten sich nach ihrer Mutter, was durchaus verständlich war, und er fühlte sich zunehmend ungeeignet, sie zu ersetzen. Selbst Linda Buckley schien ihnen lieber zu sein als er. Die Polizistin wartete unten auf ihre Ablösung, die den Nachtdienst übernehmen würde.

Er legte das Buch weg, küsste seinen Sohn, der noch hellwach war, schloss die Tür und begab sich ins Arbeitszimmer. Dort telefonierte er erneut die Liste durch – Kellies Eltern, die sich stündlich bei ihm meldeten, ihre Freundinnen und ihre besorgte Schwester in Schottland. Niemand hatte von ihr gehört.

Dann ging er ins Schlafzimmer und öffnete die oberste Schublade der viktorianischen Kommode, in der Kellie ihre Pullover aufbewahrte. Er wühlte zwischen den Teilen herum, die nach ihr dufteten. Nichts. Tom versuchte es eine Schublade tiefer bei der Unterwäsche. Und stieß dort auf etwas Rundes, Hartes.

Eine ungeöffnete Flasche Wodka von Tesco.

Eine zweite. Und eine dritte.

Letztere halb leer.

Drei Wodkaflaschen zwischen der Unterwäsche? Er setzte sich fassungslos aufs Bett.

Sicher Wodka trinken. Ich hab sie gesehen. Ich hab versprochen, nichts zu verraten.

Mein Gott.

Tom starrte auf die Flasche. Sollte er Detective Sergeant Branson anrufen und ihm davon erzählen?

Er bemühte sich, klar zu denken. Was dann? Womöglich würde der Ermittler das Interesse verlieren und Kellie für unzuverlässig halten, für eine Frau, die einfach mal zum Saufen um die Häuser gezogen war.

Aber er kannte sie besser. Jedenfalls hatte er das bis vor einer Minute geglaubt.

Tom durchwühlte auch die übrigen Schubladen, fand aber nichts mehr. Er legte die Flaschen zurück, schloss die Schubladen und ging nach unten.

Linda Buckley sah sich im Wohnzimmer eine Krimiserie aus den sechziger Jahren an.

»Sehen Sie gerne Krimiserien?«, fragte er, um Konversation zu machen.

»Nur die alten. In den modernen ist so vieles verkehrt, das macht mich wahnsinnig. Ich sitze nur da und stöhne, *das läuft doch ganz anders, um Himmels willen!*«

Er fragte sich, ob es klug wäre, sich ihr anzuvertrauen.

»Sie müssen etwas essen, Mr. Bryce. Soll ich Ihnen die Lasagne in die Mikrowelle stellen?«, kam sie ihm zuvor.

Tom bedankte sich, sie hatte ja Recht. Allerdings war ihm eher nach einem anständigen Drink zumute. Buckley ging in die Küche, und er starrte reglos auf den Fernseher, dachte an Kellies Wodkaflaschen und fragte sich, wie lange sie schon trank. Und, wichtiger noch, warum?

Lag darin etwa die Erklärung für ihr Verschwinden?

Eigentlich glaubte er es nicht. Oder wollte es nicht wahrhaben.

Die Krimiserie war zu Ende, die Neun-Uhr-Nachrichten begannen. Es roch nach Fleisch, sein Magen drehte sich um. Er hatte überhaupt keinen Appetit. Tony Blair schüttelte George Bush die Hand. Tom misstraute beiden, nahm sie an diesem Abend aber kaum wahr. Aufnahmen aus dem Irak, ruckartige Kameraführung, dann das Foto eines hübschen Teenagers, den man in der Nähe von Newcastle vergewaltigt und erdrosselt aufgefunden hatte. Danach die Ansprache eines plump wirkenden, redegehemmten Chief Inspector mit Igelfrisur, der offenbar keinerlei Medientraining absolviert hatte.

»Das Essen steht auf dem Tisch!«, rief Buckley streng.

Brav wie ein Lamm trottete Tom in die Küche und setzte sich. Dort liefen ebenfalls die Nachrichten.

Er aß ein paar Bissen Lasagne, konnte aber kaum schlucken. »Wir sollten einen Zettel an die Tür machen, damit Ihre Kollegin nicht klingelt. Sonst werden die Kinder wieder wach und glauben, ihre Mutter sei gekommen.«

»Gute Idee.« Sie nahm ein Blatt Papier aus ihrer Aktentasche und ging zur Tür. »Wenn ich zurückkomme, ist der Teller leer!«

»Ja, Boss«, erwiderte Tom mit gezwungenem Grinsen und würgte noch einen Bissen herunter.

Buckley hatte gerade den Raum verlassen, als der Nachrichtensprecher die neueste Meldung ankündigte: »Die Sussex Police ermittelt im Mordfall Reginald D'Eath, einem bereits verurteilten Pädophilen, der heute Morgen in seinem Haus in Rottingdean, East Sussex, tot aufgefunden wurde.«

Dann erschien ein Foto von D'Eath auf dem Bildschirm. Tom ließ entsetzt die Gabel fallen.

Es war der Vollidiot aus dem Zug.

58

SOLANGE ROY GRACE DENKEN KONNTE, wurde am Jachthafen von Brighton gebaut. Und er war noch immer nicht fertig, ein vielleicht auf ewig unvollendetes Projekt. Ein großer, staubiger Bereich war eingezäunt, darin zwei Kräne, ein Bagger, ein Raupenschlepper und Berge von Baumaterial unter flatternden Planen.

Er war sich nie so recht darüber klar geworden, ob ihm dieses Bauprojekt überhaupt gefiel. Es lag am Fuß der steilen weißen Klippen im Osten der Stadt und bestand aus einem inneren und äußeren Hafenbecken, um die sich das so genannte Marina Village angesiedelt hatte. Nachgebaute Regency-Häuser, Appartement-blocks, Dutzende Restaurants, Cafés, Pubs und Bars, mehrere Jachtausrüster, Boutiquen, ein Riesensupermarkt, eine Bowling-bahn, ein Multiplex-Kino, ein Hotel und ein Kasino drängten sich um den Hafen.

Für Grace hatte das alles etwas von einer Spielzeugstadt, der Er-wachsenenversion eines Lego-Bauwerks. Selbst nach dreißig Jah-ren wirkte die ganze Gegend noch neu und seelenlos. Das Einzige, was ihm wirklich gefiel, war die hölzerne Promenade, die erst vor einigen Jahren angelegt worden war und die er gerade mit Nick Nicholas entlangging.

An einem warmen Abend wie diesem war viel los, Menschen jeglichen Alters saßen in den Cafés und Restaurants und sahen zu, wie die letzten Jachten ihre Anlegeplätze ansteuerten. Sie redeten, schmusten, lauschten der Musik und dem Geschrei der Möwen.

Nach dem Zuckerschub, den ihm der Donut verschafft hatte, fühlte Grace sich wieder halbwegs menschlich. Als er an einem jungen Paar vorbeikam, das an einem Außentisch saß und einander tief in die Augen blickte, verspürte er einen Stich. Warum hatte Cleo nicht erwähnt, dass sie verlobt war?

Und warum hatte er sie nicht gefragt, ob sie eine Beziehung habe?

Alkohol hin oder her – der lange Kuss im Taxi, die Rückfahrt zu ihrer Wohnung, so benahm sich doch keine Frau, die ihren Verlob-ten liebte, oder?

Die Sonne hing noch über dem Horizont. Grace sah, wie sein eigener Schatten auf den Planken länger wurde und der von Nicholas ihn noch überragte. Der DC hatte die Hände in den Taschen und einen Umschlag mit den Fotos von Janie Stretton unter den Arm geklemmt; er ging leicht gebeugt, als schämte er sich seiner eins siebenundneunzig. Auf der Fahrt hierher war er stiller als sonst gewesen, was Grace zu schätzen wusste, da auch ihm nicht nach Smalltalk zumute war.

Sie kamen am übercoolen Seattle-Hotel vorbei und blieben vor der Karma Bar stehen. Auf der Promenade war eine Terrasse mit einem Seil abgesperrt, alle Tische waren besetzt.

Grace folgte Nicholas hinein. In den letzten Jahren hatten ihn wohlmeinende Freunde mehrfach hergeschleppt, weil es angeblich der beste Ort in Brighton war, um eine Frau kennen zu lernen. Das exotische Interieur mit seinen indischen, marokkanischen und fernöstlichen Einflüssen war einzigartig in der Stadt: geräumig, mit langer Theke, alles von warm glühenden orientalischen Laternen erleuchtet, Nischen mit Sitzbänken, auf denen weiche Kissen verstreut lagen.

Nicholas trat zu dem hübschen Mädchen hinter der Theke. »Hi, ich möchte zu Ricky.«

Sie schaute sich um und sagte freundlich: »Ich glaube, er ist im Büro. Sind Sie verabredet?«

»Ja. Detective Constable Nicholas und Detective Superintendent Grace, wir haben vor einer halben Stunde telefoniert.«

Sie eilte davon.

»Sie haben den Termin mit diesem DI Dickinson, der den Wimbledon-Fall leitet, doch auf morgen Mittag verschoben, oder?«, fragte Grace.

»Ja.«

»Gut, dass er heute nicht mehr mit uns reden wollte, das hätten wir wohl kaum geschafft.«

Sie lehnten sich an die Theke. Es lief ein Lied von Joss Stone. »Die mag ich gern«, sagte Grace.

Nicholas zuckte die Achseln. »Ich stehe eher auf Country und Western.«

»Wen hören Sie am liebsten?«

»Johnny Cash ist der Größte. Rachel und ich haben früher Line Dance gemacht, aber wir mussten aufhören, weil das Kleine unterwegs ist.«

»Kinder verändern das ganze Leben, habe ich gehört.« Grace schaute auf einen Stapel Hefte von *Absolute Brighton*, die neben einem Aschenbecher lagen.

»Die Geburtsvorbereitung ist nicht gerade spaßig«, gestand Nicholas düster.

In diesem Augenblick kam auch schon die Bedienung wieder zurück und führte sie eine Treppe hinauf in ein komfortables Büro, das im Gegensatz zur Bar ziemlich funktionell eingerichtet war. Hinter dem Schreibtisch saß ein junger Mann mit Stachelfrisur, der Jeans und T-Shirt trug. Es gab ein Sofa und mehrere Sessel, eine aufwändige HiFi-Anlage und eine Reihe von Schwarz-Weiß-Bildschirmen, die die Aufnahmen der Überwachungskameras innerhalb und außerhalb der Bar zeigten.

Der junge Mann stand auf und begrüßte sie herzlich. »Freut mich, Sie kennen zu lernen, Mr. Nicholas«, sagte er und schüttelte ihm die Hand. Mit einem Blick zu Grace fügte er hinzu: »Ich bin Ricky, der Manager. Hab im *Argus* über Sie gelesen, gestern, glaube ich.«

»Kann sein.«

»Fand den Artikel übertrieben hart. Darf ich Ihnen etwas zu trinken anbieten?«

»Stilles Mineralwasser, wenn's geht.«

»Eine Cola light«, bat Nicholas.

Der Manager bestellte telefonisch die Getränke und bot ihnen Plätze auf dem Sofa an. Er selbst zog sich einen Stuhl heran. »Also«, sagte er an den Detective Constable gewandt und tippte sich an den Kopf, »ich habe ein gutes Gedächtnis für Gesichter, muss ich auch, um die Störenfriede auszusortieren. Wie ich schon am Telefon sagte, war das Mädchen, das Sie suchen, vor kurzem mit einem Typen hier. Letzte Woche Freitag muss das gewesen sein. Ihr Glück, normalerweise löschen wir die Bänder nach einer Woche, aber wir hatten ein paar Probleme. Sie lassen uns doch nicht hochgehen, oder?«

Grace grinste. »Daran bin ich nicht interessiert, ich will nur den Mörder von Janie Stretton finden.«

»Das wäre also klar.« Ricky runzelte die Stirn. »Was habe ich da über einen Käfer gelesen, einen Skarabäus?«

»Das tut nichts zur Sache«, entgegnete Grace schroffer als beabsichtigt.

»Interessierte mich nur, weil wir auch einen im VIP-Raum haben – einen kleinen aus Bronze, gehört zur Dekoration. Der rollt sogar eine Mistkugel aus Bronze vor sich her.«

»Woher haben Sie den?«

»Keine Ahnung, hat alles der Innenarchitekt besorgt.« Ricky griff nach einer Fernbedienung und drückte einen Knopf. »Achten Sie auf den Monitor in der Mitte.«

Ein Flackern, dann verschwommene Bilder und wacklige Aufnahmen, bis sich das Bild stabilisierte und die überfüllte Bar aus einer Weitwinkel-Perspektive zeigte. Rechts unten waren Datum und Uhrzeit zu lesen.

»Sehen Sie auf die Tür zur Straße«, sagte Ricky aufgeregt.

Grace entdeckte einen muskulösen Mann Mitte dreißig mit schmalem, hartem Gesicht, der ein Mädchen mit langem blondem Haar im Schlepptau hatte.

Keine Frage, es war Janie Stretton.

Er betrachtete eingehend ihren Begleiter, der vor Kraft kaum laufen konnte und sich wie der König des Dschungels gebärdete. Er hatte seine Haare mit Gel zu Stacheln frisiert und trug Muskelhemd, Sporthose und eine dicke Halskette. Er drängte sich durch die Menge, ohne Janie loszulassen, und trat an die Bar, worauf er aus dem Blickfeld der Kamera verschwand.

Wenige Minuten später waren sie wieder zu sehen. Der Mann trank ein großes Bier, Janie einen Cocktail. Sie stießen miteinander an, und dann legte er ihr in einer seltsamen Geste die Hand um den Nacken, packte sie am Haar, zog ihren Kopf zurück und küsste sie grob auf den Hals.

Nick Nicholas blickte von den Fotos zum Bildschirm und sagte: »Das ist sie.«

»Keine Frage, ganz eindeutig«, bestätigte Grace. Dann wandte er sich an den Manager: »Und wer ist der Kerl?«

»Keine Ahnung, hab ich noch nie gesehen.«

»Ganz sicher?«

»Nicht hundertprozentig, dazu ist hier zu viel Betrieb. Aber er kommt mir nicht bekannt vor.«

Grace' Handy klingelte. Ohne die Augen vom Monitor zu nehmen, griff er danach und warf einen Blick aufs Display.

Cleo Morey.

Er entschuldigte sich, stand auf und verließ das Büro.

Sie klang erfreulich kleinlaut. »Ich wollte nur fragen, ob du Lust hast, nachher noch auf einen Drink vorbeizukommen.«

Er schmolz dahin. »Und ob, aber ich habe noch etwa zwei Stunden zu tun.«

»Dann kommst du eben danach, auf einen Schlummertrunk.«

»Hm«, murmelte er verträumt. Leider war dies nicht die Zeit oder der Ort, um das Gespräch zu vertiefen.

»Ich habe Wein, Bier und Wodka.«

»Auch Whisky?«, neckte er sie.

»So ein Zufall aber auch. Erst heute Nachmittag habe ich eine Flasche Glenfiddich gekauft.«

»Du kannst wohl Gedanken lesen.« Er bemühte sich, möglichst cool zu klingen – vergeblich.

»Eins meiner vielen Talente.«

59

CHRIS WILLINGHAM, ein dünner, überhöflicher Beamter Mitte zwanzig, löste Linda Buckley ab. Er hatte einen kleinen Koffer bei sich, in dem er alles für die bevorstehende Nachtwache untergebracht hatte, und ließ sich mit einem iPod und dem Buch *Abenteuertrips nach Kroatien* zufrieden im Wohnzimmer nieder.

Glenn Branson hatte angerufen, um zu sagen, dass er in einer Stunde noch einmal vorbeikommen werde. Tom fragte sich, ob es wohl neue Informationen gab. Auch war er fest entschlossen, den Ermittler zu fragen, weshalb er ihm nicht schon am Nachmittag gesagt hatte, dass es sich bei dem Vollidioten aus dem Zug um Reginald D'Eath handelte.

Tom ließ Chris Willingham mit einem schwarzen Kaffee und einem Teller Kekse allein und zog sich mit der ungelesenen *Sunday Times* ins Arbeitszimmer zurück. Den Sonntagabend verbrachten er und Kellie normalerweise gemütlich auf dem Sofa, die Teile von *Sunday Times* und *Mail on Sunday* überall auf dem Teppich verstreut. Er selbst fing immer mit dem Wirtschaftsteil an, um nach finanzkräftigen Unternehmen zu suchen, denen er seine Produkte anbieten konnte. Kellie startete immer mit der *You*-Beilage.

Doch an diesem Abend schien es reine Zeitverschwendung, die Zeitung auch nur aufzuschlagen, denn ihm verschwamm alles vor den Augen. Tom fühlte sich schrecklich allein. Verloren und verängstigt.

Halb wahnsinnig vor Angst um Kellie.

Reginald D'Eath, der die CD-ROM im Zug vergessen hatte, war ermordet in seinem Haus aufgefunden worden. Im Bad erdrosselt.

Von wem?

Etwa von denselben Leuten, die gedroht hatten, Toms Familie zu töten?

In den Frühnachrichten hatte es geheißen, D'Eath, der seinen Namen in Ron Dawkins geändert hatte, habe einen Deal mit der Staatsanwaltschaft geschlossen und als Kronzeuge im bevorstehenden Prozess gegen einen Kinderschänderring aussagen wollen. Kamen die Mörder aus dieser Ecke? Oder hatten sich die Eltern eines missbrauchten Kindes gerächt?

Er verstieg sich in wilde Spekulationen. War es vielleicht die Strafe dafür, dass er die CD-ROM verloren hatte? Drohte ihm selbst und seiner Familie nun das gleiche Schicksal?

Tom sah auf die Uhr. Fünf nach halb zehn. Vor vierundzwanzig Stunden hatten sie noch im Salon von Philip Angelides Champagner getrunken. Kein toller Abend, aber immerhin das normale Leben. Und jetzt war er völlig ratlos. Wollte sich auf den morgigen Montag konzentrieren, konnte aber kaum ein paar Minuten in die Zukunft denken. Die Präsentation bei Land Rover konnte er unmöglich absagen, und wenn er einen seiner Verkäufer dafür abstellte, musste er ihm eine Provision zahlen, was seinen Gewinnanteil natürlich schmälerte. Aber das war jetzt seine geringste Sorge.

Plötzlich war er wütend auf Kellie. Sicher, es war irrational, aber er kam nicht dagegen an. *Wie konntest du mir ausgerechnet jetzt so etwas antun?*

Schon meldete sich sein schlechtes Gewissen.

Mein Gott, Liebes, wo bist du nur? Tom vergrub das Gesicht in den Händen, wollte den albtraumhaften Nebel in seinem Gehirn durchdringen und hasste sich für seine eigene Hilflosigkeit.

Über eine Stunde später hielt eine blaue Limousine vor dem Haus. Tom sah Glenn Branson an der Fahrerseite aussteigen und auf der Beifahrerseite einen weiteren Mann Ende dreißig mit kurzem Haar, dem man den Polizisten schon von weitem ansah.

Er rannte nach unten und öffnete die Tür, bevor die beiden klingeln konnten. Lady schoss herbei, doch die Hündin ließ sich beruhigen und vom Bellen abhalten. Offenbar hatte sie sich von der Magenverstimmung – oder dem Gift – gut erholt.

»Guten Abend, Mr. Bryce, tut uns Leid, Sie noch so spät zu stören.«

»Danke, ich bin froh, dass Sie gekommen sind.«

»Das ist Detective Superintendent Grace, er leitet die Ermittlungen.«

Bryce schaute ihn flüchtig an und war überrascht, dass der Mann ebenso lässig gekleidet war wie die Ermittler in den einschlägigen Fernsehserien. Er hatte ein kräftiges, angenehmes Gesicht mit scharfen blauen Augen und strahlte eine beruhigende Autorität aus.

»Danke, dass Sie gekommen sind«, sagte Tom Bryce und führte sie in die Küche.

»Nichts Neues?«, fragte Glenn Branson und setzte sich an den Küchentisch.

»Nur eines, aber das dürften Sie wohl schon gewusst haben. Der Mann im Zug war dieser Pädophile, der gestern ermordet aufgefunden wurde. Reginald D'Eath. Ich hab ihn in den Nachrichten erkannt.«

Grace schaute sich rasch um, registrierte die Kinderzeichnungen an der Wand, den schicken Kühlschrank mit dem eingebauten Fernseher, die teure Einbauküche. Dann setzte er sich und fixierte

Tom Bryce. »Was mit Ihrer Frau geschehen ist, tut mir sehr Leid. Ich würde Ihnen gern einige Fragen stellen, damit es uns leichter fällt, sie zu finden.«

»Natürlich.«

»Wann haben Sie den Audi gekauft, den man ausgebrannt gefunden hat?« Er ließ Bryce nicht aus den Augen.

»Im März.« Augen nach rechts.

»Von einem Händler hier im Ort?«

Wieder wanderten die Augen nach rechts, also war dies die Gedächtnisseite von Tom Bryce. Im Augenblick sagte er folglich die Wahrheit. »Ja, bei Caffyns.«

Grace holte sein Notizbuch heraus. »Ich würde gern chronologisch vorgehen. Können wir die Ereignisse bis zu dem Zeitpunkt überprüfen, an dem Kellie verschwand?«

»Selbstverständlich. Möchten Sie etwas trinken? Kaffee oder Tee?«

Grace entschied sich für schwarzen Kaffee, Glenn Branson für Leitungswasser. Tom schaltete den Kessel ein und berichtete detailliert, was am Vorabend geschehen war.

Als er fertig war, fragte Grace: »Haben Sie und Ihre Frau auf dem Heimweg oder irgendwann davor gestritten?«

»Ganz und gar nicht«, erwiderte Tom, und seine Augen zuckten erneut nach rechts. Er erinnerte sich an die Rückfahrt, auf der Kellie ein wenig seltsam gewirkt hatte, aber das war schon häufiger vorgekommen, ohne dass sie danach je verschwunden war.

»Dürfte ich Ihnen eine persönliche Frage stellen?«

»Nur zu.«

»Führen Sie eine gute Ehe? Oder gibt es Probleme in Ihrer Beziehung?«

Tom Bryce schüttelte den Kopf. »Wir führen keine gute Ehe. Wir führen eine *wunderbare* Ehe«, sagte er mit Nachdruck.

Das Wasser im Kessel kochte. Er wollte schon aufstehen, als Grace ihn mit der nächsten Frage eiskalt erwischte. »Sind Ihre Finanzen in Ordnung, Mr. Bryce?«

Der Blick der blauen Augen verriet ihm, dass Grace irgendetwas wusste. »Nein, im Augenblick sieht es nicht so toll aus.«

»Hat Ihre Frau eine Lebensversicherung?«

Tom sprang wütend auf. »Was zum Teufel soll das denn heißen?«

»Leider muss ich Ihnen noch weitere persönliche Fragen stellen. Wenn Sie lieber einen Anwalt hinzuziehen möchten, ist das Ihr gutes Recht.«

Der Kessel schaltete sich von selber ab, Tom sackte wieder auf den Stuhl. »Ich brauche keinen Anwalt.«

»Vielen Dank. Also sagen Sie mir bitte, ob Mrs. Bryce eine Lebensversicherung hat.«

Die Augen schossen nach rechts. »Nein. Ich hatte eine für uns beide abgeschlossen, wegen der Kinder, aber ich musste sie vor einigen Monaten leider kündigen. Sie war zu teuer.« Er stand auf, kochte Kaffee und holte das Wasser für Branson. Grace wartete, bis Tom sich wieder gesetzt und er dessen Gesicht im Blick hatte.

»Haben Sie in den vergangenen Monaten eine Veränderung im Verhalten Ihrer Frau bemerkt?«

Die Augen verrieten ein gewisses Zögern, dann zuckten sie eindeutig nach links. Tom begann auszuweichen. Er würde sie belügen. »Nein, nicht dass ich wüsste.«

Danach überlegte Tom sofort, ob er ihnen nicht doch von dem Wodka erzählen sollte. Und von ihren seltsamen Kellie-Momenten. Doch er fürchtete nach wie vor, sie könnten daraufhin das Interesse verlieren.

Grace nahm die Tasse, stellte sie aber wieder ab, ohne zu trinken, und fixierte Bryce. »Hegen Sie die Befürchtung, Ihre Frau könnte eine Affäre haben?«

Augen nach rechts. »Absolut nicht. Unsere Beziehung ist sehr gut.«

Roy Grace fragte noch eine halbe Stunde weiter, worauf Tom sich vorkam, als hätte man sein Innerstes überaus professionell nach außen gekehrt.

Als er endlich die Tür hinter den Beamten schloss, fühlte er sich völlig ausgelaugt. Es war fast elf. Anscheinend war er einer der Hauptverdächtigen, was einfach total idiotisch war.

Tom schaute zur Wohnzimmertür. Er besaß kein Gästebett, aber der Familienbetreuer war völlig in seinen Reiseführer vertieft und hatte zuvor schon erklärt, er wolle die ganze Nacht aufbleiben.

Tom ging nach oben, fühlte sich aber viel zu aufgedreht, um an Schlaf zu denken. Zudem musste er noch einige wichtige E-Mails zur morgigen Präsentation verfassen und irgendwie die Kraft finden, sich darauf zu konzentrieren.

Er drückte eine Taste, um seinen Computer einzuschalten. Eine Fülle von E-Mails war eingegangen, doch bis auf ein halbes Dutzend blieben alle im Filter hängen. Sie kamen von Freunden, zweifellos irgendwelche Scherze. Eine von Olivia, seiner übereifrigen Sekretärin, die die Termine der kommenden Woche auflistete und sich erkundigte, was er für die Präsentation benötige. Eine stammte von *Ivanhoe*, dem Netzdoktor, dessen medizinischen Rat er abonniert hatte, den er aber nur selten las.

Die letzte Mail kam von *scarabInc.com*. Die Betreffzeile lautete: Streng vertraulich.

Er klickte zweimal, um die Mail zu öffnen. Die Nachricht war kurz und nicht unterschrieben.

Kellie hat eine Nachricht für Sie. Bleiben Sie online.

60

UM 23.15 UHR saßen Emma-Jane Boutwood und Nick Nicholas noch immer am Schreibtisch. Alle waren nach Hause gegangen bis auf sie beide und Norman Potting, der gerade aufstand, seine Krawatte zurechtrückte und die Jacke anzog.

In den beiden anderen Arbeitsbereichen saßen noch einige Unentwegte zwischen leeren Kaffeebechern, Getränkedosen, Fastfoodschachteln und überquellenden Papierkörben. Morgens wirkte der Raum immer wie geleckt, dachte Emma-Jane, und abends roch er unweigerlich wie eine Kantine. Eine leicht widerliche Mischung aus gebackenen Zwiebelringen von der heißen Theke im Supermarkt gegenüber, Fünf-Minuten-Terrinen, Burgern und Pommes aus der Mikrowelle und Kaffee.

Potting gähnte ausgiebig und rülpste. »Ups, ist mir so rausgerutscht. Muss am indischen Essen liegen.« Er zögerte, als von den

Kollegen keine Reaktion kam. »Ich bin dann weg.« Doch er rührte sich nicht von der Stelle. »Noch Lust auf ein Bier? Einen Absacker? Ich weiß, wo man noch was bekommt.«

Beide schüttelten den Kopf. Nick Nicholas schien in ein schwieriges privates Telefonat vertieft. Wie es aussah, wollte er seine Frau beschwichtigen, die sich über irgendetwas aufregte. Vermutlich darüber, dass ihr Mann sonntags um diese Zeit noch arbeitete. Obwohl sie es bedauerte, dass sie keinen Freund hatte – sie hatte vor einem Jahr mit Olli Schluss gemacht –, war Emma-Jane andererseits erleichtert, ungebunden zu sein. So konnte sie sich auf ihre Karriere konzentrieren, ohne ein schlechtes Gewissen deswegen zu haben.

Potting ignorierte die Tatsache, dass Nicholas telefonierte, und beugte sich vor. »Ihr habt nicht zufällig die Kricketergebnisse? Hab überall im Netz danach gesucht.«

Nicholas blickte hoch und schüttelte nur den Kopf.

Potting durchwühlte seine Hosentaschen und wiederholte: »Ich bin dann weg.«

Emma-Jane hob die Hand. »Schönen Abend noch.«

»Reicht gerade, um nach Hause zu gehen«, knurrte er. »Bis morgen um halb neun.«

»Ich freu mich drauf«, erwiderte sie scherzhaft. Sie trank einen Schluck Mineralwasser und schaute Potting nach. Ein formloser Mann im knittrigen Anzug. Obwohl sie ihn einerseits abstoßend fand, tat er ihr auch ein wenig Leid, weil er so furchtbar einsam wirkte. Emma-Jane beschloss, von morgen an netter zu Potting zu sein.

Sie schraubte die Wasserflasche zu und machte sich wieder an die Aussagen der Nachbarn von Reggie D'Eath. Auch wollte sie mehr über den weißen Ford Transit herausfinden, den man am Vorabend vor seinem Haus gesehen hatte.

Obwohl der Fall D'Eath von einem anderen Team bearbeitet wurde, vermutete Grace eine Verbindung zum Fall Stretton und verlangte daher, dass sein Team ständig auf dem Laufenden war.

Emma-Jane hatte das Kennzeichen GU03 OAG notiert. Der Halter war eine Firma namens Bourneholt International Ltd. mit Postfachanschrift, die sie erst am Morgen überprüfen konnte. Als sie sie Norman Potting gezeigt hatte, meinte dieser, es handle sich vermutlich um eine Deckadresse, was zu stimmen schien, da ihre Internetsuche nichts ergeben hatte.

Ein Telefon klingelte. Nick sprach noch immer in sein Handy. Emma-Jane hob ab. »Soko-Zentrale.«

Die Stimme klang energisch, aber höflich. »Hi, hier spricht Jim Knight von der Telefonzentrale in Malling House. Ist Detective Superintendent Grace noch im Büro?«

»Nein, er ist leider schon weg. Kann ich Ihnen helfen?«

»Ich muss jemanden von der Soko Nightingale sprechen.«

»Mein Name ist DC Boutwood, ich gehöre zum Team«, sagte sie nicht ohne Stolz.

»Ich habe einen Herrn namens Seiler in der Leitung, der wegen eines weißen Lieferwagens anruft. Ich habe das Kennzeichen überprüft und dabei festgestellt, dass DS Grace das Fahrzeug im Computer markiert hat. Ich dachte, er möchte vielleicht mit dem Herrn sprechen.«

»Ist er der Halter des Fahrzeugs?«

»Nein, der Wagen parkt anscheinend vor seinem Haus. Er hat heute bereits um 18.40 Uhr Anzeige erstattet.«

»Tatsächlich?«, fragte Emma-Jane überrascht, weil niemand der Sache nachgegangen war. »Stellen Sie ihn bitte durch.«

Kurz darauf sprach sie mit einem aufgebrachten älteren Mann. »Hallo, ja, ich habe vorhin aber mit jemand anderem gesprochen, oder?«

Sie klemmte sich den Hörer zwischen Ohr und Schulter und hämmerte wie wild auf der Tastatur herum. Sekunden später entdeckte sie den Eintrag von Detective Sergeant Jon Rye, Abteilung Computerkriminalität.

Internetklau. Telefonisch bearbeitet von Sergeant Rye.

Was um alles in der Welt mochte das heißen?

»Bedauere, Sir, aber es ist Sonntagabend, viele Kollegen sind schon nach Hause gegangen.«

»Der Mann im weißen Lieferwagen parkt wieder vor meiner Wohnung und klaut meine Internetverbindung. Es wäre schön, wenn er endlich verschwinden würde.«

Klaut meine Internetverbindung? Was meinte er bloß damit?

Doch im Augenblick war Emma-Jane mehr an dem Lieferwagen interessiert. »Würden Sie mir bitte das Kennzeichen durchgeben, Sir?«

»G wie Gustav, U wie Ulrich, null, drei, O wie Otto, A wie Anton, G wie Gustav«, diktierte er langsam.

Sie notierte es.

GU03 OAG.

Sie sprang unvermittelt auf. »Sir, geben Sie mir Ihre Nummer, ich rufe zurück. Ihre Anschrift lautet: Wohnung D, 138 Freshfield Road?«

Er bestätigte dies und gab ihr die Nummer, die sie sofort in ihrem Handy speicherte. »Bitte gehen Sie nicht raus, verscheuchen Sie ihn nicht. Ich bin gleich da. In wenigen Minuten rufe ich zurück.«

»Ja, vielen, vielen Dank.«

Nick war noch immer in sein Telefonat vertieft und ignorierte ihre wilden Gesten. Verzweifelt riss sie ihm den Hörer vom Ohr. »Komm mit. Sofort!«, rief sie.

61

TOM SASS MIT EINEM GLAS GLENFIDDICH im Arbeitszimmer. Er zitterte haltlos und versuchte verzweifelt, sich auf die Mails bezüglich der Präsentation zu konzentrieren, die er noch an sein Team schicken musste. Alle paar Minuten drückte er auf *E-Mails abholen*, um zu sehen, ob schon eine Nachricht von Kellie gekommen war.

Um zwanzig nach elf war das Glas leer, und er ging hinunter, um Nachschub zu holen. PC Willingham stand in der Küche und kochte Kaffee.

»Möchten Sie auch einen, Mr. Bryce?«

Tom hielt sein Glas hoch und sagte, wobei er sein eigenes Nuscheln bemerkte: »Danke, brauch was Stärkeres.«

»Kann ich Ihnen nicht verdenken.«

»Möchten Sie?« Tom hielt die Flasche hoch.

»Nein, Sir, bin im Dienst.«

Tom zuckte bedauernd mit den Schultern, füllte das Glas randvoll mit Whisky, Eis und Wasser und ging wieder nach oben. Als er sich an den Schreibtisch setzte, bemerkte er, dass gerade eine weitere Mail von *info@scarabInc.com* eingetroffen war, diesmal mit Anhang. Die Betreffzeile lautete schlicht und einfach:

Nachricht von Kellie.

Seine Hand zitterte so sehr, dass er kaum den Cursor mit der Maus auf den Anhang ziehen konnte. Ein Doppelklick.

Es schien ewig zu dauern, bis der Computer den Anhang geöffnet und das Bild aufgebaut hatte. Dann wurde der Bildschirm plötzlich schwarz. Kellies Gesicht erschien.

Sie wurde von einem erbarmungslosen Scheinwerfer angestrahlt wie eine einsame Schauspielerin auf der Bühne und starrte unverwandt geradeaus. Sie trug noch das Abendkleid von gestern und war mit Händen und Füßen an einen Stuhl gefesselt. Um den Hals hatte sie einen silbernen Anhänger, den Tom noch nie an ihr gesehen hatte. Unter dem rechten Auge prangte ein großer Bluterguss, als hätte man sie geschlagen, auch die Lippen wirkten geschwollen.

Tom war wie gelähmt vor Entsetzen. Das musste ein schlechter Scherz sein, aber es fühlte sich an wie ein Albtraum.

Kellie sprach in gestelztem Ton, als hätte sie ihren Text auswendig gelernt.

»Tom, bitte sieh mich an und hör gut zu«, sagte sie mit bebender Stimme. »Warum hast du mir das angetan? Warum hast du deren Anweisungen nicht befolgt? Jetzt bestrafen sie mich für deine Dummheit.«

Sie verstummte, Tränen liefen ihr über die mascaraverschmierten Wangen. Die Kamera zoomte auf ihr Gesicht. Näher, näher, schwenkte dann auf den Anhänger, bis dieser den ganzen Bildschirm ausfüllte.

Die Gravur darauf war deutlich zu erkennen. Ein Skarabäus.

»Erzähl der Polizei nichts von diesem Film, Liebling. Tu genau, was sie dir sagen. Sonst ist Max als Nächster dran. Dann Jessica. Spiel nicht den Helden. Bitte tu, was sie dir sagen. Es ist …« Sie konnte nicht weitersprechen. »Es ist unsere einzige Chance, dass wir uns je wieder sehen. Bitte, bitte geh nicht zur Polizei. Sie kriegen es raus. Die wissen alles.«

Kellies Stimme riss wie Stacheldraht an seinem Herzen.

Der Bildschirm wurde pechschwarz, und Tom hörte einen Laut. Ein leises Wimmern, das immer lauter und schriller, immer durchdringender wurde. Es war Kellie.

Dann Stille.

Der Film war zu Ende.

Tom erbrach sich auf den Boden.

62

NICK NICHOLAS STEUERTE den neutralen Vauxhall durch das Sicherheitstor von Sussex House und gab Gas. Emma-Jane erteilte per Funk Anweisungen an die Einsatzzentrale.

»Hier spricht Golf Tango Juliet Echo, wir brauchen die Unterstützung der Schutzpolizei im Gebiet Freshfield Road. Der Vorfall ist vor Haus Nr. 138, aber ich möchte niemanden sehen oder hören, bevor ich es sage. Das ist absolut entscheidend, verstanden?« Sie zitterte vor Nervosität. Es war der erste wichtige Einsatz, den sie leitete, und sie fürchtete insgeheim, damit ihre Kompetenz zu überschreiten. Doch was blieb ihr anderes übrig? »Können Sie bestätigen?«

»Golf Tango Juliet Echo, schicken Uniformierte ins Gebiet Freshfield Road. Völlige Diskretion bis auf weiteres erbeten. Voraussichtliche Ankunft in etwa vier Minuten.«

Sie rasten eine lange, steile Straße hinunter. Emma-Jane schielte auf den Tacho. Über 110 km/h. Sie wählte Seilers Nummer, er meldete sich sofort.

»Mr. Seiler? Hier spricht Detective Constable Boutwood. Wir sind unterwegs. Steht der Lieferwagen noch draußen?«

»Ja. Soll ich mit dem Fahrer reden?«

»Nein«, bat sie ihn inständig. »Auf gar keinen Fall. Bleiben Sie einfach drinnen und beobachten Sie ihn. Ich bleibe am Apparat. Sagen Sie mir, was Sie sehen.«

Eine Radarkamera blitzte sie. DC Nicholas raste weiter und trat noch fester aufs Gaspedal, um die Grünphase der nächsten Ampel zu erwischen. Sie sprang um.

»Weiter!«, befahl Emma-Jane und hielt die Luft an, als der Wagen auf die Kreuzung schoss und scharf nach rechts abbog, wobei er ein entgegenkommendes Fahrzeug schnitt, dessen Fahrer wütend hupte.

»Ich sehe den weißen Lieferwagen noch immer. Drinnen sitzt ein Mann«, gab Seiler durch.

»Nur einer?«

Jetzt befanden sie sich auf einer vierspurigen Straße mit einem Tempolimit von 60 km/h. Die Tachonadel näherte sich der 150.

»Ich sehe nur einen Mann.«

»Was macht er?«

»Hat einen Laptop aufgeklappt.«

Eine zweite Kamera blitzte auf.

»Ich hoffe bloß, du bist auf der richtigen Spur«, flüsterte Nick ihr zu. »Sonst kann ich meinen Führerschein vergessen.«

Straßenlampen und rote Hecklichter schossen vorüber, wütende Fahrer betätigten die Lichthupe.

Doch Emma-Jane konzentrierte sich ganz auf ihren Informanten. »Nur noch ein paar Minuten.«

»Soll ich jetzt rauskommen?«

»Nein!«, schrie sie energisch. »Bleiben Sie unbedingt drinnen.«

Nick Nicholas überfuhr vier rote Ampeln in Folge, bog scharf links nach Elm Grove ab, eine breite, steile Straße, die von Häusern und Geschäften gesäumt wurde. Die Leuchtreklame einer Teppichhandlung huschte vorbei.

»Was sehen Sie jetzt, Mr. Seiler?«

»Nichts Neues.«

Plötzlich knisterte das Funkgerät. »Golf Tango Juliet Echo, hier PC Godfrey. Uniform Delta Zebra Bravo. Nähern uns Freshfield Road. Ankunft in etwa dreißig Sekunden.«

»Bleiben Sie zurück«, erwiderte Emma-Jane und kam sich auf einmal ungeheuer wichtig vor. War aber auch nervös, weil sie nichts falsch machen wollte.

Draußen zogen die düsteren Gebäude des Brighton General

Hospital vorbei, in dem ihre Großmutter im vergangenen Jahr an Krebs gestorben war. Sie schlitterten mit quietschenden Reifen nach rechts in die Freshfield Road.

Emma-Jane las die Hausnummern. 2, 4, 6, 8. »Langsam, da vorn kommt eine S-Kurve, dahinter muss es sein.«

Sie entdeckten den weißen Ford Transit in etwa zweihundert Metern Entfernung, die Rücklichter waren eingeschaltet. Ihr Herz raste jetzt. Und jetzt konnte sie auch das Kennzeichen lesen.

GU03 OAG.

Sie drückte die Sprechtaste. »Uniform Delta Zebra Bravo. Weißer Ford Transit vor 138 Freshfield Road. Bitte abriegeln.«

Sie wandte sich an Nick Nicholas. »Los, setz dich davor! Versperr ihm den Weg!« Sie löste den Gurt.

Sie kamen quer vor dem Lieferwagen zum Stehen. Emma-Jane riss die Tür auf, sprang heraus, griff nach der Fahrertür des Transit.

Verschlossen.

Sie hörte eine Sirene. Blaulicht zuckte über den schwarzen Asphalt. Der Motor des Transit sprang an. Er setzte ruckartig zurück und riss ihr fast den Arm aus dem Gelenk. Metall knirschte auf Metall, Glas splitterte. Dann riss es sie nach vorn, als der Lieferwagen Gas gab und den Vauxhall rammte. Der Motor heulte auf, der beißende Geruch von brennendem Gummi stieg auf, Metall quietschte, als der Vauxhall zur Seite rutschte. »Anhalten, Polizei!«, hörte sie Nick rufen.

Erneutes Knirschen von Metall. Sie klammerte sich verzweifelt an der Tür fest.

Dann riss es ihr die Füße weg. Der Lieferwagen beschleunigte, lenkte scharf nach links, sodass ihre Beine in die Luft flogen, dann nach rechts. Auf die parkenden Autos zu.

Blindes Entsetzen.

Emma-Jane spürte einen furchtbaren Druck, als ob jegliche Luft aus ihrem Körper gepresst würde, hörte das dumpfe Knirschen von Glas und Metall. Qualvolle Sekunden vergingen, ihre Hände gaben nach, ihr Körper rollte in den Rinnstein. Ihr verlöschendes Bewusstsein sagte ihr noch, dass nicht Glas und Metall das Geräusch verursacht hatten, sondern ihre eigenen Knochen. Dann kam das dunkle Vergessen.

Nick sah Emma-Jane auf der Straße liegen und zögerte kurz. Im Rückspiegel entdeckte er, dass der Streifenwagen noch weit entfernt war. Vor ihm verschwanden gerade die Rücklichter des Transit. Also gab er spontan Gas und brüllte ins Funkgerät: »Wir brauchen hier oben einen Krankenwagen, schnell!«

Binnen Sekunden holte er auf. Unten an der Kreuzung Eastern Road leuchtete eine rote Ampel. Der Transit musste anhalten, zumindest aber das Tempo drosseln.

Tat er aber nicht.

Nick sah und hörte, wie ein Skoda-Taxi mit voller Wucht und lautem Knall, als schlügen zwei eiserne Mülltonnen aneinander, gegen die Fahrertür prallte.

Der Transit drehte sich, Dampf, Öl und Wasser quollen hervor, die Hupe ertönte, überall lagen Glassplitter und Metallteile. Ein Rad war verbogen, der Reifen platt.

Das Taxi rollte mit dampfender Motorhaube weiter, prallte gegen den Bordstein, holperte auf den Gehweg und rammte eine Hauswand.

Nicholas bremste, gab den Notruf durch und rannte zu dem Lieferwagen. Die Windschutzscheibe war gesprungen und blutverschmiert. Der Fahrer hing zusammengesackt über dem Lenkrad, sein Hals war verdreht, das Gesicht voller Platzwunden, er hatte die Augen geschlossen.

Überall stieg Dampf auf, es stank nach Diesel. Nicholas riss an der Tür, aber sie war verschlossen. Er hatte Angst, der Wagen könnte Feuer fangen, und riss weiter mit aller Kraft, bis die Tür einen Spalt weit aufging.

Fahrzeuge bremsten, aus dem Augenwinkel sah er zwei Leute beim Taxi, die die Fahrertür öffneten. Einer kämpfte mit der hinteren Beifahrertür. Dann entdeckte er auf dem Fußboden vor dem Beifahrersitz des Transit ein Leuchten.

Das war der Monitor eines Laptops.

Er quetschte sich durch die halb offene Tür und sah sich den Fahrer genau an. Er atmete noch. Eine der wichtigsten Lektionen aus dem Erste-Hilfe-Kurs lautete, man solle ein Unfallopfer nur dann bewegen, wenn akute Gefahr drohe. Er griff an dem Mann vorbei und schaltete die Zündung aus. Kein Brandgeruch. Er ging zur Beifahrerseite, griff geistesgegenwärtig nach einem Taschentuch und holte vorsichtig den Laptop heraus.

Dann erkundigte er sich, getrieben von der Sorge um Emma-Jane, über Funk nach den Krankenwagen und hörte auch schon die Sirenen.

Aber es gab noch etwas, das ihm keine Ruhe ließ. Roy Grace würde gar nicht begeistert sein, wenn er von diesem Unfall erfuhr.

63

UM HALB ZWÖLF PARKTE ROY GRACE seinen Alfa Romeo auf dem Bürgersteig vor dem dunklen Schaufenster eines Händlers, der sich auf Retromöbel des 20. Jahrhunderts spezialisiert hatte.

Er stieg aus, schloss ab und blieb im orangefarbenen Licht der Straßenlaternen vor dem schmiedeeisernen Tor des ehemaligen Lagerhauses stehen, in dem Cleo wohnte. Einen Moment lang betrachtete er die Klingelschilder und überließ sich seinen widerstreitenden Gefühlen. Er war wütend, aber auch nervös, weil er nicht wusste, wie sie ihm die Sache erklären würde. Zudem auch schlicht und einfach traurig.

Zum ersten Mal, seit Sandy verschwunden war, empfand er wirklich etwas für eine Frau. In den wenigen Augenblicken, in denen er nicht mit dem Mordfall Janie Stretton beschäftigt gewesen war, hatte er tatsächlich an einen neuen Anfang geglaubt. Mit Cleo Morey.

Dann kam die SMS.

Ihr Verlobter.

Was sollte das wohl heißen? Wer war dieser Mann? Ein schlappes Bürschchen aus vornehmen Kreisen, das ihren Eltern gefiel? Komplett mit Porsche und Landsitz?

Wie hatte sie ihm verschweigen können, dass sie verlobt war? Und warum wollte sie sich ausgerechnet jetzt mit ihm treffen? Um sich zu entschuldigen und ihm zu erzählen, dass das Kuscheln im Taxi nur ein beschwipster Fehltritt gewesen war und sie sich nun wie vernünftige Erwachsene verhalten müssten, weil sie beruflich miteinander zu tun hatten?

Und warum war er überhaupt hergekommen? Eigentlich sollte er in der Soko-Zentrale sitzen oder, besser noch, im Bett liegen, um ausgeruht zur Morgenbesprechung und den weiteren Ermittlungen anzutanzen.

Im Geiste ging er nochmal das Gespräch mit Tom Bryce durch. In den vergangenen Jahren hatte Grace mehrere Psychologiekurse absolviert, sie aber nie sonderlich hilfreich gefunden. Sie mochten vielleicht nützlich sein, wenn man zwischen drei Verdächtigen auswählen musste, doch er konnte überhaupt nicht beurteilen, ob die Trauer und Sorge von Bryce echt oder gespielt waren.

Einmal hatte der Mann jedenfalls eindeutig gelogen.

Haben Sie in den vergangenen Monaten eine Veränderung im Verhalten Ihrer Frau bemerkt?

Nein, nicht dass ich wüsste.

Was steckte dahinter? Bryce hatte etwas zu verbergen, so viel war sicher. Glaubte er, seine Frau habe eine Affäre? Oder ihn verlassen wollen? Und trotz seines Mitgefühls war es dieses Zögern, diese Lüge, die ihn davon abhielten, eine umfassende Suche nach Kellie Bryce zu starten. Am Morgen würde er Assistant Chief Constable Alison Vosper vorschlagen, Cassian Pewe mit der Untersuchung ihres Verschwindens zu beauftragen.

Mit etwas Glück würde der aalglatte kleine Scheißer gleich mit seiner ersten Ermittlung ins Klo greifen.

Grace stand vor der Sprechanlage und spürte Schmetterlinge in seinem Bauch. *Reiß dich zusammen, Mann!* Hängst hier rum wie ein jämmerlicher Teenager! Und das um halb zwölf am Sonntagabend.

Plötzlich war er müde. Ausgelaugt. Wut flackerte in ihm auf – Wut auf Cleo und seine eigene Schwäche, und er war versucht, ins Auto zu steigen und nach Hause zu fahren. Er tastete schon nach dem Schlüssel, als er ihre verzerrte Stimme aus der Sprechanlage vernahm. »Hi!«

Plötzlich durchflutete ihn neue Energie. »Bella, habe Sie *uno* Pizza bestellt?«, fragte er mit grauenhaftem italienischem Akzent.

Sie lachte. »In den Hof und dann rechts. Nummer sechs, ganz

hinten links. Ich hoffe, Sie haben die Extraportion Anchovis nicht vergessen.«

Das Schloss sprang mit einem scharfen Klicken auf. Grace drückte gegen das schwere Tor, wühlte nach einem Kaugummi und steckte ihn in den Mund, während er über das makellos gepflegte Kopfsteinpflaster ging, das von kugelförmigen Lampen erhellt wurde. Als er die Tür erreichte, packte er den Kaugummi wieder in die Folie und steckte das Klümpchen ein.

Die Tür öffnete sich, bevor er klingeln konnte. Cleo empfing ihn barfuß, in engen Jeans und weitem blauem Sweatshirt. Sie hatte die Haare lässig hochgesteckt, sah blass aus, trug praktisch kein Make-up und war doch schöner denn je.

Sie begrüßte ihn mit schüchternem Lächeln und wirkte schuldbewusst wie ein ungezogenes Kind. »Hi!«

»Hi.«

Unbehagliches Schweigen, während beide auf einen Kuss warteten. Nichts passierte. Sie trat beiseite und schloss die Tür hinter ihm.

Grace kam in ein großes offenes Wohnzimmer, das von einem Dutzend kleiner weißer Kerzen und ultramodernen Leuchten erhellt wurde; im Raum hing ein süßer, moschusartiger, sehr weiblicher Duft, der ganz schön verführerisch wirkte.

Eine angenehme Atmosphäre, hier konnte er sich entspannen. Der Raum war typisch Cleo, cremefarbene Wände und Teppiche auf polierten Eichendielen, zwei rote Sofas, schwarz glänzende Möbel, ausgefallene abstrakte Gemälde, ein teurer Fernseher, dazu ein Latin-Song von El Divo, der leise, aber unüberhörbar aus vier coolen schwarzen Lautsprecherboxen drang.

Es gab einige üppige Grünpflanzen und ein Aquarium, in dem ein einsamer Goldfisch die Ruinen eines griechischen Miniaturtempels umrundete.

»Immer noch Lust auf Whisky?«

»Ich könnte einen gebrauchen.«

»Eis?«

»Jede Menge.«

»Wasser?«

»Nur einen Spritzer.«

Er trat vor das Aquarium.

»Das ist Fisch«, sagte Cleo. »Fisch, darf ich dir Detective Superintendent Roy Grace vorstellen?«

»Hallo, Fisch. Ich hab auch einen.«

»Ja, das hast du mir mal erzählt. Marlon, oder?«

»Gutes Gedächtnis.«

»Na ja, jedenfalls besser als bei einem Goldfisch. Ich habe gelesen, ihre Erinnerung reicht nur zwölf Sekunden zurück. Ich kann mir manche Sachen einen ganzen Tag lang merken.«

Grace lachte, aber es klang gezwungen. Zwischen ihnen herrschte eine gewisse Anspannung, wie bei zwei Boxern im Ring, die auf die Glocke zur ersten Runde warten.

Cleo verließ den Raum, und Grace nutzte die Gelegenheit, um sich genauer umzusehen. Auf einem Beistelltisch befand sich ein gerahmtes Foto neben einem Gummibaum. Es zeigte einen gut aussehenden, distinguierten Mann Anfang fünfzig in Frack und Zylinder, neben ihm eine attraktive Frau, die etwas jünger war und eine auffallende Ähnlichkeit mit Cleo besaß. Sie war hinreißend elegant und trug einen riesigen Hut, im Hintergrund erkannte man weitere, ähnlich gekleidete Leute. Womöglich die Royal Enclosure in Ascot, wo er natürlich noch nie gewesen war.

Grace trat an ein deckenhohes Regal, das von Büchern überquoll. Graham Greene, die Tagebücher von Samuel Pepys, Krimis von Ian Rankin, ein Roman von Jeanette Winterson, zwei Bücher von James Herbert, Alice Seebold, *Die Korrekturen* von Jonathan Franzen, einige Werke von Tom Wolfe, Biografien von Maggie Thatcher und Bill Clinton, eine Auswahl Frauenromane, eine alte Ausgabe von Greys *Anatomie* und, was ihn überraschte, Colin Wilsons *Das Okkulte*.

Cleo kam mit zwei Gläsern, in denen Eis klirrte, zurück.

»Liest du viel?«, fragte er.

»Nicht genug, aber ich bin eine zwanghafte Buchkäuferin. Und du?«

Gute Frage. Er liebte Bücher und kaufte immer gleich mehrere, wenn er es in eine Buchhandlung schaffte, fand aber nur selten Zeit, sie auch zu lesen. »Ich würde gern mehr lesen, aber meist habe ich nur Polizeiberichte vor mir.«

Sie reichte ihm ein Glas mit einem anständigen Whisky mit Eis, worauf sie sich an beiden Enden eines Sofas niederließen. Cleo hob ihr Glas mit Weißwein. »Danke, dass du gekommen bist.«

Er zuckte die Achseln und wartete auf die schreckliche Eröffnung.

Stattdessen sagte sie: »Auf dich ohne Fisch.«

»Fisch?«

»Prost ohne Toast.«

Er runzelte die Stirn.

»Kennst du das nicht?«

»Nein.«

»Auf dich ohne Fisch. Prost ohne Toast. Zum Wohl ohne Kohl!« Sie hob ihr Glas und nahm einen tiefen Schluck.

Grace schüttelte verwundert den Kopf und tat es ihr nach, der Whisky schmeckte teuflisch gut. »Ich hab's immer noch nicht kapiert.«

»Auf dich ohne Fisch. Prost ohne Toast. Zum Wohl ohne Kohl. Ist nur so ein Spruch.«

Er schaute Cleo an, trank noch einen Schluck und wechselte dann das Thema. »Du wolltest mir also vom Märchenprinzen erzählen – deinem Verlobten.« Er sah zu, wie sie ihren Wein trank, kein vornehmes Nippen, sondern mit einem ordentlichen Schluck.

»Richard?«

»Heißt er so?«

»Hab ich dir nicht gesagt, wie er heißt?«, fragte sie erstaunt.

»Eigentlich nicht. Ist dir gestern Abend wohl entfallen. Und bei unserer vorletzten Verabredung auch.«

Sie schaute in ihr Glas, als wollte sie eine Geheimbotschaft entschlüsseln. »Aber – ich meine – jeder kennt ihn. Ich dachte, du wüsstest Bescheid.«

»Anscheinend bin ich nicht jeder.«

»Er treibt das Team im Leichenschauhaus seit Monaten in den Wahnsinn.«

»Ich kann dir nicht ganz folgen.«

»Du kennst doch sicher *Per Anhalter durch die Galaxis*. Die Frage nach dem Leben, dem Universum und dem Ursprung.«

»Ach so.« Er fragte sich, ob Cleo betrunken sei. Allerdings sah sie nicht so aus. Nicht mal angeheitert. »Tut mir Leid, ich komme nicht mit. Du hast also einen Verlobten, der alle in den Wahnsinn treibt?«

»Ich dachte, du wüsstest Bescheid«, meinte sie kleinlaut. »Scheiße, du hattest keine Ahnung, was?«

»Nein.«

Sie trank den Wein aus. »Oh, Gott!« Cleo kippte das Glas, als könnte sich ein letzter Rest darin versteckt haben. »Nein, lieber ohne Gott.«

»Möchtest du es mir vielleicht erklären?«

»Den kompletten Download zum Thema Richard?«

»Könnte ein guter Anfang sein.«

»Also, Richard und ich haben uns vor etwa drei Jahren kennen gelernt. Er ist Anwalt und kam ins Leichenschauhaus, um sich das Opfer in einem Mordfall anzusehen, bei dem er als Verteidiger auftrat. Ich mochte ihn, wir trafen uns öfter, meine Eltern mochten ihn auch, meine Geschwister fanden ihn süß – und vor etwa eininhalb Jahren haben wir uns verlobt. Gleichzeitig entdeckte ich jedoch, dass ich einen Rivalen hatte – Gott.«

»Gott?«

Cleo nickte. »Richard hatte zu Gott gefunden. Oder Gott zu ihm. Ist auch egal.«

»Der Glückliche.«

»Und wie«, sagte sie sarkastisch. »Ich beneide jeden, der zu Gott findet; wie nett, wenn man die ganze Verantwortung auf jemanden abwälzen kann.« Sie stand abrupt auf. »Noch einen Whisky?«

Grace schaute in sein Glas, das noch zu drei Vierteln gefüllt war. »Danke, ich muss noch fahren.«

Cleo holte sich ein neues Glas Wein und setzte sich, diesmal näher.

»Er nahm mich mit in eine charismatische Kirche in Brighton, aber es war einfach nicht mein Ding. Ich hab's versucht, weil ich ihn damals liebte, aber wir haben uns letztlich nur immer weiter voneinander entfernt.«

»Und seine Lösung bestand darin, noch mehr zu beten?«

»Stimmt. Für einen Bullen bist du ganz schön fix.«

Grace konnte ein Grinsen nicht unterdrücken. »Danke vielmals.«

Sie stieß mit ihm an. »Er verlangte, dass ich mit ihm nieder-
kniete, eine Stunde oder länger betete und Gott anflehte, unsere
Beziehung zu kitten. Nach einer Weile konnte ich es nicht mehr
ertragen.«

»Wieso nicht?«

»Weil ich einfach nicht gläubig bin.«

»Du glaubst an gar nichts?«

»Ich verbringe die Zeit damit, Leichen aufzuschneiden, das
weißt du doch. Ich hab in keiner einzigen eine Seele gefunden.« Sie
trank von ihrem Wein. »Bist du gläubig?«

»Ich glaube an eine Form des Weiterlebens nach dem Tod. Mit
Religion habe ich allerdings so meine Probleme.«

»Damit wären wir schon zu zweit«, sagte Cleo.

Grace nickte.

»Ich habe mich vor sechs Monaten von Richard getrennt, aber er
kann es nicht akzeptieren. Er ist davon überzeugt, dass Gott uns
wieder zusammenbringt. Hat auch seiner Karriere geschadet. Er
verbringt immer mehr Zeit damit, für seine Fälle zu beten – statt
die Unterlagen zu lesen. Wenn ich mir ansehe, wie viel Scheiße in
der Welt passiert, stecken oft genug verblendete Leute dahinter, die
sich irgendwelchen Täuschungen über ihren Gott hingeben.
Manchmal glaube ich, in seinem Fanatismus unterscheidet Richard
sich gar nicht so sehr von einem muslimischen Selbstmordattentä-
ter. Es gehört alles zum selben verdammten System, nach dem
nicht dieses Leben zählt, sondern das kommende. Was für ein
Mist! Können wir bitte das Thema wechseln?«

Grace trank noch einen Schluck. »Worüber möchtest du denn
reden?«

Cleo stellte ihr Glas ab und nahm ihm seins aus der Hand. Sie
schlang die Arme um seinen Hals und flüsterte ihm ins Ohr: »Und
wenn wir zur Abwechslung mal gar nicht redeten?«

Sie presste die Lippen auf seine. Sie waren weich, unglaublich
weich; er atmete ihr Moschusparfum ein, den Duft ihres frisch ge-
waschenen Haars, spürte ihre weiche Zunge in seinem Mund, versank tiefer und tiefer in ihrem Körper, als umhüllte ihn zarte Seide.

Ihre Körper umschlangen sich, ohne dass sich ihre Lippen
voneinander lösten. Sie stiegen ein paar Stufen hinauf, über einen

blanken Holzboden, einen dicken Teppich. Im Hintergrund lief jetzt ein sanftes jazziges Stück, Schatten von Flammen zuckten über die Wände, und sie küsste ihn noch immer, erforschte mit der Zunge seine Zähne, seinen Gaumen, kämpfte mit seiner Zunge, und er spürte ...

Oh, Gott, gleich würde etwas in ihm bersten ...

Eine elektrische Spannung sandte winzige köstliche Funken durch seinen Körper. Ihre blauen Augen lächelten ihn an. Sie knöpfte sein Hemd auf, drückte ihren feuchten Mund auf seine Lider, die Spannung in seinem Bauch stieg weiter. Sie küsste ihn auf die Stirn, auf die Wangen und wieder auf die Lippen.

Es tat so gut, dass es schmerzte.

Wenn er in den vergangenen Jahren ab und an auf eine Kleinanzeige im *Argus* angerufen hatte, war er unweigerlich in irgendwelchen schäbigen Kellerräumen gelandet. Einmal hatte es ihm eine dicke Spanierin mit der Hand besorgt. Einmal hatte er Oralsex mit einer Thailänderin. Am peinlichsten war das dritte und letzte Mal, als er ihn bei einem flachbrüstigen einheimischen Mädchen mit rauer Stimme kaum hochgekriegt hatte.

Vielleicht weil Sandy im Geiste neben ihm gestanden hatte. Doch heute war sie nicht da.

Cleos schlanke Finger machten sich an seinem Gürtel zu schaffen.

Noch ein Kuss, diesmal auf den Hals, knapp unterm Kinn. Die Schnalle sprang auf. Noch ein Kuss, schon tiefer. Dann glitten ihre warmen Hände in seine Boxershorts.

»Oh mein Gott«, stöhnte er wie von Sinnen. Doch er war entschlossen, es so lange wie möglich zu genießen.

Sie grinste wunderbar schmutzig und machte sich an den übrigen Hemdknöpfen zu schaffen.

Sie drückte die Lippen auf seine rechte Brustwarze, er konnte es kaum noch aushalten.

Dann kam sein ganzer Körper an die Reihe, aufreizend langsam. Sie kniff ihn in die linke Brustwarze, erst sanft, dann fester, schaute ihn unverwandt an, herrlich schamlos, so unglaublich ...

So unglaublich ...

Schmutzig ...

Lächelnd.

Und er war so hart, dass er es nicht länger ertragen konnte.

Ihre Zunge stieß tief in seinen Bauchnabel. Ihre Hände schoben Hose und Boxershorts hinunter bis auf die Schuhe.

Sie nahm ihn in den Mund.

Luft schoss aus seinen Lungen, von ganz tief drinnen, von einem Ort, den er längst tot und vergessen geglaubt hatte. Er schob die Hände unter ihr Sweatshirt, spürte das weiche Fleisch an ihrem straffen Bauch, wanderte langsam nach oben, hoffte, der Moment würde nie vergehen, immer bleiben, alle Tage, Stunden, Minuten, Sekunden, Nanosekunden, Picosekunden, Femtosekunden seines Lebens. Eingefroren im Fluss der Zeit.

Dann berührte er ihre Brüste. Kein BH. Größer als erwartet, fest, wunderbar rund. Sie stöhnte, als er sie berührte, nahm ihn noch tiefer in sich auf.

Sekunden später lagen sie auf dem Bett, er hatte noch die Schuhe an, Hose und Boxershorts um die Knöchel. Sie sahen sich schweigend an. Er tastete nach ihren starken Schulterblättern, über ihren warmen Rücken und dachte, obwohl er es verdrängen wollte, dass sie sich ganz anders anfühlte als Sandy. Nicht besser, nur anders.

Bilder von Sandy zuckten durch seinen Kopf. Vergleiche. Sandy war kleiner, fülliger, weniger durchtrainiert; ihre Brüste waren kleiner, anders geformt, die Warzen größer und rosiger. Sandys Schamhaar war braun und wirr, Cleos weizenblond wie ihr Haar und kurz rasiert. Sie umschlang ihn, presste sich an ihn, flüsterte: »Roy, du bist wunderbar. Mein Gott, das hab ich mir so lange gewünscht. Schlaf mit mir.«

Er zog sie an sich, konnte nicht genug von ihr bekommen, wollte sie ganz in sich aufnehmen. Sie wollte ihn in sich hineinziehen, doch er war noch nicht bereit, es war so lange her, er musste sich erinnern, wieder lernen, sich zurückzuhalten.

Alles musste langsamer gehen.

Er tastete sich an ihrem Körper entlang, liebkoste ihre Brüste mit den Lippen, ihren Bauch, ging tiefer, atmete ihren unglaublichen Duft ein, der ihn noch mehr betörte als ihr Parfüm.

Sie stöhnte.

Da klingelte sein Handy.

Sie kicherte. Es klingelte weiter. Hörte auf. Er stieß mit der Zunge tiefer in sie hinein.

»Roy«, murmelte sie, »Roy, oh Roy, mein Gott, Roy.«

Zwei scharfe Pieptöne. Eine Sprachnachricht.

Doch im Moment war ihm alles egal.

64

CHRIS WILLINGHAM starrte auf den hysterischen Mann im bekotzten T-Shirt, der schreiend in der Wohnzimmertür stand. Verzweifelt dachte er an seine Ausbildung, wie verhielt man sich doch gleich in einer solchen Situation?

»Sie müssen etwas unternehmen! Bitte, Sie müssen etwas unternehmen! Suchen Sie meine Frau!«

Ruhig sprechen, das war es. Das Wichtigste überhaupt. Also fragte Chris mit sanfter Stimme: »Was genau ist denn passiert?«

»Sie schreit! Sie ist vor Angst wie von Sinnen, kapiert?« Tom Bryce packte ihn bei den Schultern. »Tun Sie was!«

Der junge Familienbetreuer musste würgen, als er das Erbrochene roch. »Mr. Bryce, sagen Sie mir bitte, was passiert ist.«

Tom machte kehrt und verließ den Raum. »Kommen Sie mit, sehen Sie selbst. Sie ist in meinem Computer!«

Chris Willingham folgte ihm die Treppe hinauf in das kleine Arbeitszimmer, dessen Wände mit Büchern, Aktenordnern und Familienfotos bedeckt waren. Auf dem Schreibtisch stand ein aufgeklappter Laptop, der Monitor war dunkel. Tom Bryce drückte auf ENTER, der Eingangsordner des E-Mail-Programms erschien.

Hier drinnen war der Geruch nach Erbrochenem noch stärker, und Willingham stellte sich möglichst weit weg von der Bescherung auf dem Boden. Bryce setzte sich, schaute stirnrunzelnd auf den Bildschirm und klickte durch den Ordner.

»Sie war hier«, sagte Tom. »Eine E-Mail mit Anhang. Scheiße, wo ist die geblieben?«

Willingham sagte gar nichts. Tom schien sich vorübergehend beruhigt zu haben, doch dann flippte er erneut aus. »Sie war hier!!!«

Fassungslos schaute er auf den Bildschirm. Die verdammte Mail war verschwunden. Er suchte nach allen Wörtern, an die er sich erinnern konnte. Nichts. Schluchzend stützte er das Gesicht in die Hände. »Bitte, helfen Sie mir. Tun Sie was, finden Sie Kellie, *bitte*. Mein Gott, Sie hätten sie hören sollen.«

»Sie haben Ihre Frau hier auf dem Bildschirm gesehen?«

Tom nickte.

»Und jetzt ist sie nicht mehr da?«

»Nein.«

Willingham zweifelte allmählich an Toms Verstand. Bildete der Mann sich das alles etwa nur ein? Brach er unter dem übergroßen Druck womöglich zusammen? »Fangen Sie ganz von vorn an, in Ordnung?«

Tom riss sich zusammen und berichtete, was er gesehen hatte.

»Wenn Sie eine E-Mail erhalten haben, muss sie doch noch irgendwo in Ihrem Computer sein.«

Tom suchte im Papierkorb, im Spam-Ordner, in allen Ordnern des gesamten Programms. Nichts.

Eine Sekunde lang fragte er sich, ob das alles eine Täuschung gewesen war.

Aber nicht der Schrei. Niemals.

Er wandte sich wieder an den Constable. »Vermutlich glauben Sie, ich hätte mir das alles nur eingebildet, aber das stimmt nicht, ich habe es gesehen. Wer immer diese Leute sind, sie haben Ahnung von Technik. Diese Woche sind schon mehrere Mails verschwunden, meine gesamte Festplatte war gelöscht.«

Willingham war verunsichert. Der Mann war fertig mit den Nerven, wirkte aber nicht verrückt, stand höchstens unter Schock. Kein Zweifel, irgendetwas war geschehen. »Versuchen wir es noch einmal, Sir. Wir gehen nacheinander alle Dateien durch.«

Nach Mitternacht waren sie fertig. Und hatten nichts gefunden.

Tom schaute ihn flehend an. »Was sollen wir tun?«

Der Familienbetreuer dachte angestrengt nach. »Wir könnten es bei der Abteilung für Computerkriminalität versuchen. Allerdings bezweifle ich, dass um diese Uhrzeit noch jemand im Büro ist. Wie wäre es mit dem technischen Kundendienst Ihres Internetproviders – vielleicht haben die einen 24-Stunden-Service.« Er runzelte die Stirn. »Nein, eigentlich muss ich zuerst DS Grace Meldung machen.«

»Ich versuch's mal«, sagte Tom und wählte die Nummer der Hotline. Eine Stimme vom Band bat ihn um Geduld. Nach zehn Minuten blödem Gedudel meldete sich jemand mit indischem Akzent, der sehr hilfsbereit klang. Nach weiteren zehn Minuten, die ihm wie zehn Stunden erschienen, meldete der Mann, er könne im System weder die Mail noch den Anhang finden.

Tom drückte wütend das Gespräch weg.

»Was genau hat Ihre Frau gesagt?«, fragte Willingham in einem Ton, der wachsende Skepsis verriet.

Verzweifelt versuchte Tom, sich an den Wortlaut zu erinnern. »Erzähl der Polizei nichts von diesem Film. Tu genau, was sie dir sagen. Sonst ist Max als Nächster dran. Dann Jessica. Bitte tu, was sie dir sagen. Geh nicht zur Polizei. Sie kriegen es raus.«

»Wer sind *sie*?«

»Keine Ahnung.« Er kam sich völlig hilflos vor.

Willingham griff nach seinem digitalen Funkgerät. Tom schloss seine Hand darum. »Nein!«

Langes Schweigen. Weitere E-Mails gingen ein und wurden vom Spamfilter aussortiert. Tom prüfte die Ordner. Nichts.

Schließlich sagte Willingham: »Ich glaube, ich muss das melden.«

»Nein!«

»Die Leitung ist sicher, Sir, sie geht direkt ins System der Polizei.«

»Nein!!«

Es klang so heftig, dass der Polizist beschwichtigend die Hände hob. »Gut, Sir, kein Problem.« Er verzog das Gesicht. »Wie wäre es mit einer Tasse Tee oder Kaffee? Dann überlegen wir, wie wir weiter vorgehen.«

»Kaffee. Kaffee wäre gut. Schwarz, ohne Zucker.«

Der Constable verließ den Raum. Tom starrte weiter auf den Bildschirm, sein ganzes Leben lag irgendwo dort drinnen.

Eine neue E-Mail ging ein. Von *info@scarabInc.al.* Sofort klickte er darauf.

Gratuliere, Tom, du kapierst es allmählich doch noch! Und jetzt geh raus, nimm Kellies Auto, fahr auf der A23 nach Norden und warte auf ihren Anruf. Es gefällt mir übrigens gar nicht, wenn du trotzdem mit der Polizei redest. Noch ein Wort, EIN Wort, zu deinem neuen Bullenfreund, diesem Grünschnabel von einem Haushälter, und du siehst deine Frau nie wieder. Versuch es nicht, auf diese Mail zu antworten. Oder nach der versteckten Kamera zu suchen. Du sitzt genau davor.

65

CLEO LÄCHELTE IHN AN, ihr Gesicht sah im Kerzenschein wunderbar sanft und schön aus. Im Hintergrund noch immer dezenter Jazz. Roy Grace spürte ihren süßen Atem im Gesicht.

»Das war nicht übel«, flüsterte sie.

»Für einen Bullen?«

Sie knuffte ihn scherzhaft, nahm sein Gesicht in die Hände und küsste ihn auf den Mund. Das Bett war so bequem, Cleos Nähe so angenehm, dass es ihm vorkam, als wären sie ganz, ganz alte Freunde.

Er streichelte ihre Haut, spürte in sich ein warmes Glühen, einen ungeheuren Frieden. In diesem flüchtigen Augenblick war er in einen Raum gelangt, den er für immer verloren geglaubt hatte. Dann fiel ihm ein, dass vorhin sein Handy geklingelt hatte und eine Sprachnachricht eingegangen war. Er sah auf die blau leuchtende Uhr auf dem Nachttisch.

Viertel nach eins.

Scheiße!

Er drehte sich um, tastete auf dem Boden nach dem Telefon und hörte die Nachricht ab.

Es war Glenn. Roy solle sich melden, wenn er die Nachricht

noch vor Mitternacht bekäme, und ansonsten bis zum Morgen warten. Erleichtert legte er das Handy weg.

»Schön, dass du gekommen bist«, murmelte Cleo.

»Bei Glenfiddich kann ich einfach nicht nein sagen.«

»Du bist wirklich oberflächlich, Detective Superintendent Roy Grace. Tust wohl alles für einen kostenlosen Drink.«

»Hm. Vielleicht war ich auch ein winziges bisschen neugierig auf deinen Verlobten. Wie oberflächlich ist das denn?« Er sog scharf die Luft ein, als ihre Hände seine Eier umschlossen.

»Du kennst doch den Spruch, Detective Superintendent.« Sie drückte sanft zu.

Ein leichter Schmerz, Roy keuchte vor Lust. »Welchen Spruch?«

»Mit den Eiern hast du den ganzen Mann in der Hand.«

Er atmete stöhnend aus, sie gab ein wenig nach. »Wie sehen deine weiteren Pläne für heute Nacht aus?«

Sie verstärkte den Druck wieder und küsste ihn. »Du bist in einer schlechten Verhandlungsposition, würde ich sagen.«

»Wer redet denn hier von Verhandeln?«

Sie rollte sich aus dem Bett und tappte durchs Zimmer. Er betrachtete ihren schlanken, nackten Körper, die langen Beine, den himmlisch festen Hintern, bevor sie durch die Tür verschwand. Dann verschränkte er die Arme hinter dem Kopf und versank in den tiefen, weichen Kissen. »Mit viel Eis!«, rief er.

Kurz darauf kam sie mit zwei klirrenden Gläsern zurück und gab ihm eins. Sie kletterte zu ihm ins Bett, stieß mit ihm an und sagte: »Auf dich ohne Fisch. Prost ohne Toast. Zum Wohl ohne Kohl!« Und kippte ihr Glas zur Hälfte herunter.

Er hob seins. »Auf dich ohne Fisch!« Der nächste Morgen war unendlich weit weg. Cleos Augen funkelten.

»Du bist also gekommen, weil du etwas über meinen Verlobten erfahren wolltest. War das der einzige Grund, Detective Superintendent Roy Grace?«

»Hör auf damit!«

»Wie soll ich dich sonst nennen? Den heißesten Hengst der Galaxis?«

»Schon besser«, meinte er grinsend. »Ansonsten ginge auch Roy.«

Sie hob das Glas an den Mund, beugte sich vor, küsste ihn sinnlich auf den Mund und schob einen nach Whisky schmeckenden Eiswürfel zwischen seinen Lippen hindurch. »Roy! Toller Name. Wie sind deine Eltern darauf gekommen?«

»Hab nie danach gefragt.«

»Wieso nicht?«

Er zuckte mit den Achseln. »Bin nie auf den Gedanken gekommen.«

»Und du willst Detektiv sein?«

»Warum haben dich deine Eltern denn Cleo genannt?«

»Weil ...« Sie kicherte. »Eigentlich ist es mir peinlich. Die Lieblingsbücher meiner Mutter waren das *Alexandria Quartett* von Lawrence Durrell. Sie nannten mich nach einer der Figuren, Clea, nur verschrieb sich jemand im Taufregister. So wurde aus Clea schließlich Cleo.«

»Hab nie vom *Alexandria Quartett* gehört.«

»Komm schon, das musst du doch gelesen haben!«

»Ich musste als Kind einiges entbehren.«

»Oder du hast dich mit den falschen Dingen beschäftigt.«

»Konntest du mit zwölf Jahren pokern?«

»Genau das meine ich ja! Das *Alexandria-Quartett* sind vier Romane, wunderbare Geschichten, die alle miteinander verbunden sind. *Justine, Balthazar, Mountolive* und *Clea.*«

»Sie müssen wunderbar sein, wenn ...«

»Wenn was?«

»Wenn du dabei herausgekommen bist.«

Wieder das Handy. Diesmal meldete er sich, wenn auch widerwillig.

Zwei Minuten später saß er auf der Bettkante und zog, ebenso widerwillig, die Socken an.

66

»DICH KANN MAN LEICHT ERSCHRECKEN, was, Kellie?«

Vom Licht geblendet wand sich Kellie in ihren Fesseln, presste sich gegen die Stuhllehne, weg von den krabbelnden Beinen des widerlichen schwarzen Käfers, den ihr der fette Amerikaner vors Gesicht hielt.

»Nein, bitte nicht!!!«

»Nur eins meiner Haustierchen.«

»Was wollen Sie von mir? Was denn nur?«

Er nahm den Käfer abrupt weg und hielt ihr stattdessen eine Wodkaflasche hin. »Ein Schlückchen hiervon?«

Sie wandte den Kopf ab. Zitterte. Vor Angst. Vor Hunger. Vor Ekel. Tränen liefen über ihre Wangen.

»Ich weiß doch, dass du einen Schluck möchtest, Kellie. Nimm nur, dann geht es dir besser.«

Sie gierte nach der Flasche, wollte sie mit dem Mund umschließen und den Inhalt runterkippen. Aber diese Genugtuung durfte sie ihm nicht geben. Aus dem Augenwinkel erspähte sie noch immer die zappelnden Beinchen.

»Nur ein winziges Schlückchen.«

»Ich will zu meinen Kindern.«

»Ich glaube, den Wodka willst du noch lieber.«

»Verpiss dich!«

Sie sah einen Schatten, spürte den heftigen Schlag auf der Wange. Kellie schrie auf vor Schmerz.

»Von so einer kleinen Schlampe lass ich mir nichts sagen, kapiert?«

»Verpiss dich!«

Der nächste Schlag traf Kellie mit solcher Wucht, dass sie mit dem Stuhl umkippte. Sie prallte auf den steinharten Boden, worauf ein brennender Schmerz durch ihren ganzen Arm schoss. Sie brach in Tränen aus. »Warum tun Sie mir das an?«, schluchzte sie. »Was wollen Sie von mir? Was wollen Sie denn nur?«

»Vielleicht ein bisschen Gehorsam.« Er hielt ihr den Käfer so nah vors Gesicht, dass sie dessen säuerlichen Geruch wahrnahm. Seine Füße berührten ihre Haut.

»Nein!!« Sie rollte sich weg, riss den Stuhl mit, ihr taten sämtliche Knochen im Leib weh. »Nein, nein, nein!!!« Ihr Atem ging schneller, sie schluckte Luft, war der Hysterie nahe. Eine Welle des Zorns auf Tom schlug über ihr zusammen. Wo blieb er nur?

Dann lag Kellie wieder still und schaute hinauf ins blendende Licht, gerahmt von tiefer Dunkelheit. »Bitte«, flehte sie, »ich weiß nicht, wer Sie sind. Ich will nur zu meinen Kindern. Und meinem Mann. Lassen Sie mich bitte gehen.«

Sie zermarterte sich den Kopf. Das alles hier konnte nur mit dieser E-Mail zu tun haben, die Tom bekommen hatte und wegen der er zur Polizei gegangen war. »Wo bin ich?«, fragte sie.

Schweigen.

»Sind Sie wütend auf mich?«, flüsterte sie.

Wie ging man mit solchen Menschen um? In Filmen hatte sie oft gesehen, wie Gefangene versuchten, eine Beziehung zu ihren Wärtern aufzubauen, weil es denen dann viel schwerer fiel, ihnen Leid zuzufügen.

»Wie heißen Sie?«

»Ich glaube, das geht dich nichts an, Kellie.«

»Ich wüsste es aber gern.«

»Ich lasse dich jetzt ein bisschen allein. Mit etwas Glück ist dein Mann bald bei dir.«

»Tom kommt her?«

»Oh ja. Du willst doch nicht, dass er dich so auf dem Boden vorfindet, oder?«

Sie schüttelte den Kopf.

»Ich setze dich wieder hin. Du möchtest doch schön aussehen für die Kamera.«

»Kamera?«

»Ja.«

»Welche Kamera?«

»Wart's ab, du wirst bald ein Star!«

67

UM 1.25 UHR erscholl plötzlicher lauter Rap von Jay-Z aus Glenn Bransons Handy. Sein Arm schoss vor, um die Taste zu drücken, damit Ari nicht wach wurde, wobei er ein Glas Wasser umstieß, das auf dem Nachttisch stand. Telefon und Wecker fielen scheppernd zu Boden.

Die Musik wurde zunehmend lauter. Er sprang im Dunkeln aus dem Bett, noch ganz verwirrt, und tastete unter dem Stuhl nach seinem Telefon. Endlich hatte er es und meldete sich. »DS Branson.« Er sprach so leise wie möglich.

Es war Tom Bryce, er hörte sich furchtbar an. »Tut mir Leid, dass ich so spät anrufe.«

»Keine Sorge – einen Moment …«

»Herrgott«, murmelte Ari, »du kommst nach Mitternacht und weckst mich, und nun weckst du mich schon wieder. Wir sollten es mal mit getrennten Schlafzimmern probieren?« Sie drehte sich demonstrativ weg.

Na, die Woche fängt ja gut an, dachte Branson düster und verließ das Zimmer. Er ging mit dem Handy ins Bad und schloss die Tür.

»Tut mir Leid, jetzt bin ich für Sie da.« Er hockte sich nackt auf die Klobrille, weil sonst kein Platz da war. »Und?« Es roch nach Mörtel. Erst letzte Woche waren die neue Glastür für die Dusche gekommen und die verrückten Fliesen mit dem Tigermuster verlegt worden, die Ari ausgesucht hatte. Sie wohnten seit drei Monaten in diesem Haus in Saltdean, das schön gelegen war, nicht weit von Meer und offenem Grünland entfernt. Allerdings war die Nachbarschaft zurzeit in Aufruhr, wie Ari berichtet hatte, weil man einen Kilometer weiter Janie Strettons Leiche gefunden hatte.

»Ich muss wissen, ob die Verbindung sicher ist«, sagte Tom Bryce beinahe hysterisch. Im Hintergrund hörte man ein Dröhnen, als fahre er im Auto.

Branson schaute aufs Display; Bryce rief ebenfalls über Handy an. Ganz ruhig sagte er: »Sie haben mein Handy angerufen, die

Signale sind verschlüsselt. Also ist es völlig sicher.« Er erwähnte jedoch nicht, dass Toms eigenes handelsübliches Mobiltelefon für jeden zugänglich war, der sich auf seine Frequenz verirrte. »Wo sind Sie gerade?«

»Das kann ich nicht sagen.«

»Gut. Also nicht zu Hause?«

»Nein. Dort ist es nicht sicher, mein Haus ist verwanzt.«

»Sollen wir uns irgendwo treffen?«

»Ja. Nein. Doch, Sie müssen mir helfen.«

»Dafür bin ich da, Mr. Bryce.«

»Woher soll ich wissen, ob ich Ihnen trauen kann? Bleibt das alles unter uns?«

Branson runzelte die Stirn. »Was möchten Sie denn hören?«

Langes Schweigen.

»Hallo? Sind Sie noch da, Mr. Bryce?«

»Ja.« Seine Stimme klang leise.

»Haben Sie meine Frage mitbekommen?«

»Ich weiß nicht, ob – ob ich – ich glaube, ich kann es nicht riskieren.«

Er hängte ein.

Glenn Branson wählte die Nummer im Display, sofort sprang die Mailbox an. Er hinterließ eine Nachricht und wartete ein paar Minuten. Er war hellwach, seine Gedanken rasten. Wenn Ari doch nur mehr Verständnis hätte. Klar, es war nicht einfach, aber sie könnte ihm ruhig ein bisschen mehr entgegenkommen. Egal. Vielleicht sollte er das Buch lesen, das sie ihm zu Weihnachten geschenkt hatte: *Männer sind anders. Frauen auch.* Angeblich konnte es ihm helfen, die Gefühle einer Frau zu verstehen. Doch er bezweifelte, dass er jemals wirklich kapieren würde, was Frauen wollten. Männer und Frauen stammten nicht von verschiedenen Planeten, sondern aus verschiedenen Universen.

Er wählte erneut Toms Nummer. Noch immer die Mailbox. Dann rief er bei Bryce zu Hause an. Und verspürte plötzlich eine tiefe, unerklärliche Angst.

»Weg?«, fragte Roy Grace, als er kurz darauf mit Branson in der Diele von Tom Bryce's Haus stand und den jungen Familienbetreuer mit einer Mischung aus Belustigung und Zorn betrachtete. »Was soll das heißen, er ist weg?«

»Ich wollte nur oben nachsehen, ob alles okay ist, und da war er nicht mehr da.«

»Tom Bryce, seine vierjährige Tochter und sein siebenjähriger Sohn verlassen das Haus, ohne dass Sie es merken?«

»Ich – äh ...«

»Scheiße, Sie sind eingeschlafen, was?«

»Nein – ich ...«

Grace kaute Kaugummi, um seine Fahne zu verdecken, und funkelte den jungen Beamten an. »Sie sollten auf die Leute aufpassen. Und vor allem auf *ihn*, unseren Hauptverdächtigen. Wie konnte die Familie einfach vor Ihrer Nase verschwinden?«

Der Familienbetreuer berichtete den Ermittlern, was in den vergangenen Stunden geschehen war, vor allem von der E-Mail, die Tom Bryce erhalten haben wollte und die angeblich aus seinem Computer verschwunden war.

Grace war auf direktem Weg vom Sussex County Hospital hergekommen, wo Emma-Jane Boutwood, in die er so große Hoffnungen gesetzt hatte, künstlich beatmet wurde und auf dem Weg in den OP war. Er hatte die schlimme Aufgabe übernommen, ihre Eltern anzurufen und ihnen mitzuteilen, dass ihre Tochter vermutlich nicht durchkommen würde.

Als er Cleo verließ, war er wie berauscht gewesen, doch das Ausmaß vom Emma-Janes Verletzungen hatte alle köstlichen Erinnerungen an das Zusammensein mit Cleo ausgelöscht, und er war von tiefer Sorge um die Kollegin erfüllt.

Der bislang nicht identifizierte Fahrer des Lieferwagens lag auf derselben Intensivstation und war noch bewusstlos. Grace ließ ihn rund um die Uhr bewachen und hatte den diensthabenden Constable angewiesen, den Mann wegen Mordversuchs an einer Polizeibeamtin zu verhaften, sowie er zu sich kam. Er konnte nur hoffen, dass er sich nicht wegen Mordes würde verantworten müssen.

DS Nick Nicholas wartete unterdessen in der Soko-Zentrale, weil er Grace irgendeinen Laptop zeigen wollte, während der gute Tom Bryce mitsamt seinen Kindern die Fliege gemacht hatte. Was kam wohl als Nächstes?

Dabei hatte die Woche erst vor drei Stunden angefangen.

Grace wandte sich an Branson: »Dieser Anruf von Bryce – du sagst, er habe komisch geklungen. Meinst du, er hatte Angst?«

»Und wie.«

»Hat er gestern den Vordruck für die Vermisstenanzeige ausgefüllt?«

Branson nickte.

»Und du hast alles ins System eingegeben?«

»Ja.«

»Ruf Nick an, er ist in der Zentrale. Er soll die Adressen von Mrs. Bryces engsten Freunden und Verwandten aufrufen. Ein verängstigter Mann wird mitten in der Nacht nicht weit fahren, wenn er zwei Kinder im Auto hat. Hast du eine Beschreibung des Wagens?«

Chris Willingham und Glenn Branson schauten ihn ausdruckslos an. Auf diese Idee waren sie gar nicht gekommen.

»Scheiße, was geht hier ab?«

»Roy«, sagte Glenn Branson betont ruhig, »ich wusste doch nicht, inwieweit wir ihn im Auge behalten sollten. Chris sollte ihm lediglich mit den Kindern helfen und Schutz bieten.«

»Ja, und wenn wir eine Beschreibung der verdammten Karre rausgeben, in der er sitzt, können wir ihn sogar noch besser beschützen.«

»Soll Nick das Team zusammenrufen?«

Grace überlegte. Er konnte der Versuchung, Norman Potting aus dem Bett zu klingeln, kaum widerstehen, aber es würde ohnehin ein sehr langer Tag werden. Sollten die Leute lieber schlafen, dann wären um halb neun wenigstens einige fit für die Besprechung.

Außerdem musste er einen Ersatz für Emma-Jane organisieren. Und wie würde Alison Vosper reagieren, nun, da es durch eine Verfolgungsjagd mit der Polizei erneut zu einem Verkehrsunfall gekommen war? Der Taxifahrer lag leicht verletzt im Krankenhaus, sein Fahrgast, der nicht angeschnallt gewesen war, hatte sich ein Bein gebrochen. Ein Reporter vom *Argus* war bereits vor Ort und würde die Story genüsslich aufbereiten.

Scheiße, Scheiße, Scheiße.

»Wir haben das Kennzeichen nicht«, sagte Glenn.

»Sollte nicht so schwer zu ermitteln sein, er muss doch irgendwelche Unterlagen im Haus haben.«

Branson ging in Sachen Kellie Bryce telefonieren, und Willingham suchte im Erdgeschoss nach Informationen über den Wagen. Oben schaute sich Grace in den Kinderzimmern und dem Elternschlafzimmer um. Nichts. Das Arbeitszimmer wirkte schon viel versprechender. Er warf einen Blick auf den Schreibtisch, auf dem sich Akten türmten. Er wühlte in den Schubladen, fand aber nichts Interessantes, und wandte seine Aufmerksamkeit einem Aktenschrank aus schwarzem Metall zu.

Alle Informationen, die er suchte, fanden sich in einer Mappe mit der Aufschrift *Kfz*.

Als Polizist brauchte man nicht immer ein Superhirn zu sein.

Fünfzehn Minuten später bestiegen Grace und Branson den düsteren Aufzug eines Hochhauses im Whitehawk-Wohnblock. An den Wänden prangten obszöne Graffiti, jemand hatte in die Ecke gepisst.

Sie stiegen im siebten Stock aus und klingelten an der Wohnung Nr. 72.

Kurz darauf rief eine Frauenstimme: »Wer ist da?«

»Polizei!«

Eine müde und verhärmt wirkende Frau Anfang fünfzig machte auf. Sie trug einen Morgenmantel und Pantoffeln. In ihrer Jugend mochte sie einmal attraktiv gewesen sein, doch jetzt war ihr Gesicht ledrig und faltig, und das schlecht geschnittene blonde Haar war fast zu Grau verblichen. Ihre Zähne waren von Nikotin verfärbt. Hinter ihr in der Wohnung schrie ein Kind; in der Luft hing der Geruch von ranzigem Bratenfett.

Grace zeigte den Ausweis vor. »Detective Superintendent Grace von der Kripo Brighton, und das ist Sergeant Branson. Sind Sie Mrs. Margaret Stevenson?«

Sie nickte.

»Die Mutter von Kellie Bryce?«

Sie zögerte flüchtig. »Ja, aber sie ist nicht hier. Suchen Sie Tom? Der ist auch nicht hier.«

»Wissen Sie, wo er ist?«, wollte Grace wissen.

»Wissen Sie, wo meine Tochter ist?«

»Wir suchen noch nach ihr.«

»Sie würde nicht einfach so verschwinden und die Kinder im Stich lassen. Sie konnte es kaum ertragen, die Kinder nicht um sich zu haben, wollte sie nicht mal bei uns lassen. Tom hat die Kleinen vor 'ner Stunde gebracht. Hat einfach geklingelt, sie reingeschoben und ist abgehauen.«

»Sagte er, wohin er wollte?«

»Nein, er wollte mich später anrufen.«

Grace reichte ihr seine Visitenkarte. »Geben Sie mir bitte sofort Bescheid, wenn Sie von ihm hören. Unter dieser Handynummer.«

Sie nahm die Karte entgegen. »Wollen Sie reinkommen? Einen Tee trinken? Ich muss Jessica beruhigen, mein Mann braucht seinen Schlaf. Er hat Parkinson.«

»Nein, danke. Und verzeihen Sie, dass wir gestört haben. Sonst hat Mr. Bryce überhaupt nichts gesagt?«

»Nein.«

»Er hat nicht erklärt, weshalb er die Kinder mitten in der Nacht zu Ihnen bringt?«

»Zur Sicherheit, hat er gesagt, sonst nichts.«

»Sicherheit wovor?«

»Keine Ahnung. Wo ist Kellie? Was glauben Sie, wo sie ist?«

»Das wissen wir leider auch nicht, Mrs. Stevenson. Sobald wir sie finden, rufen wir an«, erklärte Branson. »Und Mr. Bryce hat wirklich nicht gesagt, wohin er wollte?«

»Kellie suchen, hat er gemeint.«

»Und wo?«

Sie schüttelte den Kopf. Das Geschrei wurde immer lauter. Grace und Branson schauten sich an und zuckten mit den Schultern.

»Verzeihen Sie nochmals die Störung«, sagte Grace und bemühte sich, zuversichtlich zu lächeln. »Wir finden Ihre Tochter.«

68

TOM FUHR RICHTUNG NORDEN. Seine Hand mit dem Telefon zitterte. Die Straße wirkte verlassen, nur dann und wann kamen ihm Scheinwerfer entgegen. Er fuhr langsam, sodass er gelegentlich überholt wurde.

Zum hundertsten Mal wählte er Kellies Nummer und hörte ihre Stimme: »Hi, hier ist Kellie, ich bin gerade nicht zu erreichen. Hinterlassen Sie eine Nachricht, dann rufe ich zurück.«

Verschwommene Gedanken schossen ihm durch den Kopf, huschten vorüber wie die Schatten im Scheinwerferlicht. Er war ungeheuer angespannt, beugte sich vor, um durch die Windschutzscheibe zu spähen, warf nervöse Blicke in den Rückspiegel, getrieben von der Angst, die tief in seinem Inneren saß.

Mein Gott, Liebes, wo bist du nur?

Er wusste nicht, was er hier draußen sollte, was vor ihm lag; er konnte überhaupt nicht mehr klar denken, sah nur die Worte auf dem Monitor seines Laptops.

Dann tauchte Janie Stretton vor seinem inneren Auge auf, wie sie von dem Mann mit dem Stilett abgeschlachtet wurde. Nur schob sich jetzt Kellies Gesicht vor das des Mädchens.

Er hatte keine Ahnung, wo Kellie war und was sie gerade durchmachte, doch er musste sie um jeden Preis finden.

Geld. Das würden sie von ihm verlangen, bestimmt hatten sie Kellie gekidnappt und wollten jetzt Geld von ihm. Er würde ihnen sagen, dass er nicht viel hatte, ihnen aber alles, wirklich alles, was er besaß, geben würde, wenn er Kellie nur zurückbekam.

Ein Straßenschild tauchte auf: Cowfold. Haywards Heath.

»Ich bin's, Liebes, hab's nochmal versucht. Ich liebe dich.«

Er schaltete das Handy aus, das Display wurde dunkel. Plötzlich leuchtete es wieder auf: Privat ruft an.

Wäre es Kellie gewesen, hätte das Handy ihre Nummer angezeigt. Nervös meldete er sich. »Hallo?«

»Mr. Bryce?«

DS Branson. Scheiße. Er drückte das Gespräch weg.

Sekunden später ein Piepsen, das eine Nachricht anzeigte.

Er hörte sie ab. DS Branson, der um Rückruf bat.

Kellie, Liebes, ruf endlich an!

Scheinwerfer tauchten hinter ihm auf. Obwohl er mit sechzig eine Schnellstraße entlangkroch, blieben sie konstant hinter ihm. Tom wurde noch langsamer. Der andere überholte nicht.

Das Handy klingelte. Eine Nummer, die er nicht kannte. »Hallo?«, sagte er unsicher.

»Wie geht's, Mr. Bryce?« Eine Männerstimme mit osteuropäischem Akzent.

»Wer – wer sind Sie?« Die Lichter waren genau hinter ihm, schienen blendend hell in den Wagen.

»Ihre Frau möchte Sie sehen.«

Er konnte die Straße vor sich kaum erkennen. »Geht es ihr gut? Wo ist sie?«

»Alles bestens. Sie freut sich schon auf Sie.«

»Wer sind Sie?«

»Noch ein Kilometer, dann kommt ein Rastplatz. Sie halten dort an. Motor ausschalten, im Wagen bleiben, nicht umdrehen.« Der Unbekannte hängte ein.

Tom hatte keine Ahnung, was er tun sollte, und fuhr einfach weiter. Dann tauchte links von ihm das Hinweisschild eines Gartencenters auf und dahinter das eines Rastplatzes.

Toms Herz hämmerte wie wild, sein Mund war vor Angst wie ausgedörrt. Verzweifelt bemühte er sich, seine Gedanken zu ordnen. Eine Stimme in seinem Kopf schrie, er solle nicht anhalten, sondern DS Branson anrufen und alles der Polizei überlassen.

Doch eine andere, viel leisere Stimme, die aber logischer klang, sagte ihm, dass Kellie sterben würde, wenn er nicht anhielt.

Ihr Angstschrei war echt gewesen.

Die ermordete Frau, die er im Computer gesehen hatte, war echt gewesen.

Er setzte den Blinker links und fuhr langsam von der Straße.

Die Scheinwerfer folgten ihm.

Tom bremste, schaltete den Motor ab, starrte reglos nach vorn, vor Angst wie gelähmt, aber fest entschlossen, die Sache durchzustehen.

Die Scheinwerfer im Rückspiegel erloschen. Dunkelheit. Stille.

Der Motor klingelte noch. Er meinte, Schatten zu sehen. Hinter ihm tauchten winzige Lichtpunkte auf. Wurden größer. Ein Laster donnerte vorbei, ließ seinen Wagen erzittern, die roten Rücklichter verschwanden in der Ferne.

Plötzlich schwangen die hinteren Türen des Espace gleichzeitig auf. Eine Hand umklammerte wie ein Schraubstock seine Kehle.

Jemand drückte ihm etwas auf Mund und Nase, einen feuchten Lappen, der säuerlich scharf roch. Tom spürte einen messerscharfen Schmerz im Kopf.

Er sah noch ein verlöschendes Lichtpünktchen, dann wurde alles schwarz.

69

ALS NÄCHSTER WURDE JON RYE frühmorgens aus dem Schlaf gerissen. Er verfluchte sich, weil er das verdammte Ding nicht ausgeschaltet hatte.

Seine Frau rührte sich neben ihm, sagte aber nichts, als er die Nachttischlampe einschaltete. Er schaute aufs Display. Privat ruft an. Vermutlich dienstlich.

Roy Grace. Rye warf einen Blick auf seine Frau, bat um ein wenig Geduld, zog einen Bademantel über und eilte nach unten in die Küche.

»Verzeihung, Sir.«

»Tut mir Leid, dass ich Sie störe«, sagte der Detective Superintendent, »aber ich habe eine dringende Frage. Sie haben doch gestern Abend einen Vorfall als Internetklau ins System eingegeben.«

Scheiße, dachte Jon Rye resigniert. Das war doch nur ein Witz. Und dafür riss man ihn nun mitten in der Nacht aus dem Schlaf.

»Sie haben Kennzeichen und Beschreibung eines weißen Ford Transit registriert. Dieser Wagen ist gestern Nacht an einem Tatort gesehen worden und wurde heute Nacht bei einer polizeilichen Verfolgung in einen Unfall verwickelt.«

»Verstehe.«

»Ich habe noch nie etwas von Internetklau gehört. Was genau haben Sie damit gemeint?«

Rye erklärte es.

»Gut, wenn ich Sie also richtig verstehe, kann jemand, der über eine kabellose Internetverbindung verfügt, in jedes beliebige System eindringen, das nicht durch Passwort geschützt ist?«

»Das ist in der Tat richtig, Sir. Der LAN-Router, ein kleines Gerät, das um die fünfzig Pfund kostet, sendet ein Signal. Wer sich in Reichweite befindet, kann darüber ins Internet gelangen, falls er nicht durch ein Passwort daran gehindert wird.«

»Also beschafft man sich auf diese Weise eine kostenlose High-Speed-Verbindung?«, fragte Grace.

»Genau, Sir.«

»Und warum?«

»Vielleicht aus purer Bequemlichkeit, wenn man gerade unterwegs ist und Mails abholen oder versenden möchte. Hab ich auch schon gemacht.« Rye war jetzt hellwach und machte sich daran, Tee zu kochen.

»Sie haben es selbst schon gemacht?«

»Ich saß mal als Beifahrer im Auto. Wir hielten vor einer roten Ampel, ich hatte den Laptop aufgeklappt und merkte plötzlich, dass ich online war. Mein Rechner hatte das Signal eines LAN-Routers aufgefangen. So kann man binnen weniger Sekunden eine Menge E-Mails abholen und Dateien runterladen.«

Grace musste diese Informationen erst einmal verdauen. »Also beschwerte sich dieser Mr. Seiler, der die Anzeige erstattet hat, über einen Mann im weißen Lieferwagen, der seine LAN-Verbindung benutzt hat.«

»So hörte es sich für mich an, Sir.«

»Aber warum war er dann so wütend?«

»Nun ja, wenn er selbst Mails, vor allem umfangreiche Mails, abholen oder senden wollte, hätte dies seine Verbindung beträchtlich verlangsamt.« Rye suchte nach einem passenden Vergleich. »Angenommen, Sie drehen bei sich zu Hause alle Wasserhähne auf. Dann fließt das Wasser langsamer, als wenn nur einer aufgedreht wäre. Kein toller Vergleich, aber Sie sehen die Richtung.«

»Also hatte der Mann im Lieferwagen gemerkt, dass dies eine gute Stelle war, um ins Netz zu gelangen.«

»Ich denke schon, so drückt man sich um die Kosten herum.«

Der Detective Superintendent überlegte. »Aber das ist heutzutage doch gar nicht mehr so teuer. Könnte es noch einen anderen Grund geben?«

Der Wasserkessel zischte und kochte. Draußen war es noch stockfinster. An der Kühlschranktür hing eine Buntstiftzeichnung, die einen dürren Mann mit Kappe zeigte, der in einem eckigen Auto mit vier ungleichen Rädern saß. Darunter prangte das Wort DADDY. Seine Tochter Becky hatte es gezeichnet, als er noch bei der Verkehrspolizei war. Komisch, was einem so auffiel, wenn man müde war, er hatte sich das Bild seit mindestens zehn Jahren nicht mehr angeschaut.

»Ein anderer Grund? Sicher, wenn Sie E-Mails senden oder abholen und dabei möglichst wenig Spuren hinterlassen wollen.«

»Danke«, sagte Grace, »Sie haben mir sehr geholfen.«

»Keine Ursache. Konnten Sie mit den Routings aus dem Laptop etwas anfangen?«

»Ja, die waren sehr nützlich.«

»Gut, wir bleiben dran.«

»Lassen Sie uns später noch mal telefonieren.«

»Ich rufe an, sobald wir etwas Neues gefunden haben.«

Er spürte eine gewisse Besorgnis in Grace' Stimme, als müsse dieser das Gespräch rasch beenden und sich um etwas kümmern, das noch dringender war als dieser verdammte nächtliche Anruf.

70

GRACE SASS IN DER SOKO-ZENTRALE, legte gerade den Telefonhörer auf und trank einen Schluck von dem starken Milchkaffee, den er sich geholt hatte. Die Putzkolonne schien da gewesen zu sein, alles war makellos sauber, der Essensgeruch verschwunden. Nick Nicholas, der neben ihm saß, hängte ebenfalls ein.

»Noch nichts Neues aus dem Krankenhaus.«

Das Beste, was sie im Augenblick erhoffen konnten, dachte Grace, denn es bedeutete, dass Emma-Jane immerhin noch am Leben war. »Okay.« Er deutete auf den Laptop, den Nick aus dem Lieferwagen geholt hatte und der in einer Plastikhülle vor ihnen auf dem Tisch lag. »Ich möchte die Ein- und Ausgangsordner im Mailprogramm überprüfen.«

Er warf einen Blick auf seinen Bildschirm und überflog die Meldungen der letzten Stunden. Bis auf ihre eigenen Aktivitäten war es eine ruhige Sonntagnacht gewesen. An Donnerstagen und Freitagen verzehnfachten sich gewöhnlich die Meldungen.

Der Detective Constable zog Latexhandschuhe über, holte den Laptop aus der Hülle und klappte ihn auf. Er war in Standby-Position. Der Prozessor durchlief surrend die üblichen Checks und zeigte dann das Mailprogramm, das wohl geöffnet gewesen war, als sie sich dem Wagen genähert hatten.

Branson, der ihnen gegenüber saß, fragte: »War Rye einigermaßen hilfsbereit?«

»Hilfsbereiter als die meisten, die man um diese Zeit anruft«, meinte Grace und pustete auf seinen Kaffee.

»Na ja, er war mal bei der Verkehrspolizei, geschieht ihm recht, wenn er jetzt ans Arbeiten kommt. Von denen hat mich einer vor zehn Jahren erwischt, kann sein, dass er es war.«

Grace grinste. »Blau am Steuer? Musstest du blasen?«

»Nein, war nur zu schnell. Die verdammte Straße war völlig leer – ich war knapp über dem Limit. Das Schwein hat mir richtig eins aufs Auge gedrückt.«

»Ist mir vor drei Jahren auch passiert«, konterte Grace. »Ein neutrales Fahrzeug auf der A23. Ich hab gesagt, ich bin bei der Kripo, aber das machte es nur noch schlimmer. Die scheinen es förmlich zu genießen, ihre eigenen Leute fertig zu machen.«

»Kennt ihr den alten Witz?«, fragte Branson. »Was ist der Unterschied zwischen einem FKK-Fan und einem Streifenwagen?«

Grace nickte.

»Ich nicht«, meinte Nicholas.

»Beim Streifenwagen ist der Arsch drinnen«, sagte Branson.

Nicholas grinste und schob Grace den Laptop hinüber.

»Fang mit der Inbox an. Alles, was reingekommen ist, seit ...«, er schaute auf seine Notizen, um die Zeitangabe in Jon Ryes Meldung zu überprüfen, »... seit gestern Abend um halb sieben.«

Im Eingangsordner gab es nur eine Mail mit einem Riesenanhang, der den Titel SC5W12 trug. Ein Symbol zeigte an, dass die Mail samt Anhang weitergeleitet worden war. Die Adresse des Absenders lautete:

postmaster@scarab.tisana.al

Als er das Wort »scarab« las, konnte Grace seine Erregung kaum unterdrücken. »Mensch, wir haben den Jackpot geknackt!«

»al«, meinte Branson, der hinter sie getreten war, verwundert. »Welches Land ist das?«

»Albanien«, meinte Nicholas.

»Sicher?«, fragte Grace.

»Ja.«

»Aha, unser Streber«, meinte Branson bewundernd. »Woher weiß man denn so was?«

Der Ermittler grinste ein bisschen dümmlich. »Kam vor ein paar Wochen beim Quizabend in unserem Pub vor.«

»Da war ich noch nie«, meinte Branson. »Vielleicht sollte ich mit Ari mal hingehen, um unsere Allgemeinbildung zu verbessern.« *Und unsere Ehe,* dachte er. *Lieber etwas zusammen unternehmen, statt immer zu streiten.*

Grace schaute wieder auf die Adresse. »›Tisana‹ – kam das auch in eurem Quiz vor?«

Nicholas schüttelte den Kopf. »Nein, nur Tirana, die Hauptstadt von Albanien. Aber wir könnten mal danach googeln.«

Er startete eine Suche, doch sie fanden nur diverse italienische Seiten mit Übersetzungsoption. Nicholas klickte eine an, worauf sie sich einer langen Liste von Krankheiten und Pflanzen gegenübersahen.

Akne, las Grace. *Karotte, lösliche Vitamine, Keimöl, Borretsch-Öl, Klette.* Dann folgte etwas, das zu seinem augenblicklichen Zustand passte: *Erschöpfung, Ginseng, Taigawurzel, Vitamine und Mineralien, Sojalezithin.*

»Vielleicht ein Gesundheitsfreak«, meinte Glenn Branson, doch Nicholas hatte im Augenblick keinen Sinn für Scherze.

»Versuchen Sie es mal mit dem Ausgangsordner«, sagte Grace.

Nicholas klickte darauf. Ebenfalls nur eine Mail mit Anhang – dieselbe wie zuvor.

»Können Sie sehen, an wen sie gegangen ist?«

»Seltsam, da steht gar kein Empfänger.«

Er klickte zweimal, und kurz darauf erkannten sie den Grund. Es gab Hunderte von Empfängern, die alle die gleiche Mail erhalten hatten. Und die Adressen bestanden lediglich aus Zahlenfolgen in Kombination mit dem Wort »tisana«.

Grace las die erste.

110897 @tisana.al

Dann:

244651 @tisana.al

»Der Anfang könnte der Empfänger sein – natürlich verschlüsselt«, meinte Nick Nicholas. »›Tisana‹ ist vermutlich der Provider.«

»Und warum tauchte er bei unserer Google-Suche nicht auf?«

»Vermutlich, weil jemand genau das verhindern will.«

»Kann man Dinge vor Suchmaschinen wie Google verbergen?«

»Bestimmt. Ich glaube, wenn man es darauf anlegt, kann man so ziemlich alles verbergen.«

Grace nickte. »Sehen wir uns mal den Anhang an.«

Er schaute auf den Monitor, während Nicholas den Cursor auf den Anhang schob und zweimal darauf klickte.

Schon bald bereute er die Entscheidung. Schweigend und fassungslos sahen sich die drei Männer an, was in den folgenden vier Minuten auf dem Bildschirm ablief.

71

UM HALB SIEBEN RIEF ROY GRACE den Pressesprecher Dennis Ponds zu Hause an, entschuldigte sich nachdrücklich und bat ihn, sich um Viertel nach acht mit ihm im Büro zu treffen.

Grace hatte zwei Stunden lang unruhig auf den beiden Sesseln im Verhörzimmer geschlafen und war um kurz nach sechs in die Soko-Zentrale zurückgekehrt. Branson hatte sich klugerweise für das Sofa im Büro des Chief Superintendent entschieden. Nicholas war für einige Stunden nach Hause gefahren, da er seine hochschwangere Frau nicht allzu lange allein lassen wollte.

Um zwanzig nach sieben wartete Grace als erster Kunde vor dem Supermarkt gegenüber, wo er sich mit einem Päckchen Einwegrasierer, Rasierschaum, einem weißen Hemd, zwei Croissants, sechs Dosen Red Bull und zwei Schachteln Koffeintabletten eindeckte.

Um acht rief er Cleo an, erreichte aber nur ihren Anrufbeantworter. »Hi, hier ist Roy. Tut mir Leid, dass ich mitten in der Nacht weg musste. Du bist phantastisch! Ruf mich an, wenn du Zeit hast. Riesenkuss.«

Als Dennis Ponds um Punkt acht Uhr fünfzehn das unscheinbare Büro betrat, war Grace bester Laune. Er hatte sich gewaschen, rasiert und umgezogen, zwei Dosen Red Bull und vier Koffeintabletten eingeworfen. Das einzige Problem war sein schmerzender Rücken. Er hatte sich in der Männertoilette vor den Spiegel gestellt und fassungslos die langen roten Kratzer betrachtet, die höllisch brannten. Er musste dennoch grinsen. Das war es wert gewesen, sein ganzer Körper schien nach ihr zu brennen. Mein Gott, Cleo war im Bett der helle Wahnsinn.

»Morgen, Roy«, sagte Ponds. Er wirkte mehr denn je wie der Prototyp eines Yuppie, das Haar mit Gel nach hinten frisiert, Nadelstreifenanzug, rosa Hemd mit Kentkragen und eine blaue Krawatte, die nach Schlangenleder aussah.

Grace schüttelte ihm die Hand, bevor sie sich setzten. »Nochmals Entschuldigung für den frühen Anruf.«

»Kein Problem, bin sowieso Frühaufsteher. Hab zwei kleine Kinder und drei Hunde. Und?«

»Ich möchte Sie bei der Besprechung um halb neun dabeihaben – Sie sollen sich Videomaterial anschauen.«

Ponds wirkte ein wenig skeptisch. »Na ja, gut, ich hab allerdings viel zu tun heute Morgen, muss die PK in Sachen Janie Stretton organisieren …«

»Genau darum geht es ja, Dennis. Und noch um etwas anderes. Vielleicht wissen Sie es noch nicht, aber mein Team hat letzte Nacht in Kemp Town ein Fahrzeug verfolgt, das daraufhin mit einem Taxi zusammenstieß.«

Ponds' Kiefer klappte herunter. »Das wusste ich in der Tat noch nicht.«

»Eine meiner besten Beamtinnen liegt auf der Intensivstation, weil sie versucht hat, den Wagen aufzuhalten. Ich habe eben mit dem Krankenhaus telefoniert, sie hat die fünfstündige OP überstanden, aber es sieht nicht gut aus. Emma-Jane hat ihr Leben riskiert, um diesen Scheißwagen zu stoppen, kapiert? Sie hat ihr Leben riskiert, Dennis. Sie ist erst vierundzwanzig und eine der klügsten und mutigsten Polizistinnen, die ich kenne. Hat sich an den Wagen geklammert, um ihn aufzuhalten, und dieses Arschloch schleuderte sie gegen eine ganze Reihe parkender Autos. Emma-Jane hat nur ihre Arbeit getan. Haben Sie das so weit mitbekommen?«

Ponds nickte zögernd.

»Meine Beamtin liegt auf der Intensivstation. Das verdächtige Arschloch ist bewusstlos. Der völlig unbeteiligte Fahrgast des Taxis hat sich ein Bein gebrochen.«

»Ich verstehe nicht ganz, worauf Sie hinauswollen«, sagte Ponds.

Grace fragte sich plötzlich, ob ihn das Koffein übers Ziel hinausschießen ließ. »Dennis, ich will, dass der Herausgeber des *Argus*, die Herausgeber aller übrigen Zeitungen, die Redakteure von Radio und Fernsehen, die diese Geschichte bringen, mir ein bisschen Luft zum Atmen lassen. Ich will nicht wieder vor einem Haufen Geier hocken, die uns als rücksichtslos anprangern wollen, weil wir die Öffentlichkeit gefährden, während wir in Wirklichkeit Leben schützen wollen. Und unser eigenes dabei aufs Spiel setzen.«

»Ich höre genau, was Sie sagen. Aber einfach wird das nicht werden.«

»Darum sollen Sie ja mit zur Besprechung kommen. Ich werde Ihnen etwas zeigen, das ich heute Morgen selbst zum ersten Mal gesehen habe. Und dann gebe ich Ihnen eine Kopie davon. Sie werden feststellen, dass dies Ihre Aufgabe ungemein erleichtern wird.« Sein Grinsen wirkte geradezu dämonisch.

Sie gingen ins Besprechungszimmer, das sich rasch mit den Mitgliedern von Grace' Team und dem neuen Team füllte, das Dave Gaylor am Vortag für die Ermittlungen im Fall Reggie D'Eath zusammengestellt hatte.

Hier gab es einen großen Flachbildfernseher an der Wand, den DS Jon Rye gerade mit dem Laptop verband, den Nicholas in dem Ford Transit sichergestellt hatte.

Niemand hier würde den vierminütigen Film genießen. Kein guter Anfang für die Woche, wenn man sich bereits am frühen Montagmorgen etwas so Entsetzliches ansehen musste, doch es ließ sich nicht ändern. Er wandte die Schocktaktik an, womit er sich keine Freunde machen würde. Aber es gab ohnehin Wichtigeres im Moment.

Grace eröffnete die Besprechung wie immer. »Montag, 6. Juni. Die sechste Besprechung der Soko Nightingale, Ermittlung im Todesfall von Jane – Rufname Janie – Susan Amanda Stretton, abgehalten am Tag fünf nach Auffinden der sterblichen Überreste. Ich fasse zunächst die Ereignisse zusammen.«

Dies war vor allem für die Neuen aus Gaylors Team gedacht. Er ging kurz die Umstände des Todes, Ermittlungen und Schlüsselereignisse durch: den Diebstahl der CD-ROM, mit der Tom Bryce anscheinend zum Zeugen des Mordes an Janie Stretton wurde; die Tatsache, dass Janie Stretton ihr Einkommen als Jurareferendarin durch Prostitution aufbesserte; die Verbindung zwischen den Computern von Tom Bryce und Reggie D'Eath; das Verschwinden von Kellie Bryce; das Verschwinden ihres Ehemannes; die Sicherstellung eines Laptop-Computers aus einem Lieferwagen, der letzte Nacht einen Unfall verursachte, und ein darin gefundenes Video, das sie gleich sehen würden.

Er schaute auf die Uhr. »Was immer Sie auch in den kommenden sechsunddreißig Stunden und fünfundvierzig Minuten vorhaben, sagen Sie's ab. Den Grund werden Sie gleich nach Ende dieses

Briefings verstehen. Okay, und jetzt zu Ihren Neuigkeiten.« Er schaute Norman Potting an.

»Dürfte ich fragen, ob Sie von Emma-Jane gehört haben?«

»Sie wird noch beatmet«, erwidert Grace knapp. »Ich habe im Namen des ganzen Teams Blumen geschickt. Welche Fortschritte gibt es bei den Begleitservices, für die Miss Stretton gearbeitet hat?«

»Gestern Abend um halb acht habe ich die förmliche Aussage von Ms Claire Porter, Mitinhaberin von BCE-247, aufgenommen. Sie ist keinen Pfifferling wert. Hab nichts Nützliches aus ihr herausholen können.«

»Und ihre Kunden?«

»Ich arbeite mich noch durch die Kartei und auch durch die Mädchen«, erklärte Potting.

Darauf möchte ich wetten, Drecksack, dachte Grace und sah an den Gesichtern der anderen, dass sie ähnlich dachten.

»Bisher konnte ich nichts finden.«

»Und die zweite Agentur?«

»Sie hatten sie gerade erst in die Kartei aufgenommen, es gab noch keine Vermittlung.«

Grace schaute auf seine Notizen. »Was ist mit dem Mann namens Anton, der Janie Stretton viermal über BCE-247 gebucht hat?«

»Die Rufnummer war ja schon ein Reinfall. Eines von den Handys, die man an jeder Ecke und jeder Tankstelle kaufen kann. Natürlich gibt's keine Käuferregistrierung. An dem Punkt kommen wir nicht weiter.«

Grace verteilte Fotos von Janie Stretton und ihrem Begleiter aus der Karma Bar. Die Qualität war nicht sonderlich gut, aber ihr Gesicht und das des muskulösen Stachelkopfs waren einigermaßen zu erkennen. »Sie stammen vom Freitag, dem 27. Mai. Wir können davon ausgehen, dass es dieser Mann hier ist. Sie müssen an jede Polizeiwache im Land gehen, am Mittwoch werden sie bei *Crimewatch* gezeigt. Irgendjemand muss ihn erkennen.« Grace wusste, dass dieses Vorgehen einen Präzedenzfall schaffen konnte, doch darüber würde er zu gegebener Zeit mit der Staatsanwaltschaft diskutieren.

Er wandte sich an Amanda Donnington und Vanessa Ritchie, die Mr. Stretton betreuten. »Sie sagten, Miss Strettons Vater habe von einer Belohnung gesprochen?«

»Wurde gestern Abend bestätigt«, erklärte Amanda Donnington. »Hunderttausend Pfund für Informationen, die zur Ergreifung und Verurteilung des Mörders führen.«

»Gut, das ist nützlich, da wird so manche Loyalität auf eine harte Probe gestellt«, sagte Grace. Er schaute zwei neue Rekruten aus Dave Gaylors Team an. Don Barker gefiel ihm, ein stämmiger Detective Sergeant Mitte dreißig mit flaumigem blonden Haar, dessen Hemdknöpfe spannten. Dazu ein selbstsicher wirkender Detective Constable, den er noch nie gesehen hatte und der viel jünger war. Alfonso Zafferone war elegant gekleidet, ein gut aussehender, mediterraner Typ. Er fragte die beiden: »Fortschritte, was den Halter des Wagens angeht?«

Alfonso Zafferone wirkte ein wenig zu forsch, was Grace nicht gefiel, und schien solche Ermittlungen als unter seiner Würde zu betrachten. »Wie wir bereits wissen, handelt es sich um eine Firma mit Postfachanschrift in London. Ich habe sie überprüft – sie ist nicht im Handelsregister eingetragen.«

»Und das heißt?«

Zafferone zuckte mit den Schultern.

Grace war so müde, dass er noch weniger Toleranz aufbringen konnte als sonst. »Wir ermitteln in einem Mordfall, DC Zabaione. Schulterzucken ist keine angemessene Antwort. Versuchen Sie es nochmal.«

Der junge DC funkelte ihn an, als wollte er widersprechen, besann sich dann aber und antwortete etwas kleinlauter: »Es heißt, Sir, dass die Firma entweder im Ausland registriert oder aber der Name falsch ist.«

»Vielen Dank. Was davon zutrifft, möchte ich bei der nächsten Besprechung heute Abend um halb sieben hören. Und wer die Post aus diesem Fach abholt, verstanden?«

Zafferone nickte unwillig.

So wirst du es nicht weit bringen, Söhnchen, dachte Grace. *Hoffentlich gerätst du an einen Vorgesetzten, der dich richtig auf Vordermann bringt.* »Wie sieht es mit der Identifizierung des Fahrers aus?«

»Er ist vor etwa zehn Minuten zu sich gekommen, Roy«, sagte Don Barker. »Die Kleidung und der Lieferwagen lassen keine Rückschlüsse zu. Er sieht nicht englisch aus, eher osteuropäisch. Ich fahre gleich hin.«

»Gut.« Grace wandte sich an Potting. »Sie klappern alle Zulieferer für Schwefelsäure hier in der Gegend ab.«

»Bin schon dabei.«

»Nick, um wie viel Uhr treffen wir uns doch gleich mit dem DI aus Wimbledon?«

»Halb zwölf, Sir.«

»Nehmen Sie Kontakt auf mit allen Einheiten im Land, die am Schauplatz eines Mordes einen Skarabäus gefunden haben.«

»Ja, ist in Arbeit, Sir.«

»Scheiße, nun sagen Sie doch nicht ständig Sir zu mir.«

Der DC errötete.

Grace bereute seine Worte. Reiß dich zusammen, dachte er und lächelte in die Runde. »Gut, wir sehen uns jetzt einen kurzen Film an. Leider gibt es kein Popcorn dazu.«

Vereinzeltes Gelächter.

Wenn ihr den gesehen habt, ist euch nicht mehr nach Popcorn zumute. Ihr werdet froh sein, wenn ihr das Frühstück bei euch behaltet. Er nickte DS Rye zu, der die Jalousien herunterließ und den Film startete.

»Dieses Video wurde auf dem Laptop entdeckt, den wir letzte Nacht in dem Ford Transit sichergestellt haben. Die Festplatte wurde entfernt und der Abteilung für Computerkriminalität übergeben. Sie sehen eine Kopie.«

Jon Rye drückte eine Taste. Grace dimmte das Licht.

Auf dem Bildschirm erschienen die Worte:

Scarab-Productions präsentiert:
Ein besonderes Extra für alle unsere Kunden - In meiner
Badewanne bin ich der Kapitän! Bei dem Mann handelt es
sich um einen verurteilten Kinderschänder. Viel
Vergnügen!

Sekunden später zeigte eine wacklige Handkamera mit Weitwinkelobjektiv ein kleines, altmodisches Badezimmer, das in Avocadogrün gehalten war. Sie richtete sich auf die Badewanne. Dann erschien eine Gestalt in einem Schutzanzug, komplett mit Handschuhen, Stiefeln, Atemgerät und Maske, die rückwärts den Raum betrat und etwas hinter sich her zerrte.

Man erkannte die Beine eines nackten Mannes, die mit einer Kordel gefesselt waren.

Ein zweiter Mann in Schutzkleidung, dessen Gesicht ebenfalls hinter einer dunklen Schutzbrille verborgen war, hielt den nackten Mann an den Schultern. Es war Reggie D'Eath.

Sie legten ihn in die leere Wanne.

Er war dick, mit Babygesicht, schütterem Haar und schlaffem Körper, und zappelte wie ein Fisch auf dem Trockenen. Seine Augen waren vor Entsetzen weit aufgerissen, und er konnte nicht sprechen, weil in seinem Mund ein Knebel steckte, der mit Klebeband fixiert war. Seine Arme waren an den Körper gefesselt. Er wand sich, stemmte sich mit den Beinen hoch, warf den Kopf hin und her.

Die Männer verließen den Raum und kamen mit einem großen, schwarzen Plastikkanister zurück, der schätzungsweise vierzig, fünfzig Liter fasste. Er war nicht beschriftet.

Reggie D'Eath strampelte jetzt so wild, dass er förmlich aus der Wanne zu springen schien.

Die Männer stellten den Kanister ab. Einer hielt D'Eath fest, der andere holte ein Stück Draht hervor, wickelte ihn zweimal um seinen Hals und befestigte ihn an einer Handtuchstange über der Wanne. Zog ihn an.

Die Augen des Mannes quollen hervor. Das Strampeln verlangsamte sich zu einem Zucken.

Mit großer Mühe zogen die Männer D'Eath ein Stückchen hoch, sodass er mehr in der Wanne lehnte als lag. Sie richteten den Draht, damit er ihn hielt, was offensichtlich unbequem und schmerzhaft war, ihm aber wieder das Atmen ermöglichte.

Eine unsichtbare Hand warf ihm einen krabbelnden Skarabäus auf die Brust. Das Tierchen fiel auf den Rücken und kullerte auf D'Eaths Genitalien. Wollte sich umdrehen, aber es war zu spät.

Die Männer hoben den Kanister außerhalb des Bereichs der Kamera, um die Sicht nicht zu verstellen, und kippten einige Liter Flüssigkeit unmittelbar auf Reggies Unterleib.

Dampf stieg auf.

Noch nie hatte Grace solche Zuckungen gesehen, D'Eaths ganzer Körper verdrehte und verrenkte sich. Sein Kopf schoss hin und her, als wollte er sich mit dem Draht die Kehle durchschneiden.

Grace musterte die Gesichter seiner Kollegen. Ponds hielt sich die Hand vor den Mund. Alle wirkten wie betäubt.

Er schaute wieder zum Bildschirm. Die Männer schütteten den gesamten Inhalt des Kanisters in die Wanne. Binnen Sekunden erstarrte der Körper von D'Eath. Der Raum füllte sich mit aufsteigenden chemischen Dämpfen.

Das Bild wurde schwarz. Dann erschienen die Worte:

Werte Kunden,
wir hoffen, unsere kleine Sondershow hat Ihnen gefallen.
Vergessen Sie nicht, sich am Dienstag um 21.15 Uhr für die
nächste große Attraktion einzuloggen - ein Mann und
seine Frau, unser erster Doppelmord!

Grace schaltete das Licht wieder ein.

72

ALFONSO ZAFFERONES BLEICHES GESICHT ließ erkennen, dass es mit seiner Arroganz fürs Erste vorbei war. Grace konnte sich nicht erinnern, wann er je eine solche Stille erlebt hatte.

Dennis Ponds starrte ins Leere, als hätte man ihm gesagt, er werde als Nächster in die Wanne wandern.

Norman Potting brach schließlich das Schweigen. Er hüstelte, räusperte sich und sagte: »Sollten wir es hier mit einem Snuff-Film zu tun haben, Roy?«

»Sein Familienalbum war's jedenfalls nicht«, knurrte Glenn Branson.

Kein Gelächter. Eine Kollegin schaute unverwandt auf den Tisch, als wagte sie es nicht, den Blick zu heben.

»Dennis, Sie bekommen eine Kopie, die Sie an den Herausgeber des *Argus* weitergeben dürfen. Zeigen Sie ihm nur so viel, dass er kapiert, worum es hier geht. Er soll heute und morgen in der Mittagsausgabe ein Foto von Mr. und Mrs. Bryce bringen, und zwar auf der Titelseite. Uns bleiben eineinhalb Tage, um die beiden zu finden. Hat jeder verstanden, dass diese beiden umgebracht und dabei gefilmt werden sollen?«

Branson holte tief Luft. »Mann, wer guckt sich so einen kranken Scheiß an?«

»Ganz gewöhnliche Leute mit einem kranken Hirn«, antwortete Grace. »Es könnte jeder von uns sein. Oder unser Nachbar, Hausarzt, Klempner, Pfarrer oder Immobilienmakler. Es sind die Leute, die anhalten, um bei Verkehrsunfällen zu glotzen. Voyeure. Ein bisschen davon steckt in jedem von uns.«

»In mir nicht«, meinte Branson. »So was seh ich mir nicht an.«

»Wollen Sie damit sagen, dass wir alle potenzielle Mörder sind?«, erkundigte sich Nick Nicholas.

Grace erinnerte sich an einen Profiler, der bei einer Tagung in den Vereinigten Staaten einen Vortrag über Snuff-Filme gehalten und mit dem er abends an der Bar gesessen hatte. »Wir alle haben die Fähigkeit zu töten, aber nur wenige können mit der Tatsache leben, dass sie getötet haben. Es gibt viele, die neugierig sind und es aus zweiter Hand erleben möchten. Und genau diese Erfahrung bieten Snuff-Filme – man erlebt, wie ein Mensch getötet wird. Überlegen Sie doch mal, normale Leute haben kaum je die Gelegenheit mitzuerleben, wie jemand umgebracht wird.«

»Bei meiner Schwiegermutter hätte ich eine Ausnahme gemacht«, warf Potting ein.

»Danke für den Beitrag, Norman«, unterbrach ihn Grace. Er wandte sich an Glenn Branson. »Tom Bryce hat mitten in der Nacht das Haus verlassen und ist mit dem Espace weggefahren. Um diese Zeit herrscht wenig Verkehr. Wir wissen nicht, wohin er wollte oder wie viel Benzin er noch hatte. Ich möchte, dass ihr die Suche nach Janie Strettons Kopf abbrecht und alle verfügbaren Kräfte einsetzt, um sämtliche Überwachungskameras im Umkreis von fünfzig Kilometern zu überprüfen – Polizeiwachen, städtische Einrichtungen, Tankstellen und so weiter.«

»Wird gemacht.«

»Don, Sie sorgen bitte dafür, dass jemand die persönlichen Unterlagen von Reggie D'Eath durchforstet – Kontoauszüge, Kreditkartenabrechnungen ...«

»Das läuft schon.«

»Gut.«

Grace sah auf die Uhr. Um halb zehn musste er zu Alison Vosper und es bis zehn irgendwie ans andere Ende der Stadt schaffen, wo schon der nächste Termin wartete. »Wir treffen uns um halb sieben hier. Ihr wisst, was ihr zu tun habt. Noch Fragen?«

Meist gab es eine Menge Fragen, doch diesmal herrschte Schweigen.

Dann klingelte ein Telefon. Die Sekretärin meldete sich und reichte Glenn Branson den Hörer. Alle schauten ihn an, als spürten sie, dass es wichtige Neuigkeiten gab.

Branson bat den Anrufer um Geduld, hielt den Hörer zu und sagte: »Der Espace von Bryce wurde auf einem Feldweg bei Bolney nahe der A23 gefunden.«

»Verlassen?«, fragte Grace, obwohl er die Antwort schon ahnte.

»Ausgebrannt.«

73

ALISON VOSPER TRUG ihren durchgestylten Businesslook, als sie Grace um Punkt halb zehn in ihrem Büro empfing. Die eckigen Schultern der schwarzen Kostümjacke wirkten zu breit und passten nicht recht zu der elfenbeinfarbenen Bluse mit dem Spitzenkragen.

Wie üblich überkam Grace eine gewisse Nervosität. Er konnte nichts dafür, sie machte ihm Angst; er kam mit ihrer ätzenden Art und der Macht, die sie über ihn ausübte, einfach nicht klar. Zudem war es nicht gerade hilfreich, dass sie ihm einen Konkurrenten in Gestalt von Cassian Pewe auf den Hals hetzen wollte.

Sie saß an ihrem makellos aufgeräumten Schreibtisch und verströmte einen Parfumduft, der eher stechend als erotisch wirkte.

Zu seiner Überraschung begrüßte sie ihn mit einem Lächeln, schraubte eine Wasserflasche auf und trank ein winziges Schlückchen. »Guten Morgen, Roy.« Ihre Stimme war noch herzlicher als ihr Lächeln. Sie deutete auf einen der hübschen gedrechselten Stühle im georgianischen Stil. »Bitte.«

Sollte das ein weiteres gutes Omen sein? Meist bot sie ihm nämlich keinen Platz an. Oder handelte es sich nur um eine List?

Noch immer lächelnd sagte sie: »Bislang scheint die Soko Nightingale auf keinen grünen Zweig zu kommen.«

»Ich – so würde ich es nicht …«

Vosper hob die Hand. »Sie haben noch immer keinen Verdächtigen. Der Kopf des Opfers fehlt nach wie vor. Ein potenzieller Zeuge wurde ermordet, zwei andere werden vermisst. Und letzte Nacht war Ihr Team erneut an einer Verfolgungsjagd beteiligt, die in einem schweren Unfall endete.« Wie durch ein Wunder lächelte sie noch immer, wenngleich die Herzlichkeit einer spürbaren Belustigung gewichen war.

Grace nickte. »Es läuft nicht gut für uns. Ohne ein bisschen Glück geht es eben nicht.«

Sie schraubte die Flasche zu. Es war ein schöner Sommermorgen, doch das Büro wirkte dunkel und bedrückend. »Sie beanspruchen eine Menge Personal. Wenn Sie mir Ergebnisse liefern, kann ich das rechtfertigen, aber bislang produzieren Sie nur Ärger. Wo stehen wir?«

Grace brachte sie auf den neuesten Stand und harrte der Dinge, die da kommen würden. Mit etwas Glück würde sie ihm Pewe zur Seite stellen; wenn es ganz schlimm kam, würde sie Pewe den Fall übertragen. Doch zu seiner Überraschung tat sie keins von beidem.

Vosper nahm einen schmalen schwarzen Füller aus dem Ammoniten, der ihr als Stifthalter diente, und tippte damit nachdenklich auf ihre Schreibtischunterlage. »Realistisch betrachtet läuft Ihre Frist morgen Abend um Viertel nach neun ab, oder? Falls diese Leute Mr. und Mrs. Bryce wirklich töten und den Film um diese Uhrzeit an ihre so genannten Kunden versenden wollen, müssten sie es allerdings schon früher tun. Die beiden könnten also bereits tot sein.«

»Ich weiß.«

Kurzes Schweigen. Grace schaute zu Boden, weil er Vospers durchdringenden Blick auf sich spürte. Doch als er hochsah, las er Verständnis in ihren Augen. Obwohl sie ihn nicht mochte, war sie immerhin so kollegial, ihm nicht die Schuld an dieser Zwangslage zu geben. Verwundert stellte er fest, dass sie Cassian Pewe noch gar nicht erwähnt hatte.

»Ist – hm – bleibt es bei dem Termin mit Cassian?«, fragte er zögernd. »Ich sollte mich doch heute Morgen mit ihm treffen.«

»Nein, bleibt es nicht.« Sie tippte zunehmend heftiger auf die Unterlage.

»Okay.« Grace war ein bisschen erleichtert, fragte sich aber, weshalb sie ihre Meinung geändert hatte.

»Detective Superintendent Cassian Pewe liegt mit einem gebrochenen Bein im Krankenhaus.«

Grace traute seinen Ohren nicht. Und seinen Augen. Denn Vosper lächelte, ganz schwach nur, aber sie lächelte, obwohl sie ihm gerade mitgeteilt hatte, dass ihr Protégé außer Gefecht gesetzt war.

»Das tut mir Leid. Wie ist es passiert?«

»Er saß in einem Taxi, das gestern Abend im Zentrum von Brighton in einen Unfall verwickelt wurde. Genauer gesagt, es wurde von einem Lieferwagen gerammt, den ein Polizeifahrzeug verfolgte.«

Jetzt musste er ebenfalls lächeln. Galgenhumor. Eine Berufskrankheit.

Vom Auto aus rief er im Royal Sussex County Hospital an, um sich nach dem Fahrer des Lieferwagens zu erkundigen. Er war im Augenblick die einzige Spur zu Tom und Kellie Bryce.

Die letzte verzweifelte Hoffnung.

Nein, es gab noch eine Möglichkeit. Abwegig, aber immerhin.

Grace fuhr zum Haus der Bryces, wo DC Linda Buckley Chris Willingham abgelöst hatte und sich erkundigte, ob es überhaupt Sinn hätte zu bleiben. Nun, da die Kinder weg waren, hatte sie nichts anderes zu tun als den Hund zu füttern. Er schlug vor, sie solle noch einige Stunden warten, falls Tom Bryce auftauchte, was er allerdings für ausgesprochen unwahrscheinlich hielt.

Er ging nach oben ins Schlafzimmer und eilte kurz darauf wieder nach unten. Die Schäferhündin schaute ihn seltsam an, als wüsste sie, dass er es war, der Herrchen und Frauchen zurückholen konnte.

Trotz der Eile kniete Grace sich hin und kraulte ihren Kopf. »Keine Sorge, ich bring sie dir zurück. Irgendwie. Abgemacht?« Einen Moment lang blickten ihn die großen braunen Hundeaugen so vertrauensvoll an, als hätte die Hündin seine Worte tatsächlich verstanden.

Vielleicht lag es an der Müdigkeit oder am Stress, denn als er das Haus verließ und ans östliche Ende der Stadt fuhr, ließ ihn der Blick der Hundeaugen einfach nicht los. Sie hatten so traurig ausgesehen. Und plötzlich war ihm, als täte er das alles nicht nur für Mr. und Mrs. Bryce und deren Kinder, sondern auch für Lady.

74

TOM ERWACHTE MIT EINEM RUCK. Er hatte rasende Kopfschmerzen, musste dringend pinkeln, tippte zunächst auf einen Stromausfall. So dunkel war es sonst nie, man sah im Schlafzimmer immer den orangefarbenen Schein der Straßenlaternen.

Worauf zum Teufel lag er bloß? Das war ja steinhart.

Und dann, als hätte sich eine Schleuse in seinem Inneren geöffnet, überfiel ihn die Erinnerung an etwas Entsetzliches.

Sein rechter Arm tat weh. Er versuchte, ihn anzuheben, nichts rührte sich. Muss drauf gelegen haben, sodass er eingeschlafen ist, dachte Tom. Er versuchte es wieder. Und begriff, dass er auch den linken Arm nicht bewegen konnte.

Ebenso wenig seine Beine.

Etwas bohrte sich in seinen rechten Oberschenkel. Sein Kiefer schmerzte, sein Mund war ausgedörrt. Er wollte sprechen und konnte es nicht. Er hörte nur ein gedämpftes Summen, als vibriere sein Gaumen. Etwas verschloss seinen Mund, war fest um sein Gesicht gewickelt. Ein Zittern überlief ihn, als er sich an die Worte auf seinem Computerbildschirm erinnerte:

... jetzt geh raus, nimm Kellies Auto, fahr auf der A23
nach Norden und warte auf ihren Anruf ...

Genau das hatte er getan. Plötzlich fiel ihm alles wieder ein. Die Fahrt auf der A23. Der Anruf, der ihn auf den Rastplatz lenkte.

Und hierher geführt hatte.

Mein Gott, wo war er bloß? Wo steckte Kellie? Was hatte er nur getan? Wer zum Teufel hatte ...

Plötzlich ein Licht. Ein gelbes Rechteck, eine offene Tür. Eine Gestalt trat herein, in der Hand eine starke Taschenlampe, deren Strahl wie ein Spiegel glitzerte.

Tom hielt die Luft an, als die Gestalt näher kam. Der Strahl schwang mit, und er konnte sehen, dass er sich in einer Art Lagerraum befand, der mit großen Kunststoff- und Metallfässern voll gestellt war, die Benzin oder Chemikalien zu enthalten schienen.

Ein ausgesprochen fetter Mann, loses Hemd, offener Kragen, das Haar mit Gel zurückgekämmt und zu einem kurzen Pferdeschwanz gebunden. Um seinen Hals trug er eine Kette mit einem großen Medaillon. Es war zu dunkel, um sein Gesicht genau zu erkennen, doch Tom schätzte ihn auf Ende fünfzig, Anfang sechzig.

Dann traf ihn der Lichtstrahl brutal ins Gesicht, schien sich in seine Netzhaut zu brennen. Er kniff die Augen zu.

»Sie wollen also den Helden spielen, Mr. Bryce?« Ein Südstaatenakzent, vermutlich Louisiana.

Selbst wenn er hätte sprechen können, wäre Tom keine Antwort eingefallen.

Der Strahl bewegte sich von ihm fort, er öffnete wieder die Augen. Der Mann hockte sich vor ihn hin und streckte die Hände aus, bis er Toms Gesicht berührte. Riss unvermittelt. Tom schrie auf. Der Schmerz war unerträglich. Ein paar Sekunden lang glaubte er, man habe ihm die Haut vom Gesicht gerissen.

Das Klebeband baumelte vor seinen Augen. Er konnte den Kiefer wieder bewegen, den Mund öffnen und sprechen. »Wo ist meine Frau? Wo ist Kellie? Bitte sagen Sie mir, wo sie ist.«

Der Mann leuchtete mit der Lampe. Tom brach fast das Herz,

als er entdeckte, dass Kellie nur wenige Meter von ihm entfernt lag. Sie war komplett verschnürt, mit einem Fuß an eine Kette gefesselt, die von einem Metallring in der Wand hing, war mit Klebeband geknebelt und schaute ihn flehend an.

Sein erster Instinkt war, den fetten Kerl wütend anzubrüllen, doch er konnte sich gerade noch beherrschen. Er musste klar denken, musste herausfinden, was geschehen war und was dieser Albtraum zu bedeuten hatte. »Wer sind Sie?«

»Du stellst zu viele Fragen«, meinte der Mann verächtlich. »Wasser?«

»Ich will wissen, wo ich bin. Warum ist meine Frau hier?«

Statt einer Antwort tauchte der Mann in den Schatten.

»Kellie!«, rief Tom. »Alles in Ordnung?«

»Schnauze«, blaffte der fette Mann.

Nein, ich werde nicht die Schnauze halten!, hätte er um ein Haar gebrüllt. Angst und blinder Zorn tobten in seinem Inneren. Wie konnte dieses Schwein es wagen, sie so zu behandeln?

Ich habe morgen die wichtigste Präsentation meiner gesamten Karriere, sie könnte meine Firma retten. Und ich verpasse sie wegen einer fetten Sau wie dir …

Morgen?

War denn schon Morgen?

Plötzlich fiel ihm der genaue Ablauf der Ereignisse wieder ein. Kellie war weggefahren. Ihr Wagen ausgebrannt. Er hatte auf die E-Mail geantwortet. Und nun lag sie verschnürt dort …

Er erinnerte sich an die junge Frau im Abendkleid, den Mann mit dem Stilett.

Seine Blase schmerzte. »Bitte, ich muss mal pinkeln.«

»Wer hindert dich dran?«, fragte der Amerikaner aus der Dunkelheit.

Tom wand sich am Boden. Der Mann beugte sich über Kellie. Riss ihr das Band vom Mund. Tom zuckte zusammen.

Sofort schrie sie los. »Du Arsch, du dreckiges Schwein!«

»Weiter so, kleine Lady, so möchten dich die Leute sehen. Noch einen Schluck Wodka?«

»Fick dich!«

Oh Gott, Kellie! Trotz allem tat es gut, ihre Stimme zu hören, dass sie am Leben war und noch kämpfen konnte. Und doch war es nicht der richtige Weg, um mit dieser Situation umzugehen.

Tom presste die Beine zusammen und spannte die Bauchmuskeln an, um den Schmerz in seiner Blase zu unterdrücken. Der Mann wollte doch wohl nicht, dass er in die Hose machte!

»Kellie, Liebes!«

»Der Scheißkerl soll uns rauslassen! Ich will zu Max und Jessica. Ich will zu meinen Kindern. Lass mich gehen, du Arsch!«

»Soll ich dir den Mund wieder zukleben, Kellie?«

Sie rollte sich auf den Bauch und blieb hysterisch schluchzend liegen. Tom kam sich nutzlos vor, so unglaublich nutzlos. Irgendetwas musste er doch tun.

Der Schmerz in der Blase hinderte ihn am Denken, sein Kopf drohte zu platzen. Wieder bewegte sich der Lichtstrahl. Wanderte über die zahllosen aufgestapelten Fässer, von denen viele Warnschilder trugen. Es war kalt. In der Luft hing ein säuerlicher Geruch.

Wo zum Teufel sind wir?

»Tom, bitte tu doch was!«

»Wollen Sie Geld? Ist es das, was Sie wollen? Ich gebe Ihnen alles, was ich auftreiben kann.«

»Du meinst, du willst Mitglied werden?«

»Mitglied?«, fragte Tom hoffnungsvoll, da der Mann endlich auf eine Frage reagiert hatte. Ein Gespräch führen, argumentieren, nach einer Lösung …

»Du willst also Mitglied im Club werden, damit du dir und deiner Frau zusehen kannst«, meinte der Amerikaner lachend. »Das ist wirklich der Hammer!«

Tom griff nach dem Strohhalm. »Ja, egal was es kostet!«

Wieder traf ihn der Lichtstrahl direkt in die Augen. »Du kapierst es immer noch nicht, du Blödmann. Wie wollt ihr euch denn selber zusehen?«

»Ich – ich weiß nicht.«

»Du bist doch tatsächlich noch dämlicher, als ich dachte. Willst du wirklich dafür bezahlen, wie schön du und deine aufgeblasene versoffene Frau als Leichen aussehen werdet?«

75

IM AUTO TELEFONIERTE ROY GRACE PAUSENLOS, erkundigte sich nach Emma-Jane und den Fortschritten sämtlicher Teammitglieder, die er zu Höchstleistungen antrieb.

Er fuhr auf der Küstenstraße nach Osten, ließ die eleganten Regency-Fassaden von Kemp Town hinter sich und gelangte ins offene Gelände, wo die Straße an den Klippen entlangführte. Vorbei am neogotischen Gebäudekomplex der exklusiven Mädchenschule Roedean und dem Art-Deco-Bauwerk des St. Dunstan-Blindenheims.

Morgen Abend, Viertel nach neun.

Die Uhrzeit hatte sich förmlich in sein Gehirn eingebrannt; er konnte an nichts anderes mehr denken. Jetzt war es Montagmorgen, Viertel nach zehn. Nur noch fünfunddreißig Stunden bis zur Ausstrahlung – wie viel Zeit blieb Tom und Kellie Bryce?

Janie Stretton war noch um halb sieben mit ihrer Katze beim Tierarzt gewesen und hatte die Praxis erst gegen zwanzig vor acht verlassen. Um circa Viertel nach neun hatte Tom Bryce den Mord angeblich in seinem Computer gesehen, also war sie zu diesem Zeitpunkt schon getötet und das Video versendet worden. Übertrug man dies auf den vorliegenden Fall, würden die Morde etwa gegen halb acht abends stattfinden. Also in knapp dreiunddreißig Stunden.

Dreiunddreißig Stunden, das war so gut wie gar nichts.

Und sie hatten noch immer keine heiße Spur.

Grace dachte an Cassian Pewe im Krankenhaus und gestattete sich ein flüchtiges Lächeln. Ironie des Schicksals. Und ein unglaublicher Zufall. Die Tatsache, dass Alison Vosper die Sache von der komischen Seite betrachtet hatte, ließ sie geradezu menschlich erscheinen. Grace musste sich eingestehen, dass er keinen Funken Mitleid mit dem Kollegen empfand.

Der unschuldige Taxifahrer tat ihm Leid, nicht aber dieser Scheißkerl Pewe, der frisch befördert in Brighton auftauchte, um ihm den Job wegzunehmen. Das Problem war damit zwar nicht gelöst, immerhin war Pewe aber vorerst außer Gefecht gesetzt.

Er fuhr durch das schmucke Dörfchen Rottingdean, das hoch auf den Klippen thronte, eine steile Anhöhe hinauf bis in die Vororte von Saltdean und nach Peacehaven, wo Glenn Branson wohnte und Janie Stretton gestorben war.

Grace bog von der Küstenstraße in ein Labyrinth hügeliger Sträßchen, in denen sich Bungalows und kleine freistehende Häuser drängten. Er parkte vor einem schäbigen Bungalow mit einem klapprigen Campingwagen in der Einfahrt.

Er beendete sein Telefonat mit Norman Potting, der mit den Nachforschungen in Sachen Schwefelsäurelieferanten recht weit gekommen zu sein schien, trank noch eine Dose Red Bull und stieg aus. Der Weg zur Tür wurde von Gartenzwergen gesäumt. Unter dem Vordach hing ein Windspiel, das kein Lufthauch bewegte. Er klingelte.

Ein winziger, drahtiger Mann Mitte siebzig, der eine auffallende Ähnlichkeit mit den Gartenzwergen besaß, öffnete die Tür. Er trug ein Ziegenbärtchen, einen langen grauen Pferdeschwanz, Kaftan und Arbeitshose und ein Medaillon mit dem ägyptischen Ankh-Symbol. Er schüttelte Grace überschwänglich die Hand, als hätte er einen lang vermissten Freund wieder gefunden. Seine Stimme klang ziemlich hoch und schrill. »Detective Superintendent Grace! Wie schön, Sie so rasch wiederzusehen.«

»Geht mir genauso, mein Freund. Tut mir Leid, dass ich so spät dran bin.«

»Tee?«

»Nein, danke, ich hab's supereilig.« Dabei hätte er eine Tasse Tee gut gebrauchen können.

»Detective Superintendent Grace, das Leben ist kein Wettrennen, sondern ein Tanz«, schalt ihn Harry Frame in sanftem Ton.

Grace grinste. »Ich werd's mir merken und trage Sie schon mal für den langsamen Walzer auf meiner Tanzkarte ein.« Er setzte sich an den Tisch.

»Und?«, fragte Frame und nahm gegenüber Platz. »Hat Ihr Besuch zufällig mit der armen jungen Frau zu tun, deren Leiche man letzte Woche in Peacehaven gefunden hat?«

Harry Frame war Medium, Hellseher und beschäftigte sich mit Pendeln. Grace war schon oft bei ihm gewesen und wusste, dass er häufig auf geradezu unheimliche Weise den Kern einer Sache traf – dann und wann aber auch vollkommen daneben lag.

Er wühlte in seiner Tasche und holte drei kleine Beweismittelbeutel hervor, die er auf den Tisch legte. Zuerst deutete er auf den Ring aus Janie Strettons Schlafzimmer. »Was können Sie mir über die Besitzerin sagen?«

Frame holte den Ring aus dem Beutel, umschloss ihn mit der Hand und machte die Augen zu. Er saß eine Weile still, das runzlige Gesicht ganz konzentriert.

Im Raum roch es muffig nach alten Möbeln, altem Teppich, alten Leuten.

Schließlich schüttelte Harry Frame den Kopf. »Tut mir Leid, Roy, scheint heute nicht mein Tag zu sein.«

»Der Ring sagt Ihnen also gar nichts?«

»Leider nicht. Vielleicht können wir es morgen noch einmal versuchen.«

Grace steckte den Ring wieder ein. Als Nächstes deutete er auf die silbernen Manschettenknöpfe, die Tom Bryce gehörten, und ein Silberarmband, das er aus Kellies Schmuckkassette genommen hatte. »Ich muss die Besitzer dieser Stücke finden. Und zwar noch heute. Ich weiß nicht, wo sie sind, tippe aber auf die Umgebung von Brighton and Hove.«

Das Medium schob einen gläsernen Kerzenständer beiseite, breitete eine Vermessungskarte aus und holte eine Schnur mit einem kleinen Bleigewicht aus der Hosentasche.

»Mal sehen, was wir finden.« Er nahm Armband und Manschettenknöpfe in die linke Hand, stützte die Ellbogen auf den Tisch, beugte sich über die Karte und begann zu summen.

Dann setzte er sich abrupt auf, hielt die Schnur zwischen Daumen und Zeigefinger über die Karte und ließ das Bleigewicht wie ein Pendel schwingen. Er schürzte konzentriert die Lippen, ließ es in einer engen Runde kreisen und suchte die Karte Zentimeter für Zentimeter ab.

»Telscombe? Piddinghoe? Ovingdean? Kemp Town? Brighton? Hove? Portslade? Southwick? Shoreham?« Er schüttelte den Kopf. »Nein, in dieser Gegend wird nichts angezeigt.«

»Könnten wir es mit einem größeren Maßstab versuchen?«

Frame holte eine Karte von ganz East und West Sussex, doch auch hier brachte das Pendel keine Ergebnisse.

Grace hätte den Mann am liebsten durchgeschüttelt. Es war so verdammt frustrierend. »Gar nichts, Harry?«

Das Medium schüttelte den Kopf.

»Die Leute sterben, wenn ich sie nicht finde.«

Harry Frame gab ihm die Sachen zurück. »Ich kann es später noch einmal versuchen. Es tut mir wirklich furchtbar Leid.«

»Heute Nachmittag?«

Frame nickte. »Wollen Sie sie hier lassen? Ich werde es den ganzen Tag über weiter versuchen.«

»Ich wäre Ihnen sehr dankbar«, erwiderte Grace, der sich an jeden Strohhalm klammerte. Schweren Herzens verließ er das Haus von Harry Frame.

76

NACH DER MORGENBESPRECHUNG untersuchte Jon Rye geschlagene zweidreiviertel Stunden den beschlagnahmten Laptop, vergeblich.

Um zwanzig nach elf schlich er erschöpft und frustriert aus dem Büro, um sich am Automaten einen Kaffee zu holen, und kehrte gedankenverloren in seine Abteilung zurück. Normalerweise gelang es ihm bei allen Computern, den Passwortschutz zu umgehen, indem er mit einer Spezialsoftware durch eine Hintertür eindrang und sich durch die gesamte Internet-Historie des Rechners arbeitete. Doch dieses Gerät war einfach nicht zu knacken.

Er hielt seine Ausweiskarte vor das Lesegerät und betrat den Hamsterkäfig, in dem die Soko Glasgow arbeitete, nickte den sechs Kollegen vor ihren Monitoren zu und ging von dort aus in den Hauptraum der Abteilung.

Andy Gidney und die anderen saßen an ihren Schreibtischen. Rye nahm wieder vor seinem Rechner Platz, in dem sich die geklonte Festplatte aus dem Laptop befand, der wiederum sicher im Beweismittelraum verstaut war.

Obwohl er die Abteilung seit drei Jahren leitete, wusste Rye um seine Grenzen. Er hatte bei der Verkehrspolizei angefangen, während manche der jüngeren Kollegen echte Technikfreaks waren, die sich von Kindesbeinen an nur mit Informatik beschäftigt und ein einschlägiges Studium absolviert hatten. Andy Gidney war der Beste der Truppe. Wenn es einen Menschen gab, der diesem Laptop seine Geheimnisse entlocken konnte, dann er.

Rye holte die geklonte Festplatte aus dem PC und ging zu Gidney hinüber. Dieser arbeitete noch an einem Passwortcode, der zu einem Onlinebanking-Betrug gehörte. »Andy, du musst alles stehen und liegen lassen und mir hierbei helfen. Zwei Menschenleben stehen auf dem Spiel.«

»Hm. Hab aber zu tun.«

»Das ist mir egal.«

»Wenn ich aufhöre, verliere ich die ganze Sequenz. Guck mal!« Er schwang mit dem Stuhl herum, seine Augen leuchteten erregt. »Mir fehlt nur noch eine Ziffer!«

»Wie lange brauchst du noch?«

»Hm, ja, hm.« Er schloss die Augen und nickte heftig. »Hm. Hm.« Dann sah er zu Boden. »Höchstens bis Ende der Woche, hoffe ich.«

»Tut mir Leid, das muss warten. Ich brauche dich sofort.«

»Hm, Jon, also, wir sind doch zu neunt hier, oder?«

»Und?«, fragte Rye vorsichtig.

»Warum ich?«

Schmeichelei konnte nicht schaden. »Weil du der Beste bist, okay?«

Unwillig drehte sich Gidney mit dem Stuhl weg und wandte ihm den Rücken zu. »Na gut, gib her.«

»Du findest die relevanten Dateien auf dem Server unter der Jobnummer 340.«

»Und wonach genau soll ich suchen?«

Rye gefiel es nicht, dass er mit Gidneys Rücken sprechen musste, wusste aber aus Erfahrung, dass der Mann nicht mehr zu ändern war; wollte man Höchstleistungen, ließ man ihm am besten seinen Willen. »Postanschriften, Telefonnummern, E-Mail-Adressen. Alles, was uns Hinweise darauf liefern könnte, wo sich ein Paar namens Tom und Kellie Bryce aufhält.« Er buchstabierte die Namen.

»Ich tu, was ich kann.«

»Danke, Andy.«

Rye kehrte an seinen Schreibtisch zurück und wurde kurz darauf von DC John Shaw ans andere Ende des Raums gerufen. Er mochte den Kollegen gern, ebenfalls ein schlauer Kopf mit akademischem Hintergrund, vom Wesen her aber das genaue Gegenteil von Andy.

Shaw arbeitete an einem besonders entsetzlichen Fotoalbum, das sie auf dem beschlagnahmten PC eines Pädophilen entdeckt hatten. Shaw hatte bereits ein gewisses Muster im Verhalten des Verdächtigen festgestellt – er prügelte kleine Kinder, bevor er sich beim Sex mit ihnen fotografierte. Das erinnerte Shaw an einen Fall, den sie kürzlich erst bearbeitet hatten, und er wollte Ryes Meinung dazu hören.

Zehn Minuten später ging Rye nachdenklich an seinen Tisch. Er war schon ziemlich abgehärtet, nachdem er so viel Schlimmes in den Computern gesehen hatte, doch die Fälle, in denen Kinder gequält wurden, verfolgten ihn nach wie vor. Daher bemerkte er auch nur flüchtig, dass Gidney seinen Arbeitsplatz verlassen hatte.

Irgendwann drehte er sich um und stellte verärgert fest, dass Andy immer noch nicht wieder aufgetaucht war.

Er stand auf und schaute sich den Bildschirm des Computerfreaks an:

Seewettervorhersage des Seewetterdienstes im Auftrag der Küstenwache, herausgegeben Montag, 6. Juni, 05.55 Uhr.

Allgemeine Zusammenfassung von 0000.
Tief westliches Frankreich 1010 erwartet Südostengland 1010 um 1300. Tief Rockall 1010 stetig nach Südost ziehend. Hoch Fastnet 1010. Abschwächend.

Was um alles in der Welt wollte der Mann mit der Seewettervorhersage, wenn es im Büro an allen Ecken brannte? Wo zum Teufel steckte er überhaupt? Gidney war seit mindestens zwanzig Minuten überfällig.

Nach weiteren zwanzig Minuten wusste Rye, dass Andy Gidney verschwunden war.

Und er hatte, wie sich bald herausstellen sollte, alle fraglichen Daten vom Server gelöscht und den Laptop sowie die geklonte Festplatte mitgenommen.

77

ROY GRACE WAR NIEDERGESCHLAGEN, als er von Harry Frame wegfuhr, und fühlte sich trotz des ganzen Koffeins plötzlich ausgesprochen müde.

Da klingelte sein Handy. Es war Branson, fröhlich wie immer.

»Alles klar, Oldtimer?«

»Ich bin völlig platt. Was gibt's Neues?«

»Einer von Gaylors Leuten hat den Papierkram von Reggie D'Eath durchforstet und einen Dauerauftrag zugunsten einer Firma namens Scarab Entertainment gefunden. Wird ganz normal über seine Barclaycard abgerechnet. Und zwar in Höhe von tausend Pfund.«

»Tausend Mäuse? Jeden Monat?«

»Ja.«

»Woher hatte ein Typ wie D'Eath so viel Geld?«

»Unter anderem indem er reiche Männer mit kleinen Kindern belieferte, würde ich sagen.«

»Wo hat die Firma ihren Sitz?«

»Das ist die schlechte Neuigkeit. In Panama.«

Grace überlegte kurz. Es gab bestimmte Länder, in denen Firmen vor Ermittlungen jeglicher Art geschützt waren. Er wusste von einem früheren Fall, dass auch Panama zu diesen Staaten gehörte. »Das hilft uns jetzt nicht weiter. Tausend Pfund im Monat, sagtest du?«

»Die Sache läuft offenbar im großen Stil. Könnten wir nicht alle Kreditkartenfirmen mittels Gerichtsbeschluss zwingen, uns die Namen der Leute zu verraten, die jeden Monat einen Riesen für Scarab Entertainment springen lassen?«

»Sicher, unter den gegebenen Umständen, wo zwei Menschenleben auf dem Spiel stehen, wäre das möglich, aber es hilft uns nicht weiter. Dann bekommen wir von irgendeiner Anwaltskanzlei in Panama die Liste der angeblichen Geschäftsführer und einen Tritt in den Hintern.« Wie viele Abonnenten mochte es geben?, dachte Grace bei sich. Es brauchten gar nicht allzu viele zu sein, um ordentlich daran zu verdienen. Ein Geschäft, für das man einiges riskieren würde.

Werte Kunden,
wir hoffen, unsere kleine Sondershow hat Ihnen gefallen.
Vergessen Sie nicht, sich am Dienstag um 21.15 Uhr für die nächste große Attraktion einzuloggen - ein Mann und seine Frau, unser erster Doppelmord!

Und für tausend Pfund im Monat war natürlich auch mal ein kostenloser Bonus drin, oder? Man musste einfach nur einen Pädophilen in Schwefelsäure baden.

»Bist du noch dran, Oldtimer?«

»Ja. Sonst noch was?«

»Wir haben eine Sichtung von Mr. Bryce in seinem Espace, kurz nach Mitternacht, da hat er an einer Texaco-Tankstelle in Pyecombe getankt. Stammt von der Überwachungskamera.«

»Weitere Fahrzeuge?«

»Nein.«

»Und im Espace war nichts Brauchbares?«

»Die Spurensicherung nimmt ihn gerade auseinander. Bislang ohne Ergebnis.«

»Ich komme zurück in die Zentrale, in zwanzig Minuten bin ich da.«

»Der Kaffee steht bereit.«

»Ein vierfacher Espresso wäre mir lieber.«

»Wem sagst du das?«

Grace bog von der Küstenstraße ab und fuhr landeinwärts auf einer Parallelstraße Richtung Kemp Town, vorbei an der schicken Mädchenschule St. Mary's Hall, dem Royal Sussex County Hospital und der neogotischen Fassade des Brighton College, einer ähnlich schicken gemischten Public School. Sein Blick blieb auf einem muskulösen Mann hängen, der auf einen Zeitschriftenladen zusteuerte. Etwas an ihm kam Grace bekannt vor, aber er konnte es nicht sofort benennen.

Er wendete, hielt auf der gegenüberliegenden Seite, schaltete den Motor aus und wartete.

Der Mann tauchte wieder auf, Zigarette im Mund, in der Hand eine Plastiktüte, aus der ein Bündel Zeitungen hervorlugte, und ging zu einem schwarzen VW Golf GTI 3, der mit zwei Rädern auf dem Gehweg parkte. Die Warnblinker leuchteten.

Grace schaute konzentriert durch die Windschutzscheibe. Der Gang des Mannes war seltsam, er stolzierte und wiegte sich dabei in den Hüften, wie es die besonders harten Jungs beim Militär gern taten. Er ging, als gehörte ihm der ganze Bürgersteig.

Der Mann trug ein Muskelhemd, weiße Jeans, weiße Turnschuhe, eine Goldkette, seine Haare waren mit Gel zu Stacheln frisiert. Woher zum Teufel kannte Grace ihn nur? Und dann fiel es ihm ein. Gestern Abend. Der Überwachungsfilm der Karma Bar.

Janie Strettons Begleiter!

Sein Herz hämmerte. Der Golf fuhr weg. Grace merkte sich die Nummer, gab ihm ein paar Sekunden Vorsprung, in denen sich ein Taxi und ein gelber Lieferwagen von British Telecom vor ihn setzten, wendete erneut und wählte beim Fahren die Nummer der Soko-Zentrale. Beim ersten Klingeln meldete sich Denise Woods, eine ernsthafte und äußerst fähige junge Beamtin.

»Hi, hier spricht Grace, ich brauche ganz schnell eine Kennzeichenüberprüfung. Ich folge dem Fahrzeug. Ein VW Golf GTI, amtliches Kennzeichen Paula Ludwig Null Drei Friedrich Dora Otto.«

Denise versprach, umgehend zurückzurufen.

Kurz vor ihm hielt der Golf an einer roten Ampel.

Als sie auf Grün umsprang, bog er nach links in die Lower Rock Gardens ein, eine Straße, die zum Meer hinunter führte. Die anderen Wagen fuhren weiter geradeaus. Grace wartete kurz, bog ebenfalls nach links ab und folgte dem Golf in einiger Entfernung.

Komm schon, Denise!

Die Ampel an der Einmündung Marine Parade leuchtete grün,

der Golf fuhr nach rechts in die Küstenstraße. Grace erwischte noch die Gelbphase und ließ sich von einem Ford Focus und einem älteren Porsche überholen, ohne den Golf aus den Augen zu lassen.

Als dieser gerade in den Kreisverkehr am Palace Pier rollte, meldete sich das Handy. Denise. Der Halter des Wagens war eine Firma namens *Bourneholt International Ltd.* mit einer Postfachadresse in Brighton. Der Wagen war nicht als gestohlen gemeldet, gegen den Halter lag nichts vor.

»Der Name der Firma kommt mir bekannt vor«, sagte Grace. Dann fiel es ihm ein. »Denise, überprüfen Sie bitte das Kennzeichen des Lieferwagens, der letzte Nacht den Unfall hatte. Ich bleibe dran.«

Der Golf fuhr weiter nach Westen, vorbei an der renovierten Fassade des Royal Albion Hotel und wechselte auf Höhe des Old Ship Hotel auf die Außenspur.

Zu seiner Erleichterung blinkte der S-Klasse-Mercedes vor ihm ebenfalls nach rechts, sodass Grace sich hinter der massigen Karosse verbergen konnte. Der Golf fuhr nach rechts in die riesige Tiefgarage unter dem Bartholomew Square, gefolgt von der S-Klasse. Grace blieb ihm auf den Fersen.

Denise meldete sich. »Es ist derselbe Halter, Roy, *Bourneholt International Ltd.*«

Er ballte die Fäuste vor Aufregung. »Super!«

Grace schnappte sich den Parkschein aus dem Automaten und fuhr durch die geöffnete Schranke. »Gut gemacht!«

Kein Empfang mehr.

Plötzlich setzte ein BMW zurück und versperrte ihm den Weg. Der Fahrer wirkte nervös, der Wagen bewegte sich im Schneckentempo.

Mach schon, flehte Grace innerlich.

Nach einer halben Ewigkeit verschwand der BMW in der Ausfahrt. Grace gab Gas. Auf dieser Ebene gab es keinen freien Parkplatz. Also weiter nach unten. Auch voll. Darunter ebenfalls.

Diesmal schob sich ein Ford Galaxy voller Kinder und mit einer entnervten Mutter am Steuer in seinen Weg.

Herrgott, Frau, weg da!

Er musste warten. Und warten. Und warten. Endlich erreichte er Ebene 4, wo es noch einige freie Plätze gab. Da stand der Golf.

Ohne Fahrer.

Er trat fluchend auf die Bremse.

Hinter ihm hupte jemand. Im Rückspiegel sah Grace einen Range Rover, hob den Mittelfinger und bog nach ein paar Metern in die erstbeste Parklücke. Stellte den Motor ab und sprang aus dem Wagen. Rannte zum Ausgang, nahm zwei Stufen auf einmal und stürzte auf den offenen Platz mit dem japanischen Restaurant in der Mitte.

Keine Spur von dem Mann mit dem komischen Gang.

Es gab noch drei weitere Ausgänge. Grace überprüfte alle. Doch der Mann blieb verschwunden.

Er bezweifelte, dass der Mann ihn bemerkt hatte, konnte aber überhaupt nicht einschätzen, wie lange es dauern würde, bis er seinen Wagen wieder holte.

Dann kam ihm eine Idee.

Er wählte die Nummer der Polizeiwache in der Stadtmitte und ließ sich mit Mike Hopkirk, einem alten Freund, verbinden. Zum Glück war er nicht im Außendienst.

Hopkirk war ein alter Fuchs, ein angesehener und beliebter Kollege. Grace hatte sich genau überlegt, wem er seine Bitte vortragen wollte. Wenn Hopkirk einverstanden war, würde die Sache sofort anlaufen.

»Roy, wie geht's denn so? Ich lese ständig über dich in der Zeitung! Bin ja froh, dass du durch den Umzug nach Sussex House nicht zahm geworden bist!«

»Sehr witzig, aber lass uns später quatschen. Ich möchte dich um einen Riesengefallen bitten, es ist dringend. Zwei Menschenleben stehen auf dem Spiel – wir vermuten, dass die Leute entführt wurden und in unmittelbarer Lebensgefahr schweben.«

»Tom und Kellie Bryce?«

»Scheiße, woher weißt du das nun wieder?«, fragte Grace überrascht. Er hatte Hopkirk wieder einmal unterschätzt.

Die Antwort ertrank im Donnern eines vorbeifahrenden Lkw. Grace hielt sich ein Ohr zu. »Tschuldigung, könntest du das bitte wiederholen?«

316

»Sie sind auf der Titelseite vom *Argus*!«

Na bitte, der Pressesprecher hatte es also geschafft. »Gut, Mike, hör zu: Du musst die Tiefgarage unter dem Bartholomew Square eine Stunde lang sperren. Ich muss einen Wagen durchsuchen lassen.«

Er hörte, wie sein Gegenüber tief einatmete: »Komplett sperren?«

»Ich brauche eine Stunde.«

»Die größte Tiefgarage in der Stadt, mitten am Tag. Bist du noch zu retten?«

»Nein, aber du musst mir helfen, jetzt, sofort.«

»Und mit welcher Begründung soll ich sie sperren lassen?«

»Bombendrohung. Du wurdest von einer Terroristenzelle angerufen.«

»Scheiße, du meinst das wirklich ernst.«

»Komm schon, es ist ein ruhiger Montagmorgen. Ruf deine Truppen zusammen!«

»Und wenn es schief geht?«

»Nehme ich's auf meine Kappe.«

»Roy, du weißt genau, das funktioniert nicht.«

»Aber du machst es?«

»Bartholomew Square?«

»Ja.«

»Okay«, sagte Hopkirk gottergeben. »Leg auf, ich muss telefonieren!«

Grace rief Sussex House an, um jemanden von der Spurensicherung anzufordern. Außerdem sollte ein Kollege aus der Verkehrsabteilung mitkommen, der sich mit den Schlössern und Alarmanlagen eines VW Golf auskannte.

Danach rief er Detective Inspector Dave Ankram an, der für Überwachungen zuständig war. Endlich ein Glückstreffer, Ankram hatte Zeit.

»Eigentlich sollten wir heute jemanden in der Stadtmitte überwachen, aber das Objekt tauchte nicht auf. Ich wollte das Team gerade abziehen.«

»Wie schnell könntet ihr hier sein und die Tiefgarage unter dem Bartholomew Square überwachen?«

»In einer Stunde. Wir sind ja nicht weit weg.«

Grace besprach die Einzelheiten, gab Kennzeichen und genaue Position des Golf durch und wies danach die Soko-Zentrale an, Ankram das Foto des Fahrers per Fax und Mail zu senden.

Als Nächstes sprach er mit Nicholas, der sich nun doch allein mit dem Vertreter der Met treffen musste. Plötzlich ertönte ein ohrenbetäubendes Geheul.

Es war, als hätten sämtliche Rettungswagen in der gesamten Stadt gleichzeitig die Sirenen eingeschaltet.

78

KELLIE MACHTE IHM ANGST. Tom hatte das Gefühl, mit einer Wildfremden im Dunkeln eingesperrt zu sein. Einer unberechenbaren Fremden. Nach längeren Pausen brach sie dann und wann in hysterisches Geschrei aus und beschimpfte ihn. Gerade ging es wieder los, ihre Stimme klang schon ganz heiser vom vielen Kreischen.

»Du blödes Arschloch! Du Vollidiot! Du bist an allem schuld! Hättest du die Scheiß-CD-ROM im Zug liegen gelassen, wär das alles nicht passiert! Die lassen uns nie laufen. Kapierst du das, du beschissener Versager?«

Sie brach in Schluchzen aus.

Tom war tief erschüttert. Ihr Geschrei war grauenhaft, es verfolgte ihn. Sie schien gar nicht wahrzunehmen, was er zu ihr sagte, obwohl er ununterbrochen auf sie einredete, seit der fette Mann den Raum verlassen hatte. Er wollte sie beruhigen, stärken, ermutigen.

Sich von dem qualvollen Schmerz in seiner Blase ablenken, dem entsetzlichen Durst, dem nagenden Hungergefühl.

Er fragte sich, ob ihr Verhalten mit dem Wodka zu tun hatte. Oder dem Entzug? Stand sie kurz vor einem Zusammenbruch wie in den ersten Monaten nach Jessicas Geburt? Hatte dieser Vorfall sie endgültig in den Wahnsinn getrieben?

Der ganze Ebay-Kram – war das nicht ein Warnzeichen gewesen, ein Hilferuf, den er nicht registriert hatte?

»Du beschissener Versager!«, kreischte sie erneut.

Tom zuckte zusammen. *Versager.* So sah sie ihn also? Recht hatte sie. Er hatte im Beruf versagt und war nun nicht einmal mehr in der Lage, seine Familie zu schützen.

Er kniff kurz die Augen zu und betete zu dem Gott, an den er seit fünfundzwanzig Jahren kein Wort mehr gerichtet hatte. Dann öffnete er sie wieder. Die Schwärze hüllte ihn ein.

Seine Beine waren ganz verkrampft. Er rollte sich einmal herum, doch schon spannte sich die Fußkette, und er schrie vor Schmerz, als die Fessel in sein Bein schnitt.

Denk nach, drängte er sich, *denk nach!*

Wand und Boden um ihn herum fühlten sich glatt an; er brauchte etwas Scharfes, an dem er die Schnüre reiben und so durchtrennen konnte. Aber es war nichts zu entdecken.

»Hörst du mich, du beschissener Versager?«

Ihm kamen die Tränen. *Ach Kellie, ich liebe dich so, tu mir das nicht an.*

Was wollte der Fette von ihnen? Wer zum Teufel war er? Wie sollte man mit so einem kommunizieren? Doch tief im Inneren wusste er, wer der Mann war und warum sie hier waren.

Seine Angst wuchs umso mehr, als er an die Kinder dachte. Hatte es der Fette auch auf sie abgesehen? Wenn er und seine Gorillas nun auch die beiden kidnappen würden? Verzweifelt rollte Tom sich weiter, stemmte sich gegen den Schmerz, zog weiter, immer weiter. Die Kette gab nicht nach.

Er blieb still liegen. Dann hatte er eine Idee.

In diesem Augenblick erschien wieder das helle Rechteck; zwei Gestalten mit starken Taschenlampen kamen herein. Toms Puls ging schneller, seine Kehle war wie zugeschnürt. Alle Muskeln spannten sich, er war kampfbereit.

Eine Gestalt bewegte sich auf Kellie zu, die andere auf ihn selbst. Kellie rührte sich nicht. Da traf ihn der Lichtstrahl unvermittelt ins Gesicht und blendete ihn, schwenkte auf einen Pappbecher mit Wasser und ein Brötchen, das auf dem Boden lag.

»Hier Essen«, sagte jemand in gebrochenem Englisch. Die Stimme klang vage osteuropäisch.

»Ich muss Wasser lassen«, sagte Tom.

»Na los, piss dir doch in die Hose wie alle anderen!«, kreischte Kellie.

»Nicht Wasser lassen«, erwiderte der eine Mann.

»Ich muss aber«, flehte Tom. »Lassen Sie mich bitte auf die Toilette gehen.«

Tom konnte den einen Mann ganz gut erkennen. Groß, schlank, Ende zwanzig, mit eleganter schwarzer Kleidung, strengem Gesicht und modernem Kurzhaarschnitt. Vor allem aber sah er, was sich hinter ihm befand.

Eine Reihe Chemikalienfässer, gar nicht weit entfernt.

»Iss«, sagte der Mann und trat zu seinem Begleiter. Sekunden später waren sie weg, das Rechteck aus Licht verschwand. Wieder blieben Tom und Kellie in völliger Finsternis zurück.

»Liebes?«

Schweigen.

»Liebes, hör mir bitte zu.«

»Warum hab ich nichts zu trinken bekommen?«

»Sie haben uns Wasser gebracht.«

»Scheiße, das hab ich nicht gemeint.«

Wie lange mochte sie schon trinken? Wie lange hatte er es übersehen?

»Und wie soll ich trinken, wenn ich die Arme an den Körper gefesselt habe, Mr. Überschlau?«

Tom rutschte mit dem Kopf in die Richtung, in der er Wasser und Brötchen vermutete. Er berührte den Becher mit der Nase und fluchte insgeheim, weil man ihn so demütigte. Vorsichtig glitt er mit den Lippen über den Rand, um nichts zu verschütten, biss hinein, kippte den Becher und leerte ihn gierig aus.

Wie ein Nachttier tastete er mit der Nase nach dem Brötchen. Appetit hatte er keinen, zwang sich aber abzubeißen. Kaute und schluckte. Noch ein Bissen, das reichte.

»Ich glaube, wir sollten jetzt gehen«, verkündete Kellie. »Meinst du, sie packen uns die Reste ein?«

Zum ersten Mal seit Tagen musste Tom lächeln.

Vielleicht wurde sie allmählich ruhiger, dachte er und neue Hoffnung keimte in ihm auf. »Bisher lässt die Gastfreundschaft sehr zu wünschen übrig«, scherzte er, erntete aber nur Schweigen.

Wasser und Essen verliehen ihm ein wenig Stärke. Zeit für den nächsten Schritt.

Zuckend und rollend rutschte er über den Boden nach links, die Richtung hatte er sich gemerkt.

Hin zu den Chemikalienfässern.

Als sich die Kette spannte, fuhr er zusammen. *Bitte, nur noch ein bisschen, ein winziges bisschen.* Tom zog fester, die Fessel grub sich noch tiefer ins Fleisch. Er schrie auf vor Schmerz.

»Alles okay, Tom? Liebling?«

Gott sei Dank, sie hatte sich beruhigt. »Ja«, flüsterte er, »alles klar.«

Dann stieß er an etwas. *Bitte nicht die Wand.*

Kalt, rund, aus Plastik. Ein Fass!

Er versuchte, sich hochzustemmen. Das Fass wackelte. Tom rutschte ab. Rollte sich auf den Bauch, die Beine verschlungen, der Schmerz fast unerträglich. Ruckte hoch, immer weiter. Ein tiefer Atemzug, dann warf er sich mit aller Kraft nach oben. Und bekam das Kinn über den Rand.

Er fühlte sich wunderbar scharf an.

Langsam, ganz langsam kippte er das Fass. Es war viel schwerer als vermutet, viel zu schwer für ihn. Irgendwann fiel es polternd um.

»Tom?«, rief Kellie laut.

»Schon gut.«

»Was machst du da?«

»Nichts.«

So schnell er konnte, rutschte er zum Rand des Fasses und begann, die Schnüre an seinen Armen daran zu reiben.

Kurz darauf konnte er tatsächlich die Arme ein wenig vom Körper lösen. Nur ein winziger Schritt, aber er fühlte sich, als hätte er den Mount Everest bestiegen. Erleichterung durchflutete ihn. *Er würde es schaffen!*

Nun tastete Tom mit den gefesselten Händen nach dem Rand. Rieb wie wild mit dem Stück, das sich zwischen seinen Handgelenken spannte, an der scharfen Kante. Langsam gaben die Fesseln nach. Dann waren seine Hände frei. Er schüttelte den Rest der Schnur ab, stemmte sich hoch, streckte die Arme und bewegte die Hände, um die Blutzirkulation anzuregen.

»Werden wir hier drinnen sterben, Tom?«, wimmerte Kellie.

»Nein.«

»Mum und Dad können die Kinder nicht großziehen. Daran haben wir nie gedacht, was?«

»Wir werden nicht sterben.«

»Tom, ich liebe dich so sehr.«

Beinahe hätte er geweint. Ihre Stimme klang warm und zärtlich. »Ich liebe dich mehr als alles auf der Welt, Kellie«, sagte er und tastete nach den Schnüren, mit denen seine Beine gefesselt waren.

Der Knoten saß unglaublich fest, doch Tom gab nicht auf und konnte ihn tatsächlich mit einiger Mühe lösen. Seine Beine waren frei! Bis auf den Knöchel mit der Kette. Wenn der Fette jetzt hereinkäme, wäre die Hölle los! Doch dieses Risiko musste er eingehen.

Tom kniete sich, umklammerte den Rand des Fasses und stemmte es hoch. Dann tastete er nach dem Verschluss. Zum ersten Mal konnte er sich ungefähr vorstellen, was es hieß, blind zu sein.

Über der Verschlusskappe befand sich ein gezwirnter Draht, darüber ein Siegel aus Papier. Er schob die Finger unter den Draht und zog. Er schnitt in sein Fleisch. Tom fand ein Taschentuch in seiner Hose und umwickelte seine Finger, bevor er es erneut versuchte.

Der Draht gab nach.

»Tom, wo sind wir?«, fragte Kellie flehend. »Wer ist der eklige Typ?«

»Keine Ahnung.«

»Was hat er gemeint, als er sagte, dass wir schöne Leichen abgeben?«

»Er wollte uns nur Angst einjagen«, versuchte Tom sie zu beruhigen. Er zerrte an dem Verschluss, während in seinem Hinterkopf ein verschwommener Plan Gestalt annahm.

Allmählich ließ sich der Verschluss drehen. Er brauchte fünf, sechs volle Drehungen, bis er ihn in der Hand hatte. Sofort stieg ihm ein beißender Gestank in die Nase, der in seinen Nasenlöchern brannte. Tom wich zurück und ließ die Verschlusskappe fallen, die in der Finsternis davonrollte.

»Tom?«, rief Kellie verängstigt.

Er hustete, seine Lungen brannten. Er versuchte, sich zu erinnern, wie war das doch gleich im Chemieunterricht gewesen? Mist, Chemie war nicht gerade sein bestes Fach. Sie hatten Flaschen mit Säure im Labor gehabt. Schwefelsäure und Salzsäure zum Beispiel. Würde sich dieses Zeug auch durch die Kette an seinem Knöchel fressen?

Doch wie sollte er es im Dunkeln aus dem Fass holen? Wenn es umkippte und die Säure auslief, wäre Kellie in Gefahr. Oder sie könnten beide ersticken.

Dann der Lichtstrahl, er sah ihn aus dem Augenwinkel. Das Rechteck. Jemand kam herein. Sein Herz setzte aus.

79

AUF DER VIERTEN PARKEBENE DER TIEFGARAGE drängte sich eine Gruppe von Polizeibeamten um den schwarzen Golf. Draußen waren sämtliche Eingänge von Polizisten abgeriegelt. Ansonsten war das Gebäude menschenleer.

»Der Besitzer soll nicht merken, dass wir dran waren«, sagte Grace zu dem jungen Beamten der Verkehrspolizei, der neben der Fahrertür kniete. In einer Hand hielt er einen Ring mit Dietrichen, in der anderen einen Sender.

»Keine Sorge, ich kann den Wagen wieder abschließen. Fällt gar nicht auf.«

Joe Tindall stand Kaugummi kauend im weißen Schutzanzug neben Grace und wirkte noch brummiger als sonst. »Reicht es nicht, dass du mir das Wochenende versaut hast, Roy? Musst du mir auch noch den Montag verderben?«

Ein lautes Klicken, die Tür sprang auf. Sofort blökte die Hupe los.

Der Verkehrspolizist klappte die Motorhaube auf und verschwand darunter. Sekunden später verstummte die Hupe, er schloss die Haube. »Okay, er gehört Ihnen«, sagte er zu Tindall und Grace.

Grace, der ebenfalls einen Schutzanzug mit Handschuhen trug, ließ Tindall einsteigen und sah auf die Uhr. Vor fünfundzwanzig Minuten hatten sie die Tiefgarage abgeriegelt. Draußen herrschte das totale Chaos: Streifenwagen, Krankenwagen, Löschzüge, Dutzende Einkaufsbummler, Geschäftsleute und Touristen, die nicht an ihre Wagen kamen. Und der Verkehr staute sich an allen Enden.

Falls bei dieser Aktion nichts herauskam, hätte Grace ein echtes Problem.

Er sah zu, wie Tindall die üblichen Stellen auf Fingerabdrücke untersuchte: Rückspiegel, Schalthebel, Hupe, innere und äußere Türgriffe. Als er damit fertig war, nahm er mit einer Pinzette ein Haar von der Kopfstütze und legte es in einen Beweissicherungsbeutel. Dann entfernte er mehrere Kippen aus dem Aschenbecher und verpackte sie ebenfalls.

Nach weiteren fünf Minuten tauchte er aus dem Wagen auf und wirkte nun ein wenig fröhlicher. »Hab ein paar gute Abdrücke gefunden, Roy. Ich fahre los und lasse sie durchs NAFIS jagen.« Das war das nationale automatisierte Fingerabdrucksystem.

»Ich komme gleich nach. In etwa zehn Minuten.«

»Dann hab ich ein Ergebnis für dich.«

»Ich wäre dir sehr verbunden.«

»Eigentlich ist es mir scheißegal, ob du mir verbunden bist«, sagte Tindall unwillig.

Manchmal wusste Grace nicht so recht, ob Joe Tindall scherzte, der Mann hatte jedenfalls einen eigenartigen Humor.

»Gut. Ich weiß deine zurückhaltende Art zu schätzen.«

»Scheiß auf zurückhaltend. Ich mache das nur, weil man mich dafür bezahlt, und nicht, weil mir jemand dafür *verbunden* ist.« Er zog die Schutzkleidung aus, packte sie ein und marschierte zum Ausgang.

Grace und der Verkehrspolizist schauten sich an. »Den muss man manchmal mit Samthandschuhen anfassen.«

»Hat aber 'ne coole Brille …«, meinte der Verkehrspolizist.

Grace überprüfte den Innenraum, schaute ins Handschuhfach, das nur die Betriebsanleitung enthielt, und in die Türfächer, die leer waren. Er sah unter den Vordersitzen nach, entfernte die Polster von der Rückbank und schaute darunter. Nichts. Der Golf enthielt überhaupt keine persönlichen Gegenstände und erinnerte darin an einen Mietwagen.

Dann kam der Kofferraum an die Reihe. Makellos sauber, nur ein Werkzeugset, der Ersatzreifen und das Warndreieck. Schließlich kroch er unter den Wagen: kein Schlamm, nichts Außergewöhnliches.

Er rappelte sich hoch, wies den Verkehrspolizisten an, den Wagen abzuschließen und die Alarmanlage wieder einzuschalten, und ging eilig zu seinem Wagen. Er musste ins Büro. Hoffte verzweifelt, dass Joe Tindall Erfolg mit seinen Fingerabdrücken gehabt hatte.

Und dass das Überwachungsteam an dem Golf dranblieb.

Alison Vosper wäre nicht sonderlich begeistert, wenn er Brighton ohne Grund lahmgelegt hätte. Cassian Pewe hin oder her, Newcastle rückte näher.

Dann fiel ihm plötzlich Cleo ein. Zwanzig nach zwölf. Und sie hatte immer noch nicht zurückgerufen.

80

TOM WARF SICH ZU BODEN und tastete wild umher, um die Schnüre zu finden. Ein Lichtstrahl durchbrach die Finsternis, fiel kurz auf Kellie, zuckte über die Wand, an der die Fässer standen.

Auch das mit dem fehlenden Verschluss.

Scheiße, Scheiße, Scheiße.

Er lag ganz still auf der Seite, hielt die Luft an, presste die Hände an die Seiten, während ihm der Schweiß aus allen Poren drang. Schritte näherten sich. Sein Herz klopfte wie wild, das Blut rauschte in seinen Ohren. Bittere Galle stieg ihm in die Kehle.

Dies war der entscheidende Moment. Sie würden es merken. Verdammt, wie konnte er nur so dumm sein? Es war dumm gewesen, das Haus zu verlassen, auf dem Rastplatz anzuhalten. Und noch viel dümmer, auch nur an Flucht zu denken.

Kellie hatte Recht gehabt, er war ein Versager.

Tom schloss kurz die Augen, betete, kämpfte gegen die aufsteigende Übelkeit. Sollte es wirklich so enden? Sein Leben, seine ganzen Träume? Würde er die Kinder denn nie wieder sehen?

Ein lautes Scheppern. Etwas kollerte über den Boden, traf ihn seitlich am Kopf. Ein harter, aber leichter Gegenstand.

Tom drehte sich um, blieb aber in seiner verkrümmten Position, als wäre er noch gefesselt. Der Strahl blendete ihn. Dann hörte er dieselbe Stimme wie vorhin.

»Für Wasser. Kein Scheiße.«

Der Lichtstrahl schwenkte weg und fiel auf einen Gegenstand neben seinem Kopf. Einen orangefarbenen Plastikeimer.

Die Schritte wurden leiser. Tom drehte sich, der Lichtstrahl wanderte über den Boden, bis der Mann die Tür erreicht hatte. Flüchtig kam ihm der Gedanke, wie er denn wohl mit angeblich gefesselten Händen den Eimer hätte benutzen sollen.

Eine schwere Metalltür fiel zu.

Und wieder war alles schwarz.

81

»SCHEISSE, BIST DU VÖLLIG VON SINNEN?«, brüllte Carl Venner, das Gesicht ebenso braunrot wie sein Hemd, dessen Knöpfe beinahe am feisten Bauch abplatzten. An seinen Schläfen traten die Adern hervor. Man sah noch den Kratzer, den ihm das junge Mädchen beigebracht hatte, als sein Besucher das letzte Mal im Büro über dem Lager gewesen war. »Was fällt dir ein, hierher zu kommen? Ich hab dir gesagt, du darfst dich unter gar keinen Umständen hier blicken lassen, außer ich befehle es dir. Welchen Teil dieser Anweisung hast du nicht kapiert, John?«

Andy Gidney starrte auf den billigen Teppich, konzentrierte sich auf eine bestimmte Stelle und versuchte zu errechnen, wie viele Fasern pro Quadratzentimeter dort verarbeitet waren.

Venner nahm den Zeigefinger in den Mund und begann an der Haut zu nagen. In dem Aschenbecher auf seinem Schreibtisch qualmte eine Zigarre vor sich hin. »Wo hast du überhaupt gesteckt? Ich versuche seit einer Stunde, dich anzurufen.«

»Hm, war hierher unterwegs.«

»Wieso bist du nicht ans Telefon gegangen?«

»Hab es nicht dabei, sollte es doch nicht mit hierher bringen.«

Zufrieden stellte der Wetterfrosch fest, dass es Venner die Sprache verschlagen hatte. Dieser kaute noch an seinem Finger, untersuchte ihn, nagte weiter. »Wir stehen vor einer mittleren Katastrophe, darum hab ich dich angerufen.«

Eigentlich sind es zwei Katastrophen, dachte der Wetterfrosch. *Von der anderen weißt du noch gar nichts.* Was ihm auch ziemlich egal war. Sollte Carl Venner ruhig tausend Katastrophen am Hals haben. Gidney zählte weiter die Teppichfasern.

Venner steckte sich die Zigarre zwischen die Lippen, paffte, bis sie wieder zog, und ließ den Rauch aus dem Mundwinkel entweichen. »Einer ganz beschissenen Katastrophe, kapiert?«

»Cromarty, Forth, Südwest auf Nord drehend, 4 bis 5, gelegentlich 6 in Utsira-Nord«, brabbelte Gidney vor sich hin, die Augen noch immer auf den Boden geheftet. »Zeitweise Regen. Mäßig oder gut.«

»Was soll dieser Wettermist?«

»Hm – also – eigentlich ist es die Seewettervorhersage.«

Venner schüttelte den Kopf. »Jesus, einer unserer Partner liegt im Koma, und du betest die Scheißseewettervorhersage runter?«

»Hm, ja, stimmt.«

Venner funkelte ihn an. Dieser Schwachkopf war nicht zu ertragen. »John, die Katastrophe besteht darin, dass unser Partner einen Laptop dabei hatte, mit dem er unser neuestes Angebot für die Kunden hochladen wollte. Die Polizei hat den Rechner beschlagnahmt. Wir brauchen ihn zurück.«

»Ich hab ihn«, erklärte Gidney. »Und den Klon der Festplatte, der von unserer Abteilung erstellt wurde.«

Venner war verblüfft. »Du hast ihn?«

»Hm, ja, sozusagen.«

»Du hast den Laptop geholt?«

Der Wetterfrosch nickte.

Mit einem Schlag veränderte sich die Haltung des Fetten. Er

hievte sich aus dem Sessel und schüttelte dem überraschten Gidney die Hand. »Mann, bist du ein smarter Scheißkerl!« Er setzte sich wieder, als hätte ihn die Anstrengung erschöpft, klemmte die Zigarre erneut in den Mund und streckte Gidney gierig die Hand entgegen. »Na los, her damit! Hast du ihn im Rucksack?«

»Hm, nein, nur mein Sandwich.«

Einer der schweigsamen Russen betrat den Raum. Wie üblich im schwarzen Anzug, blieb er still und ernst hinter Venner stehen.

Der Wetterfrosch blickte wieder zu Boden, ohne die ausgestreckte Hand zu beachten, und nahm allen Mut zusammen, um auf den Zweck seines Besuchs zu sprechen zu kommen. Er dachte an *Q* in *Star Trek*. *Wenn Sie Angst haben, sich eine blutige Nase zu holen, sollten Sie besser zu Hause unter die Bettdecke kriechen. Im All gibt es keine Sicherheit … Das ist nichts für die Angsthasen.*

Der Mann, der kein Angsthase war, holte tief Luft, wurde rot und stammelte: »Ich hab die Sachen nicht dabei.«

Venners Gesicht verdüsterte sich. »Wo sind sie denn dann bitte schön?«

Gidney spürte einen fast lautlosen Schritt hinter sich. Sah den schwachen Schatten auf dem Teppich. Venner brachte sein Team in Stellung, den Russen vorn, den Albaner hinten, wollte ihn einschüchtern. Doch heute war er *der Mann, der kein Angsthase war.*

Er würde nicht zurückweichen.

Er zitterte, sein Gesicht brannte, Schweiß sickerte an seinem Körper hinunter. Doch er wich nicht zurück. »Sie sind an einem sicheren Ort.«

»Wie sicher genau?«, erkundigte sich Venner kühl.

»Sehr sicher.«

»Gut, das ist vernünftig.«

»Wenn Sie sie haben wollen, müssen Sie mir die versprochene Summe zahlen. Und – und – ich –« Er geriet ins Stottern. »Ich … will das alles … nicht mehr.«

Er starrte zu Boden und rang nach Luft.

»Verstehe ich dich richtig, John? Du möchtest nicht mehr in unserem Team arbeiten?«

»Hm, nein.«

»Das kränkt mich aber sehr! Und ich dachte, wir verstehen uns gut. Mensch, John, ich hab ehrlich geglaubt, wir wären richtig gute Kumpel. Das tut mir wirklich weh. Natürlich kannst du jederzeit gehen, mit deinem Geld, alles kein Problem.«

Der Wetterfrosch schwieg, mit dieser Reaktion hatte er nicht gerechnet.

»Wo genau ist denn dieser sichere Ort, an dem sich der Laptop und der Festplattenklon befinden?«

Gidney blickte hoch und lächelte stolz. »Das glauben Sie nie. Niemand wird dort suchen, in tausend Jahren nicht!«

»Tatsächlich?«

Der Wetterfrosch nickte aufgeregt.

»Nicht mal die Polizei?«

»Die schon gar nicht!«

Venner strahlte den Wetterfrosch an und ließ die linke Hand unvermittelt durch die Luft sausen.

Die Bewegung irritierte den Wetterfrosch. Vielleicht ein geheimes Signal.

»Wo ist das Vögelchen?«

Der Wetterfrosch blickte verwirrt hoch. Der Russe war neben Venner getreten und hielt eine kleine Videokamera vors Gesicht.

Der Albaner trat rasch zwei Schritte nach vorne und brach dem Wetterfrosch mit einem Handkantenschlag das Genick.

82

VON ALLEN ABTEILUNGEN IN SUSSEX HOUSE beanspruchte der Erkennungsdienst, zu dem auch die Daktyloskopie gehörte, den meisten Platz. Er befand sich im Erdgeschoss nahe der Abteilung für Computerkriminalität. Dort ging es zu wie in einem Taubenschlag, und Grace meinte immer, einen Hauch von Tinte zu riechen.

Derry Blane, einer der leitenden Beamten, saß inmitten des wimmelnden Labyrinths. Auf seinem Computerbildschirm war der Abdruck zu sehen, den Joe Tindall vom Rückspiegel des Golfs genommen hatte, es war der Beste von allen. Grace und Tindall standen hinter Blane und blickten ihm über die Schulter.

Mit der Glatze und der Brille wirkte Blane wie ein netter Onkel, dessen ruhige, kultivierte Art den Menschen Vertrauen einflößte. Er tippte auf der Tastatur herum, worauf ein kompletter Satz mit zehn Abdrücken erschien. Noch eine Taste. Grace' Herz setzte aus. Auf dem Bildschirm erschien ein Polizeifoto samt Namen des Mannes. Kein Zweifel, es war der Golffahrer, Janie Strettons Begleiter aus der Karma Bar.

»Wir haben eine Übereinstimmung«, erklärte Blane. »Ich habe den Abdruck durchs NAFIS gejagt. Er wurde ihm vor über einem Jahr nach einem Streit im Escape-Nachtklub abgenommen. Der Mann heißt Mik Luvic und wurde auf Kaution freigelassen. Albaner ohne festen Wohnsitz.«

»Was haben Sie sonst noch über ihn?«, erkundigte sich Grace.

»Das hier.« Blane betätigte einige Tasten. »Jemand hat ihn in der PNC zur Beobachtung markiert – auf Ersuchen von Interpol.«

Grace spürte, wie seine Erregung wuchs. PNC war die landesweite Datenbank der Polizei.

»Also habe ich international mit dem vollen Satz an Fingerabdrücken gesucht, mit einem Abdruck allein geht es nicht. Und stieß auf die Verbindung zu diesem Schätzchen hier.«

Auf dem Monitor erschienen Kopf und Oberkörper eines ungeheuer fetten Mannes, der das Haar mit Gel zurückgekämmt und zu einem winzigen Pferdeschwanz gebunden hatte. Der Kopf wirkte geradezu verloren auf dem massigen Körper.

»Sein Name ist Carl Venner. Wahlweise auch Jonas Smith. Interessante Vergangenheit. Venner war bei der US-Armee, fing als Hubschrauberpilot in Vietnam an. Wurde verwundet und mit dem Purple Heart ausgezeichnet. Dann konnte er aus gesundheitlichen Gründen nicht mehr fliegen und wurde Funker. Später beförderte man ihn in eine hohe Position beim militärischen Nachrichtendienst. Wurde in einen Skandal verwickelt. Ein Kameramann und einige Kriegsfotografen wurden angeklagt, weil sie die Folterung und Hinrichtung von Vietcong mitgeschnitten und verkauft hatten.«

»Snuff?«, fragte Grace.

»Genau. Venner konnte sich allerdings irgendwie herauswinden. Er blieb bei der Armee und wurde nach Deutschland auf einen Posten im Nachrichtendienst versetzt. Als der Krieg in Bosnien ausbrach, landete er dort. Und es geschah das Gleiche wie in Vietnam. Schließlich stellte man ihn vor ein Kriegsgericht, weil er die Hinrichtung von Gefangenen gefilmt und die Filme auf dem internationalen Snuff-Markt verkauft hatte.«

»Ist das Ihr Ernst?«

»Absolut, der Typ ist der letzte Dreck. Ein aalglatter Anwalt bekam ihn frei, aber Venner wurde aus der Armee entlassen. Als Nächstes tauchte sein Name im Zusammenhang mit einem internationalen Kinderpornoring auf, der von Atlanta aus operierte. Allerdings ging es nicht nur um Männer, die Sex mit Kindern haben; man filmte auch Morde an Kindern. Vor allem an ostasiatischen und indischen, auch ein paar weiße waren darunter.«

»Du suchst dir deine Gesellschaft wirklich sorgfältig aus, Roy«, meinte Tindall grinsend.

»So bin ich eben. Du solltest mal zu einer Dinnerparty kommen.«

»Ich kann's kaum erwarten.«

»Was ist aus ihm geworden?«, fragte Grace, nun wieder ernst.

»Hat die Fliege gemacht. Verschwand vom Radarschirm des FBI. Und dann, vor drei Jahren, tauchte er in der Türkei wieder auf. Danach in Athen. Dann in Paris. Dort ließ man einen reizenden kleinen Snuff-Ring hochgehen. Die französische Polizei veranstaltete eine Razzia in einer Wohnung im 16. Arrondissement. Beschlagnahmte einen Haufen Ausrüstung und verhaftete einige Leute, die Venner als ihren Anführer bezeichneten. Seither wurde er nicht mehr gesehen.«

»In welcher Verbindung steht er zu Luvic?«

»Interpol hat einen Mann in London, der darüber Bescheid weiß, Detective Sergeant Barry Farrier. Hier ist seine Nummer.«

»Danke, Derry, das war super. Und so schnell!« Wegen des Verkehrs hatte Grace zwanzig Minuten länger als geplant gebraucht, um in die Zentrale zurückzukehren. Joe Tindall dürfte es ähnlich ergangen sein.

In seinem Büro schloss sich Grace mit dem Überwachungsteam

kurz, das den Golf beobachtete. Der Fahrer war noch nicht aufgetaucht. Er wollte gerade Barry Farrier anrufen, als sein Handy klingelte. Sofort erkannte er Harry Frames schrille Stimme.

»Haben Sie was?«

»Na ja, ich weiß nicht, ob es wichtig ist; ich bekomme hier eine Uhr.«

»Eine Uhr?«, fragte Grace verwundert.

»Genau!« Frames Begeisterung wuchs. »Eine Armbanduhr! Sie ist sehr wichtig. Eine Armbanduhr wird Sie zu einem sehr befriedigenden Ergebnis führen, das mit einem Fall zu tun hat. Ich vermute, mit diesem Fall.«

»Können Sie das etwas präzisieren?«

»Nein, das geht nicht. Wie gesagt, ich weiß auch nicht, ob es wichtig ist.«

»Eine bestimmte Marke?«

»Nein. Aber teuer.«

»Teuer?«

»Ja.«

»Herren- oder Damenuhr?«

»Herrenuhr. Vielleicht auch mehr als eine.«

Grace schüttelte den Kopf. Im Augenblick konnte er überhaupt nichts damit anfangen. »Okay, vielen Dank, Harry. Geben Sie mir Bescheid, falls Sie noch etwas herausfinden.«

»Keine Sorge!«

Grace beendete das Gespräch und wählte die Londoner Nummer von Interpol. Er musste zwei Minuten warten, bis Farriers scharfer Cockneyakzent erklang.

»DS Farrier, was kann ich für Sie tun?«

Grace stellte sich vor. Farrier sprang sofort darauf an.

»Ich habe Ermittler in Griechenland, der Türkei, der Schweiz und in Paris, die sich nur zu gern mit Mr. Luvic unterhalten würden.«

»Ich weiß, wo sich sein Wagen gerade befindet«, sagte Grace. »Was haben Sie über Carl Venner?«

»Nichts. Wurde seit drei Jahren nicht mehr geortet. Und er ist schwerlich zu übersehen.«

Es klopfte, und Norman Potting trat mit einem Blatt Papier ein.

Grace machte ein Zeichen, er habe zu tun. Potting blieb zögernd an der Tür stehen.

»Ich bin an allem interessiert, was Sie zu Venner haben«, erklärte Farrier. »Sie glauben nicht, was alles gegen ihn vorliegt, in ganz Europa ist die Liste so lang wie mein Arm.«

»Könnte er sich in England aufhalten?«

»Falls Luvic hier ist, schon.«

»Was können Sie mir über ihn sagen?«

»Albaner. Zweiunddreißig. Kluger Junge. Hat Technik an der Uni dort studiert, war Champion im Kickboxen und Boxen mit bloßen Fäusten. Als er von der Uni kam, fand er keinen Job – typisch für seine Generation. Ließ sich mit einer Gruppe Studenten ein, die aus Spaß Computerviren entwickelte, vermutlich aus reiner Langeweile. Danach landete er bei einer Bande, die große Firmen erpresste.«

»Erpressung?«

»Ganz großes Geschäft. Nehmen Sie beispielsweise so ein Sportereignis wie das Derby. Alle wichtigen Buchmacher erhalten kurz vorher eine Drohung, dass ihr System am Tag des Derbys für vierundzwanzig Stunden mit Viren lahmgelegt werden könnte, wenn sie nicht zahlen. Also entscheiden sich die meisten fürs Zahlen, was meist der billigere Weg ist.«

»Hab davon gehört.«

»Ja, das läuft sehr erfolgreich. Jedenfalls kam Luvic darüber irgendwie an Venner. Der hat ihn vermutlich angeworben. Die beiden steckten sicherlich hinter dem französischen Snuff-Ring und sind zur selben Zeit abgetaucht. Ich kann Ihnen die ganzen Akten mailen.«

»Ich bitte darum.«

»Eins sage ich Ihnen: Ich habe einige der Bilder gesehen. Am liebsten würde ich mir Venner und Luvic mal in einer dunklen Ecke schnappen, nur fünf Minuten lang.«

»Das kann ich gut verstehen. Ach, noch etwas, sagt Ihnen ein Skarabäus etwas?«

»Meinen Sie den Käfer?«

»Ja.«

Farrier schwieg kurz und sagte dann: »Auf den Fotos und Fil-

men, die sie in Frankreich machten, war immer irgendein Tier zu
sehen, ein Skorpion, glaube ich, sozusagen ihr Markenzeichen.«

»Lebendig oder tot?«

»Tot. Darf ich fragen, worauf Sie hinauswollen?«

»Klingt, als hätte er es mit Krabbeltieren«, sagte Grace. »Wenn
wir es mit demselben Mann zu tun haben, hat er sich mittlerweile
auf Skarabäen verlegt, besser gesagt, auf Mistkäfer.«

»Wie passend.«

Grace bedankte sich, versprach, Farrier auf dem Laufenden zu
halten, und hängte ein. Sofort trat Norman Potting an den Tisch
und legte ihm das Blatt hin.

»Die Schwefelsäure, Roy. Das hier dürfte eine ziemlich umfassende Liste sämtlicher Lieferanten in Großbritannien sein. Fünf im
Süden, zwei davon in unserer Gegend – Newhaven und Portslade.«

Grace war noch dabei, die Informationen, die er von Farrier erhalten hatte, zu verdauen, griff nach der Liste und las rasch die
Namen und Adressen durch.

Plötzlich flog die Tür auf, und Glenn Branson stürmte mit aufgeregter Miene herein. Ohne auf Potting zu achten, schlug er mit
beiden Händen auf den Schreibtisch. »Ich hab eine Spur!«

»Und?«

Branson klopfte triumphierend auf das Foto des Golffahrers.
»Eben hat mich ein Taxifahrer angerufen, ein Informant.«

»Nicht zufällig derjenige, der Cleo und mich belauscht hat?«,
fragte Grace spontan.

»Doch, genau der.« Branson grinste. »Ich hab das Foto an all
meine Kontaktleute gegeben. Er hat eben angerufen. Hatte heute
einen Fahrgast, der dem Typen zum Verwechseln ähnlich sah, er
ist ganz sicher, dass er es war. Und eben den hat er vor zwanzig
Minuten an einem Lagerhaus in Portslade abgesetzt. Hier ist die
Adresse.« Er knallte Grace einen Zettel auf den Tisch.

Grace las ihn und schaute auf Pottings Liste. Es war genau dieser Schwefelsäure-Lieferant aus Portslade.

83

PLÖTZLICH HATTE TOM EINE IDEE. Sein Handy war nicht da, dafür aber etwas anderes. Er spürte die harte Ausbuchtung in der Hosentasche. Verdammt, wieso war er nicht schon früher drauf gekommen?

Er zog den Palm Pilot aus der Tasche und drückte einen der vier Knöpfe an der Unterseite. Sofort leuchtete das Display auf. Der Lichtschein wirkte beruhigender als tausend Taschenlampen.

»Was ist das?«, rief Kellie.

»Mein Palm!« Nun konnte er tatsächlich ihr Gesicht sehen!

»Wie – wieso kannst du deine Hände bewegen?«, flüsterte sie.

Der Lichtschein reichte nicht weit, half ihm aber, sich zu orientieren. Sie befanden sich in einem riesigen Lagerraum, die Decke mochte an die sechs Meter hoch sein, überall stapelten sich Hunderte, wenn nicht Tausende von Chemikalienfässern. Betonboden, keine Fenster, die Tür nicht zu erkennen. Angesichts der Temperatur und völligen Dunkelheit konnten sie sich durchaus in einem Keller befinden.

Vermutlich gab es irgendwo eine breite Tür, da die Fässer nur mit einem Gabelstapler zu transportieren waren. Und auch einen Lastenaufzug.

Tom untersuchte die Fessel an seinem Fußknöchel: eine breite Metallklammer mit einer Kette, die in einem Metallring an der Wand endete. Genau wie im Film. Kellie war ein Stück weiter an einen anderen Ring gekettet. Tom stand auf und ging einige Schritte zu ihr hinüber, doch als sich die Kette straffte, lagen noch immer drei Meter Abstand zwischen ihnen.

»Du kannst mit dem Ding nicht telefonieren, oder?«

»Nein.«

»Was ist mit E-Mail?«

»Dazu brauche ich mein Handy.«

Er drehte sich um und pinkelte in den orangefarbenen Eimer. Nie hätte er sich erträumt, dass Pinkeln so selig machen konnte.

»Vergiss nicht abzuziehen«, meinte Kellie.

Er grinste, bewunderte sie für ihren Mut. Menschen überstanden solche Prüfungen, indem sie Humor und Kampfgeist bewahrten. »Klar. Und ich klappe auch den Deckel runter.«

Tom trat zu dem Fass, das er vorhin geöffnet hatte, und suchte im Lichtschein nach dem Etikett, das er im Dunkeln ertastet hatte.

Eine Hälfte war gelb mit schwarzer Aufschrift: ÄTZEND. Daneben auf dem weißen Teil des Etiketts: H_2SO_4 KONZENTRIERT, 25L.

Würde sich dieses Zeug durch Metall fressen? Und wenn ja, wie schnell?

Es gab nur eine Möglichkeit, er musste es herausfinden.

Er legte den Palm auf den Boden und hob den Eimer hoch. Da erlosch das Display. Einen Moment fürchtete er, der Akku könne leer sein, dann fiel ihm ein, dass das Gerät nach zwei Minuten in den Ruhezustand schaltete. Rasch stellte er es so ein, dass es aktiv blieb, hob den Eimer wieder hoch und kippte den Inhalt so weit wie möglich von sich und Kellie aus.

Dann konzentrierte er sich wieder auf das Fass. Den Verschluss hatte er zuvor schon entfernt, und aus der Öffnung stieg ein stark beißender Geruch auf. Seine bruchstückhaften chemischen Kenntnisse sagten ihm, dass manche Säuren Metall oder Kunststoff, nicht aber beides angriffen. Da diese Fässer aus Plastik bestanden, würde die Säure den Eimer nicht zersetzen. Er holte tief Luft, umklammerte das Fass – bloß nicht dran denken, was geschehen würde, wenn er es umstieß –, neigte es so weit, dass etwas herausschwappte und auf dem Boden neben dem Eimer landete.

»Scheiße.«

Dampf stieg vom Boden auf. Die Säure reagierte mit etwas, ein gutes Zeichen.

»Was tust du da?«

»Ist nur ein Experiment.«

»Wie bitte? Was soll das werden?«, fragte Kellie angespannt.

Der beißende Gestank wurde schlimmer, die Dämpfe brannten in seiner Kehle. Tom trat zurück, holte wieder tief Luft, rückte am Fass und versuchte es erneut. Diesmal plätscherte die Säure in den Eimer. Er schüttete, bis dieser knapp zur Hälfte gefüllt war, stellte das Fass aufrecht hin und prüfte mit Hilfe der Displaybeleuchtung, ob auch keine Säure an den Eimergriff oder andere Stellen, die er berühren würde, gelangt war.

Dann goss er ein wenig Säure auf zwei der Kettenglieder.

Nichts geschah. Stinkende Schwaden wallten vom Boden hoch, doch gab es keine sichtbare Reaktion.

Fluchend schaute Tom auf die Kette hinunter. Er hätte ebenso gut Wasser darauf gießen können.

84

CARL VENNER WATSCHELTE HÄNDERINGEND in seinem Büro auf und ab, eine frisch angezündete Zigarre zwischen den Lippen, und richtete seinen Zorn abwechselnd gegen den Russen und gegen Luvic, der gleichzeitig rauchte und Kaugummi kaute. »Jungs, die Situation gefällt mir nicht. Sie gefällt mir gar nicht.«

Er hob die Hand zum Mund, nahm die Zigarre heraus und begann wieder, auf dem Zeigefinger zu kauen. Riss an der Haut.

Der Russe, der sich eher selten zu Wort meldete, sagte nun: »Wir müssen Juri aus Krankenhaus holen, bevor er aufwacht.«

»Entweder das, oder wir sorgen dafür, dass er gar nichts mehr sagt«, meinte Venner.

»Ich töte Bruder nicht.«

»Roman, du arbeitest für mich und tust gefälligst, was ich dir sage.«

»Dann ich nicht mehr arbeiten für dich.«

Venner baute sich vor ihm auf. »Hör zu, du Scheißer, ohne mich würdest du noch immer in der Ukraine auf 'nem Traktor hocken. Was, wenn ich deine Kündigung annehme?«

Der Russe schwieg unwillig.

Luvic legte die Handkante an die eigene Kehle. »Ich übernehme das.«

Der Russe ging zu dem Albaner und pflanzte sich vor ihm auf; er überragte den ehemaligen Kickboxer um Haupteslänge. »Wenn du tötest Bruder, ich töte dich.«

Der Albaner schaute ihn spöttisch an und kaute gelassen weiter. Dann zog er zweimal rasch hintereinander an der Zigarette, stieß den Rauch aus und sagte: »Ich mache, was Mr. Smith mir sagt. Ich gehorche Mr. Smith.«

»Wir haben ein noch dringenderes Problem«, meinte Venner. »Dieser dämliche John Frost alias Gidney mit seinen dämlichen Wetterberichten hat uns verschaukelt. Na ja, immerhin hat er ein bisschen sauren Regen abbekommen. Soll gar nicht gut für die Haare sein.«

Der Russe grinste; der Albaner, dem jeder Sinn für Humor abging, hatte den Witz nicht kapiert. Sie hatten die Leiche wie üblich in den Schwefelsäuretank geworfen. Nach ein paar Tagen könnten sie die Knochen in Salzsäure auflösen, und es bliebe keine Spur vom Wetterfrosch.

»Unser Problem besteht darin, dass wir nicht wissen, mit wem er worüber geredet hat«, fuhr Venner fort. »Und er hat uns auch belogen, was das Handy angeht.«

Der Albaner nickte zustimmend. »Es lag eingeschaltet in seinem Wagen.«

»Wir wissen, was das bedeutet, oder?«

Die beiden nickten.

»Die Polizei kann seine Fahrtroute durch Brighton and Hove nachverfolgen, mit genauen Zeit- und Ortsangaben. Meine Herren, wir müssen uns leider vorübergehend zurückziehen. Wir warten in Albanien ab, bis sich die Lage beruhigt hat.«

»Ich lieber bleibe hier«, entgegnete der Russe.

Venner tippte sich an die Brust. »Ich bin neunundfünfzig. Meinst du etwa, ich reiße mich darum, auch nur einen Teil meiner verbleibenden kostbaren Zeit in diesem Drecksland zu verbringen? Sogar die Frauen hier sind hässlicher als anderswo. Wir sind in dieses Land gekommen, weil es uns hier gut geht. Aber ihr habt Scheiße gebaut.«

»Wie?«, fragte der Russe zornig.

»Bitte?« Venner gab sich erstaunt. »Mik wird von Kemp Town bis zu einer Tiefgarage im Zentrum von Brighton verfolgt ...«

Der Albaner fiel ihm ins Wort. »Ja, aber ich hab sie abgehängt.«

»Sicher, und hast ihnen deinen gottverdammten Golf überlassen.«

»Den hol ich mir zurück.«

Venner beachtete ihn nicht weiter und richtete nun seine ganze Wut gegen den Russen. »Dein bescheuerter Bruder erregt die Aufmerksamkeit der Polizei, baut einen Verkehrsunfall und schenkt ihnen den Laptop mit unserem Film von D'Eath. Würdest du das etwa nicht als Scheiße bezeichnen?«

Der Russe schwieg.

»Wir machen es wie folgt«, erklärte Venner in versöhnlicherem Ton. »Mr. und Mrs. Bryce werden sofort gefilmt, dann sind wir sie los. Und danach nichts wie weg. Heute Abend fliegen wir nach Paris, von da aus weiter Richtung Osten. Alles klar?«

Stummes, zögerndes Nicken.

»Wo machen wir den Film?«, erkundigte sich der Albaner.

»Hier, in diesem Raum. Ich habe schon ein paar kreative Ideen. Mr. Bryce hat uns so viel Mühe bereitet, es soll ihm richtig weh tun. Außerdem möchte ich, dass er sich zuerst anschaut, was wir uns für Mrs. Bryce überlegt haben.«

Er sah den Russen an. »Roman, du holst sie rauf. Beinfesseln lösen und mit Klebeband knebeln. Ich reiße das Zeug so gerne ab.«

Als er an die originellen Dinge dachte, die er sich für Mr. und Mrs. Bryce ausgedacht hatte, begann Carl Venner vor sich hin zu summen.

85

»TOM!«

Kellies Stimme klang so drängend, dass Tom aufblickte. *Scheiße!* Schon wieder das helle Rechteck am Ende des Raums. Jemand trat ein, ein großer, dünner Mann, der ganz in Schwarz gekleidet war.

Tom hechtete auf den Boden und begrub den Palm unter sich, um das Leuchten zu verbergen. Rasch tastete er nach dem Gerät und schaltete es aus. Hatte der Mann den Eimer gesehen? Er legte die Arme an den Körper und drückte die Beine zusammen, um seine ursprüngliche Position nachzuahmen. Dann lag er ganz still und sah den Strahl der Taschenlampe auf sich zukommen.

Er schien ihm genau ins Gesicht.

»Mr. Bryce, mitkommen nach oben. Sie und Frau werden Filmstars!«

Tom zitterte vor Angst. Der Mann war nicht blind, er würde jeden Moment entdecken, dass seine Fesseln fehlten.

»Was meinen Sie damit?«, fragte Kellie, deren Stimme vor Angst bebte.

Der Russe richtete den Strahl auf sie. »Genug geredet! Willst ficken? Mr. Bryce, wollen zusehen, wie ich Sex mache mit Frau?«

Toms Angst wandelte sich in Zorn. »Wenn du sie anfasst, bring ich dich um.«

»Ich sage Schluss mit Reden!«, brüllte der Russe und blendete Tom mit der Taschenlampe. »Klappe. Droh nicht!«

Dann kniete er sich hin. Zerschnitt etwas mit einer Schere. Tom ahnte, was nun kommen würde. Der Mann beugte sich über ihn. Er roch sein Aftershave, eine prickelnde, männliche Note.

Tom erstarrte.

Er hatte nur diese eine Chance, es gab keinen Plan, er musste einfach handeln.

Der Mann hielt einen langen Streifen Klebeband in Händen. »Mund zu.«

»Kann ich mir noch eben die Nase putzen?«

»Nein!«

»Ich muss aber niesen!«

Er spürte das winzige Zögern, doch es reichte.

Tom schoss zur Seite, rollte sich einmal um seine Achse, packte mit beiden Händen den Eimer und schoss herum. Die Taschenlampe leuchtete ihm mitten ins Gesicht. Kellie lag weiter links, außer Reichweite. Mit aller Kraft schleuderte er den Inhalt des Eimers in Richtung Taschenlampe.

Ein scharfer Schmerz an den Händen, brennende Tropfen, doch er bemerkte sie kaum, weil die qualvollen Schreie alles überlagerten.

Die Taschenlampe fiel zu Boden. Tom sah den Mann rückwärts taumeln, die Hände vors Gesicht geschlagen. Er musste ihn packen, jetzt.

Um jeden Preis.

Tom warf sich in bester Rugbymanier nach vorn, obwohl sicher Säure auf dem Boden war, aber egal, es war seine einzige Chance. Irgendwie gelang es ihm, den rechten Knöchel des Russen zu schnappen, bevor dieser außer Reichweite war. Brachte ihn zum Stehen. Riss den Knöchel mit einer Kraft, die er gar nicht in sich vermutet hatte, zu sich herüber.

Der Russe stürzte über ihn, wand sich, schrie, heulte zum Steinerweichen, grub die Finger in sein Gesicht. Kellie schrie ebenfalls. »Hilfe!«, brüllte der Russe. »Hilfe! Hilfe, bitte, helfen!« Und versuchte, von Tom wegzukommen.

Man hatte ihn geschickt, um sie zu holen, also musste er auch den Schlüssel zu ihren Fesseln bei sich haben. Tom griff zur Taschenlampe und ließ sie mit aller Gewalt auf den Kopf des Russen niedersausen. Glas splitterte, sie erlosch. Der Mann blieb regungslos liegen. Man hörte nur das grauenhafte Zischen in seinem Gesicht, begleitet vom widerlichen Geruch nach brennendem Fleisch und Haaren. Tom würgte es im Hals, die Säure schien sich wie ein Nebel über den ganzen Raum zu legen. Er hörte Kellie husten.

Er tastete nach dem Palm, schaltete ihn wieder ein und durchwühlte die Jackentaschen des Bewusstlosen. Eine kleine Kette mit zwei Schlüsseln, die mussten es sein. Zitternd vor Angst und Entsetzen erhob er sich. Jeden Augenblick konnte jemand auftauchen. Er kniete sich und suchte das Schlüsselloch. Seine Hand zitterte so sehr, dass er den Schlüssel nicht hineinbekam.

Mein Gott, bitte, mach schon!

Endlich glitt der Schlüssel ins Loch. Ließ sich aber nicht drehen. Dann eben der andere. Irgendwie schaffte er es beim ersten Versuch, und diesmal sprang das Schloss auf. Sekunden später hinkte Tom befreit zu Kellie hinüber. Seine Hände brannten jetzt unglaublich, doch darum konnte er sich erst später kümmern.

Er kauerte sich neben sie, küsste sie und flüsterte: »Ich liebe dich.«

Sie schaute ihn mit aufgerissenen Augen an, wie gelähmt vor Entsetzen. Er löste ihre Fußfessel und machte sich an dem festen Knoten zu schaffen, mit dem ihre Beine zusammengebunden waren. Seine Hände zitterten wieder, die Schnur saß verdammt fest.

Sie rührte sich nicht. Noch ein Versuch. Und noch einer. »Alles okay, Liebes?«

Sie sagte nichts.

»Liebes?«

Nichts.

Dann in einem Ton, der ihm Schauer durch den Körper jagte: »Tom, da ist jemand.«

Er schaute hoch. Und blickte geradewegs in einen Lampenstrahl. Hörte die wütende Stimme des fetten Amerikaners.

»Sie sind ein dummer Junge, Mr. Bryce. Ganz, ganz dumm.«

Der Strahl schwang von Toms Gesicht durch den ganzen Raum. Gleich würde er auf den bewusstlosen Russen fallen. Tom entschied im Bruchteil einer Sekunde. Nichts konnte schlimmer sein als hier zu warten, bis der Amerikaner zu ihnen herüberkam.

Er sprang auf, rannte brüllend mit gesenktem Kopf zur Tür. Sah noch, wie der Mann etwas Schwarzes, Metallenes aus der Tasche zog, eine Schusswaffe. Tom rammte ihm mit aller Gewalt den Kopf in den Magen. Es war, als prallte er gegen ein riesiges Kissen. Er hörte ein atemloses Keuchen, spürte einen scharfen Schmerz in der Halswirbelsäule, ihm wurde einen Moment schwarz vor Augen. Dann taumelte der Amerikaner nach hinten, und Tom fiel mit ihm zu Boden.

Eine Hand packte seinen Nacken. Kalt und hart, mehr wie eine Kneifzange als wie menschliches Fleisch. Dann griff sie nach seinem Haar und riss seinen Kopf so schmerzhaft nach hinten, dass Tom auf den Rücken fiel und mit dem Schädel auf den Boden knallte. Der Mann hielt ihn dort fest.

Tom blickte in den kurzen Lauf einer Waffe und in die eiskalten Augen dahinter.

Der Mann war stämmig und muskulös, hatte blondes, gegeltes Stachelhaar und tätowierte Arme. Er stank nach Schweiß. Ausdruckslos schaute er auf Tom hinunter, kaute Kaugummi mit kleinen, leuchtend weißen Zähnen, die an einen Piranha erinnerten.

Der Amerikaner rappelte sich mühsam hoch.

»Soll ich ihn töten?«

»Nein«, japste der Amerikaner, »oh nein. So einfach wollen wir es ihm dann doch nicht machen …«

Plötzlich wurde es draußen unruhig. Eine Männerstimme rief: »Polizei! Weg mit der Waffe!«

Tom spürte, wie sich der Griff in seinen Haaren lockerte. Sein Angreifer drehte sich entsetzt um, hob die Waffe und feuerte postwendend mehrere Schüsse ab. Der Lärm war ohrenbetäubend; Tom konnte einen Moment lang nichts hören, alles stank nach Kordit. Dann waren beide Männer verschwunden.

Eine Sekunde später rief eine englische Stimme: »Ich bin getroffen. Oh, mein Gott, ich bin getroffen!«

86

GRACE VERLIESS DEN LASTENAUFZUG und glitt durch eine halb geöffnete Tür, auf der ein großes schwarz-gelbes Warnschild angebracht war: ZUTRITT NUR MIT SCHUTZANZUG. Glenn Branson bog gerade vor ihm um die Ecke, Grace hörte ihn rufen: »Polizei! Weg mit der Waffe!«

In rascher Folge fielen mehrere Schüsse. Glenn schrie auf.

Grace rannte um die Ecke und sah seinen Kollegen am Boden liegen. Er umklammerte mit blutverschmierten Händen seinen Bauch, hatte die Augen verdreht. »Hier DC Grace, wir haben einen Verletzten!«, brüllte er ins Funkgerät. »Wir brauchen einen Rettungswagen! Holt die Waffenspezialisten! Und alle anderen Einheiten!«

Er hielt inne, rang kurz mit sich, ob er bei seinem Kollegen bleiben oder den Täter verfolgen sollte. Vor dem Gebäude warteten zwei Mannschaftswagen mit Uniformierten, ein Sondereinsatzteam, eine mit Schutzschilden und Schlagstöcken bewaffnete Ordnungstruppe und ein Team mit Waffenspezialisten.

Grace drehte sich zu Nick Nicholas und Norman Potting um, die unmittelbar hinter ihm waren. »Norman, Sie bleiben hier bei Glenn!« Er rannte los, sah vor sich gerade eine schwere Eisentür mit der Aufschrift NOTAUSGANG zufallen. Er hechtete hindurch, stürmte eine Steintreppe hinauf, hörte Nicholas hinter sich her rennen, bog um eine Ecke, dann noch eine.

Da war der Mann mit der Gelfrisur in Muskelhemd und Jeans, den Derry Blane als Mik Luvic identifiziert hatte. »Stehen bleiben, Polizei!«

Der Mann schoss herum und richtete seine Waffe auf ihn. Grace presste sich gegen die Wand, drückte Nicholas mit dem Arm nach hinten, Mündungsfeuer blitzte auf, neben ihm spritzten Zementbröckchen aus der Wand. Der Mann verschwand.

Grace stürzte weiter die Treppe hinauf, ohne an die Gefahr zu denken, wutentbrannt und entschlossen, den Schweinehund zu kriegen, ihn mit bloßen Händen zu zerreißen. Er sah um die Ecke. Keine Spur von Luvic. Noch eine Treppe höher, sein Herz hämmerte. Vorsichtig spähte er in den nächsten Gang, noch immer nichts.

Sie mussten fast oben sein.

Also weiter. Er sah, wie eine Tür, auf der in roten Buchstaben AUSGANG stand, zuschwang. Grace rannte keuchend hin, warnte Nicholas. »Vorsicht.«

Der junge DC nickte.

Ein Motor sprang an, Rotorblätter setzten sich in Bewegung.

Natürlich, der Hubschrauber, den er auf dem Dach gesehen hatte.

Grace stieß die Tür auf. Ein fetter Mann mit Pferdeschwänzchen, den er sofort als Carl Venner erkannte, saß auf dem Pilotensitz. Ein kleiner Hubschrauber, ein viersitziger Robinson. Luvic löste gerade ein Halteseil von der Kufe.

Grace stürzte durch die Tür ins Freie. »Halt, Polizei!«

Der Albaner hob die Waffe. Grace warf sich zu Boden, als der Schuss losging. Eine heftige Bö verstärkte noch den Abwind der Rotorblätter. Grace duckte sich hinter einen Aufbau, unter dem sich vermutlich der Aufzugschacht befand. Ein Knall ertönte knapp neben seinem Ohr.

Er hatte sieben Schüsse gezählt. Wie viele waren noch im Magazin?

Das Halteseil löste sich. Luvic rannte zur anderen Seite des Hubschraubers. »Zurückbleiben!«, rief Grace zu Nicholas.

Dann robbte er langsam vorwärts, sah sich nach einer Waffe um. Zu seiner Rechten entdeckte er einige Zementsäcke und einen Haufen Ziegelsteine. Der Stachelkopf machte sich am zweiten Halteseil zu schaffen. Grace kam hoch und warf sich auf ihn.

Luvic hob die Waffe. Grace wich gewandt aus, als ein Blitz aus der Mündung schoss, und wünschte, er hätte seine kugelsichere Weste an. Wieder betätigte der Mann den Abzug.

Nichts geschah.

Grace ging zum Angriff über. Urplötzlich trafen ihn die Füße des Albaners am Kinn, sodass er rückwärts durch die Luft flog und auf das geteerte Dach prallte. Ihm blieb für einen Moment die Luft weg.

Er hörte den Motor, rollte sich herum, blinzelte betäubt hinunter, sah Dächer, in der Ferne den hohen Schornstein des ehemaligen Elektrizitätswerks von Shoreham. Der Wind frischte auf. Luvic war jetzt im Hubschrauber. Die Kufen hoben vom Dach ab.

Verzweifelt wollte er sich auf die Ziegelsteine stürzen, entdeckte eine Gerüststange, riss sie hoch, schleuderte sie mit aller Kraft auf den Heckrotor.

Einen Moment lang schien sie wie in Zeitlupe durch die Luft zu segeln. Grace fürchtete schon, er habe daneben geworfen. Aber nein, sie traf ins Schwarze, bohrte sich mitten in den Rotor.

Ein lautes Knirschen von Metall, Funken stoben. Der Hubschrauber neigte sich zur Seite.

Stieg aber wieder hoch. Begann urplötzlich, sich um die eigene Achse zu drehen. Grace sah, dass der komplette Heckrotor fehlte.

Der Hubschrauber kreiselte einmal, zweimal, dreimal, schoss mit heulendem Motor genau auf ihn zu. Er musste sich flach aufs Dach pressen, um nicht von den Kufen getroffen zu werden. Der Wind zerrte an Jacke und Haaren. Ein lauter Knall, ein Regen aus Metallstücken und Steinbröckchen ging auf ihn nieder, als der Hubschrauber gegen das Aufzughäuschen prallte. Er legte sich schräg wie ein hilfloser Käfer, ein Rotorblatt schabte über das Dach und hätte Grace, der sich gerade noch wegrollen konnte, um ein Haar erwischt.

Er erspähte Venner in seinem braunroten Hemd, sah die Angst in dessen Gesicht, daneben Luvic, dem ebenfalls das Entsetzen ins Gesicht geschrieben stand.

Der Hubschrauber kippte auf die Seite und rutschte auf die Dachkante zu.

Auf einmal stank alles nach Treibstoff.

Der Motor erstarb.

Grace rappelte sich hoch und lief los.

Der Hubschrauber schwankte. Wippte förmlich auf der Kante. Luvic hing kopfüber in der gläsernen Pilotenkanzel, anscheinend bewusstlos, Venner zappelte noch in den Gurten. Der Hubschrauber würde jeden Augenblick abstürzen.

»Helfen Sie mir«, flehte der Fette und streckte Grace die Hand entgegen. »Um Gottes willen, so helfen Sie mir doch!«

Grace, der unter Höhenangst litt, kniete sich und blickte nach unten auf den Parkplatz. Der Wind zerrte an ihm. Er packte den Mann am Handgelenk, das dick wie ein Schinken war.

Der Hubschrauber neigte sich weiter. Grace spürte, wie etwas in seine Hand schnitt. Die Armbanduhr des Mannes. Er packte den Arm oberhalb der Uhr und blickte in die flehenden Äuglein des Fetten.

»Helfen Sie mir raus!«

Der Hubschrauber kippte noch weiter. Zog Grace mit nach vorn. Noch wenige Zentimeter, und sie würden alle in die Tiefe stürzen. Er begriff, was zu tun war. »Machen Sie den Gurt los, schnell!«

Doch Venner konnte nicht mehr klar denken. »Helfen Sie mir!«, kreischte er panisch.

»Weg mit dem Scheißgurt!«, brüllte Grace.

Ein Knirschen. Ein Ruck. Nur noch Sekunden. »Gurt losmachen!«

Der Arm riss ihm fast aus dem Gelenk. Grace klammerte sich verzweifelt ans Dach. Hielt fest. Ganz fest. Immer noch.

Schaute in die winzigen, verzweifelten Augen.

Plötzlich war Nick Nicholas bei ihm, griff nach unten in den Hubschrauber hinein. Ein leises Klicken. Irgendwoher nahmen sie die Kraft, Venner in einem Gewaltakt aus dem Hubschrauber und über die Dachkante zu hieven. Das Schwein sollte weiterleben, ein schneller Tod wäre viel zu gut für ihn, war alles, was Grace noch denken konnte. Im nächsten Augenblick kippte auch schon der Hubschrauber wie in Zeitlupe weg, wurde kleiner, fiel wie ein Riesenspielzeug, bis er tief unten auf einen schwarzen Mercedes und einen kleinen weißen Fiat prallte. Ein riesiger Feuerball stieg auf.

Venner stieß einen gurgelnden Jammerlaut aus. Grace rollte ihn herum und legte ihm Handschellen an. Ein übler Gestank schlug ihm entgegen, denn Venner hatte sich in die Hose geschissen. Egal, Grace lief jetzt wie auf Autopilot.

Er brüllte Nicholas zu, den Mann aus dem Gebäude zu schaffen, rannte zurück zum Notausgang, die Treppe hinunter in den Keller. Zwei Uniformierte standen bei Norman Potting, der neben Glenn Branson kniete. Er war halb bewusstlos.

»Los, wir müssen ihn rausbringen! Der Laden fliegt uns gleich um die Ohren!«

Er hob seinen Freund unter den Achseln an, ein Constable stützte den Rücken, dessen Kollege und Potting ergriffen je ein Bein. So trugen sie ihn die Treppe hoch nach draußen auf den Parkplatz. Die Luft war glühend heiß, es stank jetzt nach brennendem Lack und Gummi, Sirenen heulten mit ohrenbetäubendem Lärm.

Sie trugen Branson so weit wie möglich weg von der Hitze. Ein Rettungswagen näherte sich.

Grace beugte sich zu Branson hinunter. »Alles klar?«

»Weißt du noch, John Wayne, als er in dem Film angeschossen wurde ...«, keuchte er.

»Hat er überlebt?«

»Ja.«

»Und du fühlst dich wie er?«

»Ja.«

Grace küsste ihn auf die Stirn, ohne sich seiner Gefühle zu schämen.

Dann trat er zurück, als die Sanitäter die Leitung übernahmen. Spürte plötzlich einen Schmerz an der Hand. Er entdeckte eine Breitling-Uhr mit blauem Zifferblatt, die er unbewusst in der Hand gehalten hatte. Das kaputte Band war mit Blut verschmiert, seinem eigenen Blut.

Natürlich, das war die Uhr, die der Fette getragen hatte. Wie zum Teufel ...?

Da fiel ihm das Telefonat mit Harry Frame ein.

Ich bekomme hier eine Uhr.

Eine Uhr?

Genau! Eine Armbanduhr! Sie ist wichtig. Eine Armbanduhr wird

Sie zu einem sehr befriedigenden Ergebnis führen, das mit einem
Fall zu tun hat. Ich vermute, mit diesem Fall.
Können Sie das etwas präzisieren?
Nein, das geht nicht. Wie gesagt, ich weiß auch nicht, ob es wichtig
ist.
Eine bestimmte Marke?
Nein. Aber teuer.

Er lutschte an seiner Hand, um die Blutung zu stillen, und wandte sich an Nick Nicholas, der gerade die Tür des Streifenwagens schloss, in dem Carl Venner saß. »Kennen Sie sich zufällig mit Armbanduhren aus?«

Sein Kollege war bleich und zitterte. Schwerer Schock. »Nicht sehr gut. Wieso?«

Grace hielt die Breitling hoch. »Was sagen Sie dazu?«

»Das ist eine Breitling«, meldete sich Norman Potting zu Wort.

»Was können Sie mir darüber sagen?«

»Könnte ich mir nie leisten, so teuer sind die.«

Ein Constable kam auf sie zu gerannt, seine Miene war besorgniserregend. »Bitte entfernen Sie sich vom Gebäude. Wir befürchten, es könnte explodieren, es ist voller Chemikalien.«

Plötzlich geriet Grace in Panik. »Mein Gott, wo sind die Bryces?«

»Alles in Ordnung, Sir, sie befinden sich bereits auf dem Weg ins Krankenhaus.«

»Gut gemacht.«

87

ALS FÜNF MINUTEN SPÄTER der erste Löschzug vorfuhr, explodierte das Lagerhaus. Die Detonation schleuderte die Splitter der Fensterscheiben zweihundertfünfzig Meter weit. Erst nach zwei Tagen war die Brandstelle so weit abgekühlt, dass sich die Spurensicherung an ihre unerfreuliche Aufgabe machen konnte.

Schließlich fand man in den Trümmern die kläglichen Überreste dreier Leichen. Einer der Toten wurde Wochen später von seinem Bruder identifiziert, der sich noch unter Bewachung im Krankenhaus befand. Er erkannte das teilweise geschmolzene Goldmedaillon, das sein Bruder getragen hatte.

Bei den Überresten eines weiteren menschlichen Kopfes konnte anhand zahnärztlicher Unterlagen einwandfrei die Identität von Janie Stretton festgestellt werden.

Der andere Tote konnte ebenfalls mit Hilfe zahnärztlicher Unterlagen als Andy Gidney identifiziert werden. In diesem Fall machte es die starke Hitze unmöglich, die genaue Todesursache zu ermitteln, und niemand konnte sich erklären, was Gidney in dem Lagerhaus zu suchen gehabt hatte.

Einige Monate später sollte Sergeant Jon Rye einen Bericht einreichen, der zum Urteil »Todesursache unbekannt« führte. Das war noch knapper und noch weniger aufschlussreich als eine Seewettervorhersage.

Um halb fünf verließ Roy Grace schließlich die Brandstelle, das Feuer war noch längst nicht unter Kontrolle. Er fuhr geradewegs in die Notaufnahme des Royal Sussex County Hospital, um sich nach Glenn Branson zu erkundigen.

Dessen hübsche Frau Ari war bereits dort. Sie hatte Grace nie besonders herzlich behandelt, weil sie ihm vermutlich die Schuld daran gab, dass ihr Mann so selten zu Hause war. An diesem Tag war die Stimmung noch frostiger. Glenn hatte Glück gehabt. Nur eine Kugel hatte ihn getroffen, den Bauch durchschlagen und die Wirbelsäule knapp verfehlt. Er würde noch eine Weile Schmerzen leiden, doch Grace bezweifelte nicht, dass er sich seine Genesung mit vielen Filmen versüßen würde, in denen die Helden angeschossen wurden und überlebten.

Auf der Intensivstation traf er Emma-Janes Eltern. Ihre Mutter, eine attraktive Frau Mitte vierzig, begrüßte ihn mit stoischem Lächeln, während der Vater einen gelben Tennisball zusammendrückte, als hinge das Leben seiner Tochter davon ab. Es hieß immerhin, Emma-Jane sei langsam auf dem Weg der Besserung.

Niedergeschlagen verließ er das Krankenhaus und fragte sich, welch lausiger Teamchef seine Mitarbeiter derart in Lebensgefahr brachte. Er machte einen Abstecher in eine Arbeiterkneipe, wo er ein riesiges warmes Rührei mit Toast verdrückte, das er mit einer Tasse starken Tees hinunterspülte.

Danach ging es ihm besser. Er erledigte noch einige Anrufe und wollte gerade aufstehen, als sein Handy klingelte. Nick Nicholas wollte wissen, wie es ihm ging. Er habe noch gar nicht über sein Treffen mit dem Beamten von der Met berichten können. Die Spur mit dem toten Mädchen in Wimbledon habe sich als falsche Fährte erwiesen, es sei reiner Zufall gewesen, dass sie eine Kette mit einem Skarabäusanhänger trug. Ihr Freund habe den Mord bereits gestanden. Bella Moy könne ebenfalls keine Belege für weitere Morde finden, bei denen ein Skarabäus am Tatort entdeckt worden war.

Vielleicht hatten sie ja Glück gehabt und die Täter frühzeitig erwischt, dachte Grace. Leider nicht früh genug, um die arme Janie Stretton zu retten.

Er wies den jungen DC an, nach Hause zu gehen, seine schwangere Frau zu umarmen und ihr zu sagen, dass er sie liebe. Nicholas bedankte sich in überraschtem Ton, doch Grace hatte aus ehrlichem Gefühl heraus gesprochen. Das Leben war kostbar. Und zerbrechlich. Man wusste nie, was hinter der nächsten Ecke lauerte. Daher musste man es genießen, solange es ging.

Als er ins Auto stieg, rief Cleo an. Sie klang ausgesprochen fröhlich.

»Hi, tut mir Leid, dass ich erst jetzt anrufe. Kannst du reden?«

»Und wie.«

»Super. Ich hatte einen furchtbaren Tag. Vier Leichen, du weißt ja, wie es nach dem Wochenende ist!«

»Klar doch.«

»Ein Motorradunfall, ein Einundfünfzigjähriger, der von der Leiter gefallen war, und zwei alte Damen. Ganz zu schweigen von einem männlichen Kopf mit einem bisschen dran, den sie mir gestern gebracht haben. Der dürfte dir wohl nicht unbekannt sein.«

»Hab davon gehört.«

»Um die Mittagszeit bin ich in die Stadt gefahren, um ein Geburtstagsgeschenk für meine alten Herrschaften zu kaufen.«

»Aha.«

»Und dann steckte mein Wagen doch tatsächlich in der Tiefgarage unter dem Bartholomew Square fest. Ein Bombenalarm, kannst du dir so was vorstellen?«

»Was du nicht sagst.«

»Als ich den Wagen schließlich wieder hatte, war die ganze Stadt lahmgelegt. Stau, wohin man blickte.«

»Ja, das hab ich am Rande mitgekriegt.«

»Und wie war's bei dir?«

»Ach, so lala.«

»Keine Sensationen?«

»Nee.«

Zwischen ihnen herrschte ein angenehmes Schweigen, bis Cleo sagte: »Ich hab mich den ganzen Tag nach dir gesehnt, wollte mit dir reden. Aber erst, wenn wir richtig Zeit füreinander haben. Es sollte nicht das übliche *Hi, toller Fick letzte Nacht* sein.«

Grace musste lachen. Plötzlich schien es unglaublich lange her, seit er aus vollem Herzen gelacht hatte. Die letzten Tage kamen ihm vor wie eine ganze Ewigkeit.

Viel später, nachdem er im Büro begonnen hatte, sich durch die Papierberge zu arbeiten, die ihn gewiss noch den Rest der Woche beschäftigen würden, fuhr er zu Cleo nach Hause.

Als sie sich geliebt hatten, schlief er wie ein Baby in ihren Armen ein. Schlief wie ein Toter. Und spürte in diesen wenigen Stunden nicht die Angst, die die Lebenden quälte.

88

AM DONNERSTAGMORGEN FUHR TOM BRYCE mit bandagierten Händen, die noch immer höllisch schmerzten, für einige Stunden ins Büro.

Seine Mitarbeiter begrüßten ihn überschwänglich, auf dem Schreibtisch stapelten sich Zeitungsausschnitte, in denen über ihn und Kellie berichtet wurde. Wie sich zeigte, sollten sich diese Ereignisse für *BryceRight Promotional Merchandise* als durchaus vorteilhaft erweisen. Seine Verkäufer Peter Chard und Simon Wang waren hin und weg – sie wussten nicht, wann sie zuletzt so viele Anfragen erhalten hatten.

»Ach ja«, fügte Chard hinzu, »wir haben auch die Rolex-Uhren an Ron Spacks geliefert. Alle fünfundzwanzig. Die Gewinnspanne ist irre.«

»Ich habe den letzten Entwurf gar nicht gesehen«, meinte Tom ein wenig besorgt. Sollten die Gravuren in die Hose gegangen sein, stünden sie vor einer finanziellen Katastrophe.

»Keine Angst, ich habe ihn gestern angerufen, er ist total glücklich damit.«

»Kannst du mir bitte die Unterlagen holen?«

Wenige Minuten später legte Chard ihm die Akte auf den Tisch. Tom schlug den Ordner auf und starrte fassungslos auf die Zahlen. 1400 Pfund Gewinn pro Uhr und das mal fünfundzwanzig, machte summa summarum 35 000 Pfund. Noch nie hatte er an einem einzelnen Geschäft so gut verdient.

Doch dann kippte seine Stimmung. Kellie hatte sich bereit erklärt, einen Entzug in einer Klinik zu machen. Danach wollten sie einen Neuanfang wagen. Leider kosteten die wirklich guten Kliniken ein Vermögen, manche gar mehrere tausend Pfund pro Woche, und das auf Monate hinaus. Er musste mit 30 000 bis 40 000 Pfund für die Behandlung rechnen, dazu kamen noch die Kosten für die Kinderbetreuung.

Immerhin würde dieser Auftrag dabei helfen. Er machte seit sechs Jahren mit Ron Spacks Geschäfte, und der Mann hatte immer pünktlich gezahlt, sieben Tage nach Lieferung und keinen Tag später.

Tom warf einen Blick auf die Unterlagen. »Wann haben wir geliefert?«

»Gestern.«

»Schnelle Arbeit. Ich habe den Auftrag doch erst am …«

»Donnerstag«, warf Peter Chard ein. »Ich habe einen Lieferanten aufgetan, der die Uhren vorrätig hatte, und den Graveur Nachtschichten einlegen lassen.«

»Den endgültigen Entwurf kenne ich gar nicht, er wollte ihn mir schicken.«

Chard blätterte um und tippte auf eine DIN-A4-Kopie. »Das ist eine starke Vergrößerung. In Wirklichkeit ist es nur ein Microdot, mit bloßem Auge fast gar nicht zu erkennen.«

Tom betrachtete die Zeichnung. Ein Käfer, ein schönes, aber leicht bedrohlich wirkendes Geschöpf mit seltsamen Markierungen auf dem Rücken und einem Horn, das ihm aus der Stirn wuchs. Er runzelte die Stirn.

»Man nennt ihn Skarabäus«, sagte Peter Chard. »Anscheinend waren sie den alten Ägyptern heilig.«

»Ehrlich?«

»Ja, scheußliches Vieh. Auch als Mistkäfer bekannt.«

»Warum wollte er die auf den Uhren haben?«

Chard zuckte die Achseln. »Er ist doch DVD-Händler, oder?«

»Ja, im ganz großen Stil.«

»Vielleicht gibt es ein Plattenlabel, das so heißt«, meinte der Verkäufer. »Ich dachte, du wüsstest Bescheid, ist doch dein Kunde.«

Plötzlich überlief es Tom kalt. Vielleicht sollte er das erwähnen, wenn er das nächste Mal mit Detective Superintendent Grace sprach – ein Zufall, über den man dann gemeinsam lachen könnte.

Aber er beschloss, damit lieber zu warten, bis Ron Spacks bezahlt hatte.

Danksagung

ZU ALLERERST EINMAL stehe ich tief in der Schuld von Chief Superintendent Dave Gaylor von der Sussex Police, der kürzlich in den Ruhestand gegangen ist. Er hat mich bei der Arbeit an diesem Roman sehr unterstützt und sich vor allem großzügig als Vorbild für meinen Roy Grace zur Verfügung gestellt. Er wurde nie müde, das Manuskript wieder und wieder zu lesen und mir mehr Türen bei der Polizei im In- und Ausland zu öffnen, als ich je zu hoffen gewagt hätte.

Mein aufrichtiger Dank gilt auch vielen anderen Mitarbeitern der Sussex Police, die mir überaus tolerant, herzlich und hilfsbereit begegneten, wenn ich sie wieder einmal bei der Arbeit störte. Dies gilt vor allem für Chief Constable Ken Jones, der mir die freundliche Erlaubnis dazu gab. Und die beiden Detective Sergeants Paul Hastings und Ray Packham, John Shaw, Ermittler in der Abteilung Computerkriminalität, und seinem ganzen Team, das mich begeistert unterstützt und somit geholfen hat, einen wichtigen Aspekt dieser Geschichte zu entwickeln. Dank auch an Detective Superintendent Kevin Moore, Inspector Andy Parch, Chief Superintendent Peter Coll, Detective Sergeant Keith Hallet von der Sussex Police Holmes Unit, Brian Cook, dem Leiter der Scientific Support Branch, Detective Inspector William Warner und dem Leiter der Spurensicherung, Stuart Leonard. Ebenso den Familienbetreuerinnen DC Amanda Stroud und DS Louise Pye, dem Senior Support Officer Tony Case von der Kripozentrale und dem IT-Experten Daniel Salter.

Große Hilfe erhielt ich auch von Dr. Peter Dean, Leichenbeschauer für Essex, dem Pathologen Dr. Nigel Kirkham und Dr. Vesna Djurovic, Pathologin des Innenministeriums. Ein ganz besonderer Dank für die unschätzbare Hilfe geht an das wunderbar fröhliche

Team im Leichenschauhaus Brighton and Hove, Elsie Sweetman, Sean Didcott und Victor Sinden.

Außerdem möchte ich Tony Monnington und Eddie Gribble danken, die sich mit Landwirtschaft und Chemikalien auskennen; Phil Homan, meinem Mentor in Sachen Hubschrauber; Sue Ansell und ihrer juristischen Beratung und meinem menschlichen Backup-Service Chris Webb, ohne dessen Unterstützung ich völlig untergegangen wäre, als man mir auf dem Genfer Flughafen meinen Laptop stahl. Dank auch an Imogen Lloyd-Webber, Anna-Lisa Lindeblad und Carina Coleman, die das Manuskript in verschiedenen Entwicklungsphasen lasen und geradezu brillante Ideen beisteuerten.

Mein Dank gilt auch meiner wundervollen Agentin Carole Blake für ihre unermüdliche Arbeit und klugen Ratschläge (und die tollen Schuhe!), Tony Mullikin, Margot Veale und allen bei Midas wie auch dem phantastischen Team in meinem Verlag, Macmillan. Ich bin tief gerührt über die unglaubliche Unterstützung, die ich dort erfahren habe.

Bedanken möchte ich mich auch bei Richard Charkin, David North, Geoff Duffield, Anna Stockbridge, Ben Wright, Ed Ripley, Vivienne Nelson, Caitriona Row, Claire Round, Liz Johnson, Marie Gray, Michelle Walker, Claire Byrne, Adam Humphrey, Richard Evans und meiner wunderbaren Lektorin Stef Bierwerth, du bist die Größte! Jenseits des Kanals geht ein Riesendankeschön an Scherz, meinen deutschen Verlag, der mich unglaublich unterstützt hat. Vor allem an Peter Lohmann, Julia Schade, Andrea Engen, Cordelia Borchardt, Bruno Back, Indra Heinz und die großartige Andrea Diederichs – Lektorin, Fremdenführerin und Einkaufsberaterin in einer Person!

Wie immer bin ich auch meinen treuen Hunden Bertie und Phoebe zu Dank verpflichtet, die stets spüren, wenn ich einen Spaziergang benötige – jetzt müssen sie nur noch lernen, wie man einen Martini mixt …

Der vorletzte und allerdickste Dank geht an meine geliebte Helen, deren unermüdliche Unterstützung mir so oft neue Kraft gegeben hat.

Und der abschließende Dank gilt Ihnen, meinen Lesern, für die viele Post und Ihre Unterstützung. Sie bedeutet mir alles.

Peter James
Sussex, England
scary@pavilion.co.uk
www.peterjames.com

»Mit Tana French ist die Erbfolge unter den Crime-Königinnen gesichert.«

Der Tagesspiegel

ISBN 978-3-502-10216-8, 608 S. geb., € (D) 16,95

Frank Mackey, Undercover-Ermittler in Dublin, hat seine Familie seit 22 Jahren nicht gesehen. Doch als in einem Abbruchhaus ein grausiger Fund gemacht wird, muss er zurück – an mehr als nur einen dunklen Ort.

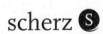

scherz

Er ist kein Virus,
er ist 1000x schlimmer ...

ISBN 978-3-502-10218-2, 400 S. geb., € (D) 18,95

Er ist lebendig, er vermehrt sich, er wächst in dir. Mikrobiologe
Liam Connor besitzt den Pilz, der jeden Menschen in eine tödliche Waffe verwandeln kann. Und dann plötzlich sein mysteriöser
Tod: Grausam zugerichtet wird Connor aufgefunden. Vom Todes-
pilz fehlt jede Spur. Mit allen Mitteln muss Liams Assistent Jake
verhindern, dass sich die tödliche Infektion weltweit ausbreitet ...

Paul McEuen gewährt mit seinem atemberaubenden Thriller
Einblicke in eine unsichtbare Welt, die für die Menschheit zur
unermesslichen Bedrohung werden kann – wenn sie außer Kontrolle gerät.

www.spiral-dasbuch.de

»Ein Meisterwerk, Mr James!«

Kate Mosse

ISBN 978-3-502-10197-0, 448 S. geb., € (D) 18,95

Eine verzweifelte Mutter, die alles für ihr krankes Kind tun würde, und eine skrupellose Bande von Organhändlern, denen ein Menschenleben nichts bedeutet – als Detective Superintendent Roy Grace den Fall der drei Teenager-Leichen im Ärmelkanal untersucht und die grausame Wahrheit begreift, muss er rasch handeln, bevor weitere Leichen an den Strand von Brighton gespült werden. Der fünfte Fall für Roy Grace.

scherz **S**

»Nervenaufreibend und atmosphärisch: man könnte schwören, dass man den Schnee unter den Füßen knirschen hört.«

Alex Kava

ISBN 978-3-596-18440-8, 432 S. geb., € (D) 8,95

Die verstümmelte Leiche einer jungen Frau liegt auf einem schneebedeckten Feld. Ihr Mörder hat sie brutal misshandelt und sein Markenzeichen hinterlassen: Er hat ihr eine römische Zahl in den Bauch geritzt. Kate Burkholder, die neue Polizeichefin muss den Killer finden, bevor er noch einmal zuschlägt. Aber wenn sie ihn überführt, verrät sie nicht nur ihre Familie, sondern deckt auch ein lange gehütetes, dunkles Geheimnis auf, das auch ihr Leben zerstören kann.

BENFALLS TEUFLISCH GUT UND GENAUSO GÜNSTIG!

FRED VARGAS

DIE DRITTE JUNGFRAU